Horst Krüger:
Poetische Erdkunde
Reise-Erzählungen

dtv

Das Buch

Horst Krügers scharfzüngig-anmutige und engagierte Reisebe-
schreibungen sind für viele ein besonderes Lesevergnügen geworden. Was durch Geschichte, Kultur und geographische Lage oft weit getrennt ist, wird bei ihm auf das natürlichste zusammengerückt: ein einzelner, ja ein Einzelgänger unterwegs.
Er schreibt sinnlich und genau, scheinbar ganz leicht und doch
hintergründig in der permanenten Frage: Wer bin denn ich – in
der Fremde? Ein besonderer Akzent dieser zuletzt erschienenen
Erzählungen liegt in der Auseinandersetzung mit dem Problem
des Todes. »Variationen über Endspiele« könnte man etwa die
Kapitel über Österreich, den Escorial oder Ägypten nennen.
Insofern liegt mit diesem Buch ein anderer, späterer Krüger vor.
Seine frische, jugendliche Erzählkraft verbindet sich reizvoll
mit dem Aroma des Endes.

Der Autor

Horst Krüger, am 17. September 1919 in Magdeburg geboren,
lebt seit 1967 als freier Autor in Frankfurt am Main. 1970 erhielt
er den Thomas-Dehler-Literaturpreis, 1972 den Johann-
Heinrich-Merck-Preis der Deutschen Akademie für Sprache
und Dichtung, 1973 den Berliner Kritiker-Preis. Wichtige Ver-
öffentlichungen ›Das zerbrochene Haus. Eine Jugend in
Deutschland‹ (1966), ›Fremde Vaterländer. Reiseerfahrungen
eines Deutschen‹ (1971), ›Zeitgelächter. Ein deutsches Panora-
ma‹ (1973), ›Ostwest-Passagen‹ (1975), ›Spötterdämmerung‹
(1981).

Horst Krüger:
Poetische Erdkunde
Reise-Erzählungen

Deutscher
Taschenbuch
Verlag

Von Horst Krüger
sind im Deutschen Taschenbuch Verlag erschienen:
Zeitgelächter (1224)
Ostwest-Passagen (1562)

PT 2671
R733
P6
1981x

Ungekürzte Ausgabe
Juli 1981
Deutscher Taschenbuch Verlag GmbH & Co. KG,
München
© 1978 Hoffmann und Campe Verlag, Hamburg
ISBN 3-455-04026-8
Umschlaggestaltung: Celestino Piatti
Gesamtherstellung: C. H. Beck'sche Buchdruckerei,
Nördlingen
Printed in Germany · ISBN 3-423-01675-2

Inhalt

Östliche Ströme durchschwimmen
uralte, zaubergebleicht,
westlich die Höhen bestimmen
selber, in die man reicht.

Wachen und immer bereit sein
dem, was Verwandlung verheißt,
bald wird die Erde so weit sein,
zu dir zu steigen als Geist.

Gottfried Benn
aus: ›Die weißen Segel‹

Standort Frankfurt am Main
Statt eines Vorworts

I

Ich habe diese Stadt nie gesucht, nie gescheut. Ich rutschte hier rein, eher zufällig. Es ergab sich im Lauf der frühen sechziger Jahre. Ich kam aus tiefer Vergangenheit: Baden-Baden, dem grünen Salon. Ich bin ein Berliner. Ich schlug erste Zelte auf, provisorisch. Ich nahm mir damals ein kleines Apartment in der City. Ich dachte an zwei oder drei Jahre – und bin dann geblieben. Frankfurt fiel mir absichtslos zu, wie wichtige Entscheidungen im Leben sich oft unbeabsichtigt ergeben: Partnergeschichten zum Beispiel. Rückblickend stellt man fest: So lange geht das nun schon mit uns? Tatsächlich schon fünfzehn Jahre? Ich meine, es läßt sich hier leben. Frankfurt ist als Standort in Deutschland nicht schlecht.

Keine Sorge: Ich werde der Stadt kein Loblied singen. Von Lokalstolz kann auch nicht die Rede sein. Ich will nur klarstellen, warum ich hier lebe, hier schreibe. Es reizt mich zum Widerspruch, wenn ich, wo immer ich hinkomme, dieses Frankfurt-Gerücht höre: diese Alptraumsaga vom Klein-Chicago mit Apfelweinbeigeschmack, sauer. Dummköpfe, leicht gebläht, nennen die Stadt gern die »Mainmetropole«. Ach, diese Klischees und wie sie sich über Jahrzehnte erhalten, unerschütterlich.

Es ist der klassische Fall eines sozialen Vorurteils: penetrant, unausrottbar wie der Antisemitismus. Ein solches Negativbild, einmal fixiert, klebt fest. Jede Gesellschaft braucht offenbar ihre Sündenböcke, auf die sie ihre geheimen, unausgelebten Selbstaggressionen abwälzen kann. Frankfurt ist zu so einem Sühnetier der Bundesdeutschen geworden. Wer Frankfurt als Monstrum beschimpft, kann immerhin sicher sein, daß seine Stadt, und wär's auch nur Bebra oder Eutin, etwas an Glanz und Schönheit gewinnt. Verteuflung entlastet bekanntlich die eigene Lage. Es geht mir immer etwas besser, wenn ich weiß, wie schlecht die anderen dran sind. Zu fragen bleibt nur: Ist das die ganze Wahrheit? Ist sie so einfach zu haben?

Ich verstehe, woher der schlechte Ruf dieser Stadt kommt. Der erste Anblick stößt ab. Der erste Eindruck verwirrt. Von

Schönheit kann nicht die Rede sein, eher von Verwilderung. Die meisten sind nur ganz kurz hier: zwei oder drei Tage – Leidenstage. Die Stadt ist die Drehscheibe der Republik. Es drängt alles rein. Es drängt noch schneller raus. Nur weg, wieder weg hier, unerträglich! Die Leute kommen am Flughafen an. Sie verlaufen, verirren sich in den endlosen Gängen und riesigen Hallen des neuen Airport-Gebäudes. Man kann sich da müde laufen, verlorengehen, schon wahr.

Oder sie kommen am Hauptbahnhof an. Auch hier alles neu und weitläufig wie am Flughafen. Sie kommen vom Bahnhofsplatz auf der Kaiserstraße direkt ins trübe funkelnde Nachtleben: die Elbestraße, die Moselstraße, die Weserstraße, die Mainluststraße, diese schäbig glitzernden Ströme der Fremdenlust. Ein Schlepper will sie zur Sex-Show verführen, schon morgens um zehn. Schon ist das Urteil gefällt. Das Negativbild ist komplett. Frankfurt hat tatsächlich ein miserables Entree, schon wahr. Nur: Was, bitte, besagt eine Tür über die Menschen, die hinter ihr leben?

Andere, es sind meist Messegäste, versuchen nachmittags gegen fünf Uhr mit dem Auto zum Ausstellungsgelände vorzustoßen. Es ist aber alles verstopft, blockiert. Wo und wie hier einen Parkplatz finden? Ein Gefühl von Enge und Bedrängtheit fährt mit. Angst kommt hoch. Darunter liegt Wut. Man steht mehr, als man fährt. Rush-hour heißt das, zu deutsch: Stoßzeit. Der Taxifahrer sagt das mit jenem gewissen Grinsen: Stoßzeit! Er läßt vielleicht, ungefragt, Worte abfälliger Kritik an Zeit und Gesellschaft fallen, die noch aus Hitlers Vokabular stammen: Früher gab's so was nicht. Da herrschte Ordnung. Was noch? Ein einziger alter oder auch junger Nazi hier ist eben ein unverkennbares Symptom für die Stadt. Derselbe Taxifahrer in Hamburg oder Köln wird dem Stadtsyndrom dort nicht zugeschlagen. So ist das mit Frankfurt und seinen Besuchern.

Und des Abends sitzen sie nach dem Messegeschäft in diesen Monopol- und Metropol-Hotels rund um den Bahnhof, etwas erschöpft und ziemlich gereizt. Alles monotone, gesichtslose Hotelschuppen, teuer und trist. Ein Haus wie das andere. Italiener und Spanier servieren mehr schlecht als recht. Türken und Pakistanis kommen herein, bieten Zeitungen feil. Gruppen von Amerikanern werden durch den Speisesaal geschleust: Farbige im bunten Reisedreß und mit dem halb schlaksigen, halb tänzerischen Gang, der Musik um die Hüften und in den Beinen erkennen läßt. Schwer, um Mitternacht in der City einen Deutschen zu treffen. Wurde je hier ein richtiger Frankfurter gesehen?

Welch ein Babylon, denkt der Fremde. Welch ein Monstrum! Das war einmal unsere freie Stadt, wo die deutschen Kaiser gesalbt wurden? Gott sei Dank morgen wieder zu Hause, denkt der Fremde, morgen abend wieder in Celle, Tübingen, Goslar. Selbst Hildesheim lockt. Nichts wie weg aus Frankfurt! So, genau so entstehen die Frankfurt-Urteile in Deutschland. Vorurteile, meine ich.

2

Wer fünfzehn Jahre hier gelebt hat, kann so schnell nicht mehr mit Ergebnissen aufwarten. Ich sage also: Gemach, gemach! Nur langsam. Es ist ja nicht falsch, was die Optik des Fremden sieht. Ich seh' das doch auch. Die Bosheit des Vorurteils besteht doch nicht darin, daß es lügt. Es greift Teilaspekte heraus, übertreibt sie, läßt andere Aspekte unberücksichtigt, verweigert sich generell jedem kritischen Verstehen. Nach Ursachen, Zusammenhängen, historischen Motiven wird erst gar nicht gefragt. Struktur aller Antisemiten: Die sind eben so, von Natur, basta!

Es ist wahr: Frankfurt war einmal etwas ganz anderes. Es war noch bis zum Zweiten Weltkrieg eine fast mittelalterliche Handelsstadt geblieben mit einer herrlich verwinkelten, idyllischen Altstadt. Ein Gewirr von Sträßchen und Gassen. Sehr alte Frankfurter schwärmen noch heute davon. Noch 1870 hatte es kaum siebzigtausend Einwohner. Erst um 1900 wurde in dieses poetische Labyrinth der Vergangenheit mit der Braubachstraße, die heute recht altbacken wirkt, eine erste Schneise gelegt, für die elektrische Bahn, die man plante. Das schlief doch hier alles sehr lang in einem politisch zerrissenen Land, in deutscher Kleinstaaterei seinen ganz eigenen Traum von der Freien Stadt. Zu lange?

Heute jedenfalls ist es der aufgerissene Leib dieser Republik: ein Exempel, eine präzise Fallstudie in deutscher Nachkriegsgeschichte, all ihrer Ratlosigkeiten, Halbherzigkeiten, auch früher Verlogenheiten. Tatsächlich stand damals hinter allen deutschen Problemen ein Fragezeichen: Gibt es das Reich noch? Ist die DDR überhaupt lebensfähig? Wann wird Berlin wieder Hauptstadt? Ist Bonn ein Provisorium, und wie lange noch, bitte, ungefähr? Hat man das alles schon vergessen? »Deutschland dreigeteilt? Niemals!« hieß, als ich nach Frankfurt zog, noch die Regierungsparole.

Deutschland war damals in seiner Substanz zerstört. Es war politisch entmündigt, in der Welt moralisch verfemt, mit Recht, nach dem, was geschehen war. In seinem Inneren wurde es von einer einzigen Kraft bestimmt: von einer neuen, rabiaten Wirtschaftsdynamik, und Frankfurt wurde ganz unvermeidlich zum Zentrum dieses neudeutschen Willens zur Macht. Ludwig Erhard zog damals nach Frankfurt. War das kein Menetekel? Die Stadt wurde vom Wirtschaftsprozeß zerrieben. Wie nicht? Die Stadt war zu klein, zu behütet früher gewesen, um diesem Orkan deutscher Tüchtigkeit, der nun in ihr tobte, innerlich Widerstand leisten zu können. Sie lag für die neue Republik geographisch auch zu zentral, um ausweichen zu können. Es war einfach die Mitte. Es strömte jetzt alles hierher. Die Stadt hegte natürlich eine Weile die Hoffnung, nach dem Bonner Provisorium die endgültige Hauptstadt der zweiten Republik zu werden. Im Hessischen Rundfunk ist diese Hoffnung noch heute zu besichtigen. Es wäre ökonomisch sinnvoll und historisch nicht ohne demokratische Legitimation gewesen. Frankfurt wurde um diese Rolle betrogen. Die rheinischen Lobbys machten das Rennen. Sei's drum: Adenauer-Zeit damals.

Jedenfalls fiel dieser alten, ehrwürdigen Stadt über Nacht eine nationale Rolle zu, der sie nicht gewachsen war. Niemand begriff so recht, was da geschah in den Jahren der Restauration. Die Stadt wurde vom neudeutschen Goldgräbergeist überrollt, der dann das Wirtschaftswunder zum Glänzen brachte: Firnis und Lack. Es war wie ein Fieber damals: heiß. Wieder einmal deutscher Traditionsbruch und Flucht aus der Geschichte. Plötzlich nach der altdeutschen Nazi-Ideologie wollte niemand mehr etwas von Vergangenheit wissen. Der Blick zurück war mit Angst besetzt. Wieviel Schuldkomplexe wirkten mit? Nur weg, nur weg mit dem alten Ramsch! hieß die Devise. Dynamitrudi wurde für eine Weile zum Spitznamen des Frankfurter Oberbürgermeisters. Wir sind die Mitte. Wir sind das Zentrum der neuen Republik. Wir bauen das neue Frankfurt! Nur wußte niemand genau wie. Wie, bitte, das Ganze? Deutsche Ratlosigkeiten der Adenauer-Epoche: In dieser Stadt sind sie noch immer zu besichtigen als Steinmonster. Ich bin doch nicht blind. Ich sehe sie doch auch täglich – nur in Zusammenhängen, die man politisch nennen muß. Das war doch alles Politik damals:

kleindeutsche Provinzpolitik mit Weltpolitik, etwas kraus gemischt.

Tatsächlich hat keine Stadt in Deutschland nach 1945 ihre eigene Vergangenheit so entschlossen, so rabiat weggeschmissen. Man kann es nicht anders nennen. Sie schmissen hier ihre eigene, schöne Vergangenheit auf Schutthalden. Die Kultur der Stadtgeschichte – ab in die große Müllkippe des Untergangs. Deutsche Entschlossenheit war am Werk. Deutschsein hieß früher einmal: eine Sache um ihrer selbst willen tun. Das haben die Frankfurter zunächst auch mit ihrer Stadt sehr gründlich getan. Man kann, wenn man die ratlose und stümperhafte »Wiederaufbaupolitik« der sechziger Jahre hier betrachtet, durchaus von einer zweiten Zerstörung der Stadt sprechen, durch eigene Schuld. Die glücklose Geschichte der alten Frankfurter Oper, das profillose Gesicht des historischen Römerplatzes heute sind nur zwei Exempel. Die Beispiele ließen sich mühelos mehren.

Bis Anfang der siebziger Jahre gab es eigentlich kein Aufbaukonzept, das politisch vernünftig und menschlich zugleich gewesen wäre. Man tat nur immer so. Man schob alle Probleme vor sich her, wie ganz Deutschland. Man lavierte, operierte lokal, probierte Gefälligkeitsdemokratie nach allen Seiten. Ein Fleckerlteppich urbaner Verlegenheiten entstand. Man hat damals die Reste der Altstadt einfach zerschmettert, eine neue Geschäfts-City rasch aus dem Boden gestampft. Man hat das ehrwürdige alte Westend, in dem früher das vornehme, meist jüdische Bürgertum wohnte, zu einem Tummelplatz gigantischer Spekulationen verkommen lassen. Weg mit dem alten Villenramsch: Platz für die neuen Wolkenkratzer! Die Türme der Hochfinanz wuchsen wie Pilze, sie wucherten über Nacht. Ein Riesenwuchs auf rheinhessischem Provinzboden. So ging das bis Anfang der siebziger Jahre. Es ist wahr: Die Stadt ist zu schnell und zu unkontrolliert damals gewachsen. Es regierte ein falscher Freiheitsbegriff. Erst sehr spät begriff man, was eigentlich geschehen war. Heute weiß man das. Man hat es inzwischen erkannt und verstanden. Zu spät?

Der Wind drehte sich jedenfalls Anfang der siebziger Jahre. Er blies den Baulöwen vom Westend plötzlich hart ins Gesicht. Protestaktionen und Demonstrationen hatte es schon am Ende der sechziger Jahre genug gegeben. Die Studenten hatten mit manchen Hausbesetzungen gute Vorarbeit geleistet. Obwohl ihre Anführer Revolution wollten, hatten sie den Reformen, die fällig waren, gut in die Hand gearbeitet. Die Zeit der konzeptionslosen Herumflickerei war plötzlich zu Ende. Wir müssen ein neues, humanes Frankfurt schaffen, hieß jetzt die Parole. Wir brauchen eine Stadt, in der man leben und sich wohl fühlen kann. Der Wildwuchs wird jetzt gestoppt. Das Ruder wird umgelegt. Wir fragen jetzt: Was nützt jedes Bauprojekt, das zur Genehmigung ansteht, der Bewohnbarkeit dieser Stadt?

Frankfurt ist mitten in diesem Prozeß der Verwandlung. Kann er gelingen? Ansätze zu einer humaneren, aufgeräumteren Stadt sind zu sehen: Das S-Bahn-Zeitalter, das eben begann, hat vieles entspannter gemacht.

3

Und hier lebe ich nun, mittendrin. Warum? Warum ging ich nicht weg? Frankfurt ist eine gute Stadt, um wegzugehen. Sie will einen nicht besitzen, vereinnahmen wie eine eifersüchtige Gattin. Sie sagt: Bitte, ich halte dich nicht. Wenn du willst, kannst du gehen. Nun geh doch weg! Fahr in die Welt hinaus! Ich tat dies in fünfzehn Jahren, versuchsweise. Ich reiste herum. Ich habe mich etwas umgesehen in der Welt. Man wird mir manchen Vorwurf machen können. Den, daß ich ein deutscher Provinzler oder ein Frankfurter Haustier geworden sei, bestimmt nicht.

Ich war zum Beispiel in Amerika und in der Sowjetunion. Jüngst war ich in China. Ich sah Kairo, Lissabon und Madrid. Ich sah die schöne Gebrechlichkeit Wiens. Ich war von Münchens Schönheit entzückt. Ich war beeindruckt von der kühlen Gediegenheit und der steifen Vornehmheit der Hanseaten. Hamburg ist eine reiche und stolze Stadt. Ich habe, je älter ich wurde, sogar die Stimmen der kleineren Städte zu hören gelernt: Schönheiten der Provinz oder was man so nennt. Lübeck in einer Sommernacht, Bamberg im Herbst, Würzburg im Winter. Ich liebe Freiburg und das badische Land.

Und wer von den deutschen Schreibern heute hat herzlicher und heftiger unserer alten, vergangenen Hauptstadt nachgetrauert? Ich könnte aus all meinen Büchern einen eigenen Band komponieren. Er hieße: »Ankommen in Berlin – Ein fortgesetzter Versuch, dreißig Jahre lang«. Ich liebe vor allem die Weststadt, die Reststadt. Ich werde nicht aufhören, meiner Heimat Berlin kleinste Denkmäler zu setzen, da und dort auf Papier. Ich kam immer an dort – und ging dann wieder. Ich bin immer wieder nach Frankfurt am Main, ich sage nicht: heim-, aber doch: zurückgekehrt. Wie das? Warum eigentlich?

Darum: Rückkehrend aus der Welt und aus Deutschlands schönsten Städten, spürte ich immer ein Gefühl der Stimmigkeit – in mir. Hier gehörst du hin. Hier ist das so, durcheinander. Hier muß das wohl so sein. So ist Deutschland, für mich wenigstens, dreißig Jahre nach Hitlers Totentanz. Westdeutschland, Restdeutschland, unsere glücklose, ziemlich vermurkste Geschichte. Sieh es dir an: dein Volk, und was man so Vaterland nennt in Geschichtsbüchern. In Frankfurt, nur in dieser mißratenen und doch so vitalen Stadt, ist dein Heimatland zu besichtigen, zentral. Hier ist die Bundesrepublik präsent und authentisch. Ein ungeheuer vitales, tüchtiges und etwas unheimliches Volk. Ich verstehe die mißtrauische Distanz des Auslands. Ich kann die Gefühle mir vorstellen, mit denen manche Israelis oder Sowjetrussen hier durch die Stadt laufen: staunend, fasziniert, mit etwas Unbehagen, einem Anflug von Unheimlichkeit im Rücken. Die Deutschen sind schon unheimlich tüchtig. Sie führten einen mörderischen Krieg mit der Welt. Sie verloren ihn schrecklich. Sie wurden geteilt. Und was ist? Sie liegen jetzt auch als Teile noch in Ost und West wieder ganz vorne im Rennen. Bin ich ein Nestbeschmutzer?

Frankfurt ist für mich immer das geblieben, was ein Buchtitel von mir schon vor Jahren sagte: »Deutsche Augenblicke – Bilder aus meinem Vaterland«. Ja, die Stadt hat alles weggeschmissen und abgeworfen, was einmal war. Hier gibt es nun keine Kulissen mehr, die sich dekorativ und beschönigend vor das deutsche Stück schieben könnten. Kein Barock ziert mehr die Szene wie etwa in München. Keine Klassizismusreste: Berlin. Kein Jugendstil: Darmstadt, Mathildenhöhe. Kein Fachwerktraum: Goslar oder Celle. Frankfurt ist pure Präsenz, nackte Gegenwart: roh, unfertig, reich und elend zugleich. Die Stadt ist für mich Deutschland im Rohzustand. Nun sieh doch in diesen Spiegel! Hab endlich Mut zur Selbsterkenntnis! So, so, genau so bist du beschaffen, Westdeutschland, ganz im Inneren. Es geht doch nicht um Anklage oder Beschönigung. Es geht um die Erfahrung von Wirklichkeit, um die Erkenntnis von Wahrheit. Erkenne die Lage! Das Wort Gottfried Benns ist mir Richtschnur in dieser Stadt.

Ich erkenne die Lage. Ich gehe durch die Stadt. Ich sehe die Häuser, die Menschen, die Straßen, die Schaufenster. Ich gehe zur Hauptwache, durch alle Umbrüche und Zerstörungen unverändert die Achse der Stadt. Immer noch ist dieses rotbräunliche Wachhäuschen die Mitte, das winzige Herz dieser herzlosen Stadt. Ich gehe rüber zur Börse. Mittags um zwölf wird hier das Kapital umgeschlagen. Und wie? Ein aufgeregtes Spektakel, welch ein Finanztheater. Ich gehe von der Börse zur Bockenheimer Landstraße. Hier haben sich die großen Werbebüros, die Versicherungen, die Handelszentren und Bankfilialen der Welt angesiedelt. Ich lese: Bank of Tokyo, Corea Exchange Bank, Canadian Imperial Bank, Manufacturers Hanover Trust, National Bank of Pakistan, Bank of Montreal. Was noch? Frankfurt ist eine Wechselstube der Hochfinanz. Wer wechselt was?

Ich gehe weiter. Die Frankfurter Universität liegt nicht irgendwo auf einem grünen Campus. Sie liegt mittendrin in diesem pulsenden Wirtschaftsherzen. Hier rund um die Bockenheimer Warte ist überall jüngster Zeitgeist zu haben. Die ›Peking-Rundschau‹ und die Reise nach Kuba für junge Revolutionstouristen. Das Frauenzentrum, der Kinderladen, die Häuser der hochemanzipierten Feministinnen, wo unsereiner nicht reinkommt. Hier gibt es Gastarbeiterfamilien, massenhaft, Schauspielkommunen, die Wohngemeinschaften junger Homosexueller, die sich in Gruppendynamik und Selbsterfahrung trainieren. Frankfurt ist eine liberale Stadt, immer noch. Und wenig weiter, direkt neben dem Stadtbad, ist auf der »Haschwiese« im Sommer immer noch die Insel, grasgrün, der selig Berauschten. Die Frankfurter Drogenszene soll nach Amsterdam die wichtigste in Europa sein. Ich habe da keine Erfahrung. Ich brauche keine Bewußtseinserweiterung. Mein Bewußtsein ist mir weit genug. Ich suche eher Verengung und Konzentration. Immerhin: Nicht mit Mord und Totschlag, wie die Fremden immer meinen, liegt Frankfurt an der Spitze. Im Drogenmißbrauch ist es nach der Kriminalstatistik führend.

Ich erkenne die Lage. Ich bin ein Zeitgenosse. Die Zeit ist mein Zuhause. In Frankfurt werden dauernd die vielen kleinen Schlachten der Zeit geschlagen: Kampfstimmung. Immer gibt es hier auf den Straßen Stände, wo man aufgeklärt wird: über Südafrika, die Vorzüge des Nulltarifs, die Reste des Paragraphen 218, über die Frage, ob die Schulklassen zu groß und die Lehrer zu wenige seien. Hier schlagen die Uhren der Zeit ihren kalten und harten Schlag. Hier wird Pardon nicht gegeben. Es werden die Konflikte ganz schamlos nach oben gespielt und ausgetragen. Mich macht das wach. Mich weckt das auf. Mir scheint das aktuell. Ich bin da nicht drin und Partei. Ich spiele nicht mit. Ich sehe nur zu. Ich beobachte die Szene: deutsche Augenblicke.

Dann wieder ganz anders: Ich sitze hier manchmal sechs Wochen, fast wie ein Eremit. Ich schreibe. Ich denke. Ich tippe so vor mich hin. Merkwürdig genug: Erst in Frankfurt bin ich produktiv geworden, literarisch. Hier schrieb ich das ›Zerbrochene Haus‹ und alles Spätere. In den letzten drei Jahren ist das vorliegende Buch hier entstanden. Wie? Ich nehme kaum Kenntnis von der Stadt. Ja, die Post morgens, der Gang zum Zeitungskiosk und der Getränkemann mittags, der Sprudel und Cola bringt. Des Abends öfters ins Kino, sonst nichts. Sonst nur Schreibmaschinengeklapper. Man kann wunderbar allein sein in der Stadt, aber muß es doch nicht. Man spürt die Stadt nicht, wenn man in ihr lebt. Es gibt hier auch keine »Gesellschaft«, zu der man gehören müßte als Insider. Frankfurt ist jetzt nichts als eine Schreiberklause für mich.

Ich breche dann wieder auf, gehe auf Reisen. Ich bin in Israel oder Ägypten eine Weile. Von hier aus geht das ganz mühelos. Die Drehtür zur Welt: ein Rastplatz für Wandervögel im Jet-Zeitalter. Alle Fluggesellschaften, Fremdenverkehrsämter der Welt haben hier ihre deutsche Zentrale. Es gibt kaum ein Land der Erde, das man hier nicht buchen könnte. Selbst die DDR, dieses fernste Land, ist von Frankfurt aus zuverlässig zu buchen. Ich kann es nicht lassen. Ich fahre immer wieder hin. Die Stadt ist eben die Mitte für mich, die Ausgangslage: ein hoher Balkon der Zeit.

Alle Reisen, von denen dieses Buch erzählt, haben hier begonnen. Sie haben hier ihr Ende gefunden. Hier in Frankfurt sind sie zu Papier gebracht worden.

Fremde Heimat
Empfindsame Reise durch die
DDR-Provinz

Ich hatte es mir gewünscht. Es war mein Ziel. Es war meine private, etwas verschämte Phantasie gewesen, schon immer: wiedersehen, was war. Dieses schöne, tiefe Fest der Erinnerung, das uns nachdenklich macht: endlich einmal mit eigenen Augen wieder ansehen, was doch war, vor vierzig Jahren. Mein Gott – vor vierzig Jahren? Was ist denn damals gewesen?

Es ist Kindheit gewesen, natürlich. Berliner Kindheit. Es ist Jugend gewesen: Berliner Jugend, die im Sommer hinausfuhr ins Grüne, ins Havelland; also Wasserbilder, Sumpfbilder, Sandkuhlen, Kiefern und Föhren. Der flache, irgendwie gottlose Himmel der Mark darüber. In Werder das Landschulheim unseres Gymnasiums. Wir ruderten dort, wir schwammen dort, wir tranken des Abends den fadsüßen Obstwein aus Werder. Wir pafften heimlich an Zigaretten. Wir waren vierzehn oder fünfzehn und kamen uns zwischen zwei Zügen wie Männer vor, die sehr tief atmen.

Weiter: Es ist Potsdam gewesen; die Gärten und Schlösser von Sanssouci, die Garnisonskirche, die man als Schüler in strafferer Haltung besichtigen mußte – Preußens Glanz und Gloria, der greise Marschall und sein junger Kanzler. Es ist nämlich auch Nazizeit damals gewesen. Ich bitte, das nicht zu vergessen. Es ist Buckow gewesen, östlich von Berlin, das in der Märkischen Schweiz, das Buckow, von dem Wolf Biermann sang: »Den Sozialismus aus Buckow – den wollen wir nicht!« Meine Großeltern väterlicherseits besaßen dort ein Wassergrundstück mit Villa. Es war evangelisch und kalt; das Haus, meine ich.

Was noch? Es ist Neuzelle gewesen, noch östlicher. Es liegt nah an der Oder, also fast an der polnischen Grenze jetzt. Meine Großeltern mütterlicherseits bewohnten dort seit je ihr Stammhaus, die Flikschuh-Villa. Ich fühlte mich dort geborgen. Das Haus war katholisch und warm. Im Hof hinten die Pumpe, an der wir als Kinder spielten. Ich habe da einmal den Hofhund gequält, erbärmlich. Das weiß ich. Was noch?

Wir reisen in die DDR. Ich will das wiedersehen. Die Prozedur war etwas spannend gewesen, am Anfang. Nein, kein Verwandtenbesuch, kein kranker Vater, auch keine fortschrittliche Organisation, die geladen hätte – nur so. Man stelle es sich vor: Da will einer einfach nur so, erholungshalber. Ost-Reiselust, Lustreise in den Osten. Er will Ferien im Sozialismus machen, versuchsweise.

Warum eigentlich nicht? Aber nicht dorthin, wohin alle fahren: Ostsee oder Dresden. Wie wäre es mit dem Spreewald, mit Kloster Chorin oder Caputh, wo Peter Huchel einmal wohnte? Ach, Senftenberg oder Cottbus, sagte ich, feinschmeckerisch die Worte auf der Zunge kostend, das Sauregurkenland in der Lausitz – das wäre schön! Gewiß, eine sehr deutsche, auch etwas frivole Wunschphantasie. Aber man kann das. Es ist ganz legal möglich. Ich sagte: Wir versuchen das!

Wir hatten zwei Monate warten müssen auf die Visaerteilung. Wir hatten im Frankfurter Reisebüro sehr früh eine Touristenreise mit Privatautos beantragt, dann nichts mehr gehört. Ich hatte gelegentlich nachgefragt, telefonisch. Ich war mißtrauisch geworden, weil nichts kam nach sechs Wochen. Wie steht's denn mit unseren Papieren, bitte? Schon damals hatte das Mädchen vom Reisebüro mit jener Zuversicht, die aus solider, sehr profunder DDR-Kennerschaft kommen muß, erwidert: »Ihre Sache steht gut, mein Herr! Je weniger man hört, desto besser. Wenn was Politisches wäre, läge sehr schnell eine Ablehnung vor.«

So war es. Montag morgen war der Reisebeginn geplant. Am Freitag davor, nach zwei Monaten Wartezeit, lagen die Papiere plötzlich vor. Ich konnte noch eben ins Reisebüro eilen. Es war alles korrekt gerichtet, nicht eben billig, versteht sich. Auch das Reiseland DDR ist hoch entwickelt, auch in Hotelpreisen zum Beispiel. Ich möchte die Preise, die wir gezahlt haben, angesichts der Kargheit der märkischen Landschaft als saftig bezeichnen.

Und doch, so, wie ich kam – ich, mit diesem schönen Schlamm der Kindheit behaftet und nach vierzig Jahren: Die Reise hat sich gelohnt. Sie war den Preis wert. Soll ich nun mit der CDU sagen: »Aus Liebe zu Deutschland«? Ich weiß nicht so recht. So dick meine ich's ja nicht, aber Deutschland, das ist wahr, wird nie aufhören, mich zu interessieren. Was gehen uns Benidorm und Las Palmas im Ernst an? Nichts. Spanien? Nichts als schöne, blaue Urlaubsverblödung: Sonne und Sex, Niveacreme und der Whisky am Abend; gut. Ich bin viermal in Amerika gewesen: schöne Panoramen, weite Perspektiven; ich möchte sie nicht missen. Aber nie ist mir eine Reise so an die Nieren gegangen – oder soll ich sagen: in die Knochen gefahren? – wie diese. Hic Rhodos, hic salta! Dies ist dein Land: Geh hin und sieh es dir an! Tua res agitur: Es wird deine, es wird unsere Sache verhandelt. Geschichte geschieht zu Hause hinterm Gartenzaun, hinterm Stacheldraht. Es wird zwischen dem Frühstücksgeschirr und den Abendbrottellern dauernd deutsch geklappert. Das scheppert oft hohl. Und fürchte dich nicht. Du wirst nicht gegängelt. Du bist frei als Tourist, in Grenzen natürlich.

Die Einfahrt in Potsdam zum Beispiel: Kein Reise-Katalog kann's so programmieren. Es war Mai. Es war warm und Sonne schien. Es blühten die Obstbäume in zartestem Weiß. Baumblüte in Werder, welch ein köstlicher Anfang, nicht wahr? Klassisch und romantisch zugleich für jeden Fontane-Kenner. Dieses erste, tiefe Gefühl Frühereinmal, das einem immer warm entgegenschlägt im Sozialismus. Die altmodischen, engen Straßen, das Kopfsteinpflaster, Kastanienbäume am Rand, die niedrigen Kätnerhäuser, grüngestrichene Zäune. Die schlurfende Gangart sehr alter Menschen. Ich kam nicht zu meinen ersten empfindsamen Jugenderinnerungen. Es kam uns auf der Leninallee vom Potsdamer Zentrum her ein Licht entgegengefahren. Ein Licht? Es war ein gleißender, wütender Scheinwerferschein, der immer näher kam, greller wurde, blendete und niederwalzte. Ex oriente lux – soll nicht das Licht aus dem Osten kommen? Obwohl noch die Sonne schien, sechs Uhr nachmittags, überflutete das Licht wie eine Höhensonne die Straße. Es warf alles weiß, weißblau zu Boden: metaphysischer Schein. So soll sich ja einmal die Wiederkehr Christi ankündigen, wenn man der Apostelgeschichte glauben darf. Es wird nichts als Licht sein, zum Schluß. Es war aber nur die Rote Armee, einstweilen: ein schöner Empfang.

Ich fuhr rechts ran. Ich hielt und sah dann einen sowjetischen Truppentransport an uns vorbeiziehen. Das Scheinwerferlicht des Vopo-Jeeps (was für ein deutsches Wort, nicht wahr?) war schon vorbei. Panzer rasselten, Kanonen auf Lafetten, Lastwagen dröhnten und warfen Hitze ab. Eine Orgie motorisierter Kraft. Sowjetsoldaten saßen steif und stramm unter Lkw-Planen. Sie lächelten nicht. Sie grüßten nicht. Sie waren eisern im Dienst. Sie winkten nicht den Passanten zu wie bei uns manchmal Soldaten. Sie saßen starr auf Holzbänken: Spartas Söhne, dachte ich. Unsere sowjetischen Freunde, heißt das. Warum brausen sie so entschlossen in den Westen? Was wollen sie dort?

Es war alles erstarrt auf Potsdams Hauptstraße. Kein Hund wagte noch, auf dem Bürgersteig mit dem Schwanz zu wedeln. Alles stand stramm, Habtacht-Haltung einer Stadt. Große Unterwerfung: die Macht, das Licht aus dem Osten. Es dröhnten die eisernen Ketten über Preußens Asphalt. Sie sagten im Dröhnen: Dies hier ist Rußlands Deutschland.

Deutsche Lernprozesse

Das Schloß Cecilienhof in Potsdam liegt in einem tiefen Park. Ein vornehmes Herrenhaus preußischer Tradition. So lebte einmal der Adel hier: stilvoll und trotzdem diskret. Keine Barockfassaden, keine klassizistischen Säulen. Jene karge Großzügigkeit von Jagdschlössern, die man immer wieder in der Mark Brandenburg findet. Ihre Sparsamkeit hat Stil, friderizianische Tugendlehre. Schloß Cecilienhof ist heute eine nationale Gedenkstätte mit staatlichem Hotelbetrieb. Hier wurde im August 45 das Potsdamer Abkommen geschlossen. Eine Art Keimzelle der DDR, könnte man sagen, ein historischer Ort jedenfalls, eine Wallfahrtsstätte für Osttouristen. Von früh bis abends wird ihnen vorgeführt, wie gründlich und konsequent die große Sowjetunion den deutschen Faschismus ausrottete, während doch die Westmächte ... Man kennt das.

Es war gegen sieben Uhr abends, als wir eintrafen. Wir stiegen aus, wir streckten uns, wir atmeten auf. Es war still und leer, fast idyllisch. Ob wir hier richtig sind? Diese schöne Müdigkeit Ost. Eine Oase grüner Parkabgeschiedenheit. Es waren damals unruhige Tage in Frankfurt am Main: die blutige Stunde der Anarchisten, wieder einmal. Wie gut, daß wir hier sind, dachte ich. Hier fliegen keine Pflastersteine, hier wirft die Jugend nicht Molotow-Cocktails. Hier kann man sich noch entspannen, erholen. O tiefer, erholsamer Schlaf der Provinz. Wo gibt es ihn noch? Vielleicht in Wunsiedel oder Malente. Man sollte DDR-Reisen ärztlich empfehlen. Es sind eigentlich Kuraufenthalte mit zeitgeschichtlichem Hintergrund. Man fühlt sich gerade als älterer Mensch wie in einem Sanatorium: entspannt, betreut und belehrt, den ganzen Tag.

Der Empfang: Von der schönen, altmodischen Empfangshalle des Herrenhauses hatte man etwas barsch und lieblos ein Eckchen abgeteilt. Eine Holzbarriere davor, ein rotes Schild darüber: Rezeption. Wird man mich nun des alten, perfiden Antikommunismus bezichtigen, wenn ich sage: Man hatte trotzdem eher ein Gefühl von Postamt, sagen wir, 1930? Ein grauer, müder Bürokrat am Schreibtisch. Hatte er eben ein Nickerchen gemacht? Es brauchte jedenfalls einige Zeit, ihn auf uns aufmerksam zu machen. Knarrend erhob er sich schließlich. Lustlos nahm er unsere Hotelgutscheine entgegen. Er setzte sich wieder, stöhnend. Es begann dann eine Amtshandlung, die man Einweisung nennen muß. Schwarze Kladden wurden geblättert, Listen geprüft, Linien wurden gezogen. Es wurden Frühstücksmärkchen errechnet, durchkalkuliert, dann abgetrennt und uns übergeben. Übrigens acht DM pro Person das Frühstück. Es ist ja überhaupt ein Märchen, daß die DDR billig sei – für Westtouristen.

Ach nein, keine Spur: Ich will hier nichts schlechtmachen. Ich sage nur, wie es war, hier, und es wäre fairerweise auch hinzuzufügen: Der Service besserte sich. Der Marxismus hat recht, philosophisch: Das Fundament jeder Anthropologie ist die Ökonomie. Am Anfang steht immer das wirtschaftliche Interesse. Es ergaben sich nämlich nun in den folgenden Tagen viele Akte kleinerer Kooperation zwischen ihm und uns: einen Stadtplan von Potsdam ergattern, ein Taxi im Zustand halber Trunkenheit bestellen, das Problem, wo man Superbenzin tanken kann, das noch diffizilere Problem, was hier los sei des Nachts. Das Nachtleben im Interhotel Potsdam, von dem wir Verlockendes und Betörendes in der Stadt gehört hatten – ob man da reinkäme? Ob das mit Jeans und ohne Krawatte ginge? Frivole Fragen, ich weiß.

Ich will sagen: Wir näherten uns an, wir wurden wärmer. Solche intimere Beratung wurde unsererseits, wie es sich für Hotelgäste versteht, bisweilen mit kleinerer Münze vergolten. Und ebendiese Beträge, die nicht großzügig, nur westlicher Prägung waren, erzeugten im Laufe der Zeit eine wundersame Verwandlung des Mannes am Empfang. Ein neuer Mensch entstand. Ist es der, von dem der Marxismus-Leninismus immer spricht? Der Mann wurde hilfreich, freundlich, ganz überraschend beweglich. Er war zum Schluß auch jünger geworden. Frische ging von ihm aus. Durchblutung der Stirnadern war zu erkennen. Er sprang immer auf, wenn wir morgens seinen Schreibtisch passierten. Er wollte immer ein Gespräch mit uns anknüpfen: über das Wetter, ob unser Auto draußen auch gut stünde, was wir denn heute vorhätten. Aus verborgenen Taschen holte er kleinste Waren, die wir gar nicht wollten. Ein kleiner Unternehmer war entstanden, ein freundlicher Kapitalist, nur privat natürlich.

Schon damals sagte ich: Ich werde einmal ein Feuilleton schreiben. Es heißt: Von der belebenden Wirkung der Westmark im Osten. Sie übt ganz erstaunliche Revitalisierungseffekte aus. Wir Westdeutschen wissen gar nicht, was wir in unseren Geldbörsen haben: Medizin. Mit Westmark kann man in dieser Republik Tote wieder zum Leben erwecken. Der Kapitalismus, man weiß das dank linker Indoktrination heute hinreichend, ist eigentlich eine soziale Erkrankung. Er lähmt den schöpferischen Aufbruch der Menschheit. Dies mag wohl so sein, allgemein. Nur in der DDR ist es noch anders. Da ist es noch genau umgekehrt. Da haben nur die Währungen des Kapitalismus soziale Chancen. Westgeld übt eine magische Kraft aus. »Zahl'n Sie West oder Ost?« Das ist die eine elementare Frage, um die sich das Leben des Touristen nun drehen wird. Es wird in dieser Republik überhaupt viel von Geld geredet. Das Häuschen, das Auto, der Fernseher, die Waschmaschine, die Westwaren aus dem Intershop: das deutsche Kleinbürgerglück – alles Geldfragen. Ich finde es höchst natürlich. Warum nicht?

Merkwürdig: Man ist kaum drei oder vier Tage da und spürt es und fühlt es und sieht es an allen Ecken. Man will es eigentlich nicht wahrhaben und wird doch immer wieder rücksichtslos mit der Nase draufgestoßen. Man riecht es an allen Ecken: Trotz dieser Geldfixierung, die sie mit uns verbindet, sind es ganz andere Menschen geworden. Ein fremdes Land, ein fremdes Volk in Deutschland. Die Szene bei der Intertankstelle zum Beispiel, wo eine endlose Autoschlange stand und in sehr großer Geduld wartete. Wir waren mit unserem Westauto sofort vorgezogen und sehr artig bedient worden. Ich fand das ungerecht und fragte den Tankmenschen: »Und Ihre Leute hier? Die lassen Sie einfach so warten?« Und es war wohl mehr der Tonfall in seiner Stimme, die Art, wie er das sagte, wegwerfend, ironisch und verächtlich: »Die sind det doch jewohnt, lieber Herr! Die müssen doch immer und überall warten. Mit denen könn' Sie alles machen! Die könn' ja nich weg. Wohin denn?«

Es ist so: Wir sind ganz anders, sie sind ganz anders geworden. Wir, selbst hier im Osten, bewegen uns schon anders: freier, selbständiger. Wir sind immer noch auf Individualität und eigenes Risiko trainiert. Man merkt das bei sich selber kaum. Man merkt nur, wie man sich eben entfernt hat, in dreißig Jahren. Die einfachen Leute hier sind ganz brav, ganz still, fast untertänig geworden. Die lassen sich alles gefallen, die mucken nicht auf. Sie verhalten sich wie Dienstpersonal früher einmal auf den preußischen Gütern. Sie maulen und muffeln schon vor sich hin. Sie schlucken den Unmut nicht runter. Uraltes System der Unterdrückung: Sie geben den Druck gegenseitig weiter in vielen kleinen Bosheiten. Es herrscht unter den DDR-Bürgern meist ein rüder, ziemlich patziger Ton. Die Menschenfreundlichkeit des Sozialismus, von der Brecht so beredt sprach, ist noch nicht zu erkennen. Sie wird wohl noch kommen?

Mich hat diese Bravheit des Volkes, diese vollkommene Passivität, in der sie alles hinnehmen, manchmal rasend gemacht. Es war in der Lausitz. Es war wieder eine Käuferschlange, diesmal vor einem Intershop. Der Intershop war eher kümmerlich, auch oft geschlossen. Er wirkte auf mich wie eine Kleiderkammer beim Militär: Ausgabe West. Und wie ich die Menschen in dieser unendlich langen Schlange, die sich über Flure und Treppen des Hotels zog, so geduldig stehen sah, wie ich beobachtete, wie sie das Westgeld, das sie in der Hand hielten, wie Kirchgänger Gebetbücher halten, andächtig, beinah fromm, es war, als wenn sie die Fünfzigmarkscheine von uns unbewußt streichelten – da entstand bei mir ein Auslösungsmechanismus. Man kann auch sagen: Ein Groschen fiel mir im Kopf. Es war sicher ungerecht. Ich sagte: Weißt du, wie die Leute hier auf mich wirken? Wie kastrierte Kater! Da fehlt was. Die Potenz ist weg.

Es geht ihnen ja materiell so schlecht nicht. Im Gegenteil: Sie essen sehr viel, sie trinken sehr viel. Sie neigen alle zur Rundlichkeit jetzt in der DDR, und einige, vor allem junge Männer, sind manchmal unheimlich fett. Bierbäuche, Kastrationssymptome? Ich kann's nicht ergründen. Ich spüre nur: Da fehlt etwas. Sagen wir: der Pfiff, der Witz, der Jagd-Instinkt, der etwa die amerikanischen Neger, die schwarze Jugend von Manhattan so attraktiv, so schön macht. Es muß ganz in der Tiefe etwas mit Libido, mit dem Lustprinzip, also mit dem Eros zu tun haben. Es ist eine unglaublich unerotische Gesellschaft geworden. Proletkult der Bäuche. Orale Regression ist zu erkennen. Diese vielen Betrunkenen, die man hier nachts durch die Straßen torkeln sieht und die anders betrunken sind als die bei uns, einsamer, hoffnungsloser, so, als wollten sie sich wegwerfen: oraler Lutscheffekt, um zu verschwinden im Mutterleib.

Ich weiß, das will niemand hören bei uns. Das ist nicht Mode, nicht Zeitgeist, wie man sagt. Es dient nicht der Entspannung. Man sollte jetzt immer nur das Schöne im Sozialismus sehen, doch ich sehe es nicht, noch nicht. Der befreite Mensch, von dem unsere Jungsozialisten träumen? Ernst Bloch: das Prinzip Hoffnung, der aufrechte Gang? Vielleicht beginnt es irgendwo in der Welt. In Italien zum Beispiel. Ich will es nicht leugnen. Nur, hier? Deutscher Lernprozeß: Hier ist einstweilen nur das Prinzip Unterwerfung zu sehen.

Grüße aus Neuzelle

Liebe Tante! Ich habe Dich von der Autobahnraststätte anzurufen versucht. Es war bei Göttingen, wo wir rasch Mittag aßen. Ich wollte Dir, durchfahrend, sagen: Du, Du wirst es nicht glauben! Es ist jetzt soweit. Ich bin auf dem Weg nach Neuzelle! Ich hätte dies mit dem Ton tiefen Triumphes gesagt. Du warst nicht da, beste Tante. Es hat sich in Deiner Göttinger Wohnung niemand gemeldet am Telefon. Vielleicht gar nicht schlecht. So kann ich Dir jetzt diesen Brief schreiben mit Ansichtskarten, mit lauter Kitschpostkarten aus Neuzelle. Es war Deine Heimat. Es war auch ein Stückchen Heimat für mich. Fast jeder Berliner hat ja seine Ecke Ost, so ein Seelenpolsterchen Schlesien in sich. Willst Du's noch kitschiger? Die Oder strömt ganz tief mit – im Blut.

Du, liebe Tante, wirst es verstehen, die anderen nicht. Es war für mich der Höhepunkt. Wir sind dreimal in Neuzelle gewesen. Strenggenommen waren es kleinste Grenzüberschreitungen. Wir hätten eigentlich im Bezirk Frankfurt/Oder gemeldet sein müssen für Neuzelle. Aber wer sagt einem das vorher im Deutschen Reisebüro West? Die DDR besteht aus fünfzehn Bezirken, aber kein Mensch in der Bundesrepublik kennt den Verlauf der Bezirksgrenzen drüben wirklich exakt. Von Cottbus aus, wo wir gemeldet waren, hätten wir eigentlich nur bis Guben fahren dürfen, das heute den Zusatz-Namen Wilhelm-Pieck-Stadt führt. Na ja, die fünfzehn Kilometer Grenzüberschreitung: Gott und die große Sowjetunion haben sie durchgehen lassen! Aber man weiß ja, wie pingelig die DDR in Grenzfragen ist. Es hat trotzdem niemand auf uns geschossen. Dies sei doch gesagt.

Also Neuzelle. Kein Mensch in Westeuropa, glaube ich, kennt dieses Nest. Das schönste Dorf des deutschen Ostens. Ich will ihm ein kleines Denkmal setzen. Es war, wie wenn ich als Junge mit meinen Eltern von Berlin käme. Es war 1931. Sommerzeit, Ferienzeit. Wir fuhren dann nach Neuzelle, zu Euch. Der Bahnhof steht noch wie früher, und wenn man die Straße zum Dorf dann hochfährt, ungefähr auf der Höhe, wo früher das Schützenhaus stand, taucht plötzlich am Horizont fern die Kirche auf. Was heißt Kirche? Es sieht wie ein Schiff aus, das an der Oder liegt: das hohe Dach wie ein Segel, mächtig gebläht im Wind. Es ist eine herrliche Barockkirche. Kloster Grüssau soll auch so sein. Die Zisterzienser haben sie einmal gebaut. Diese Kirche war der Traum meiner Kindheit. Ich war damals elf oder zwölf. War ich eigentlich katholisch? War ich evangelisch? Ich weiß nicht. Es ist auch egal. Schon damals muß ich ein Ästhet gewesen sein. Es war eine Urerfahrung der Schönheit. Als Berliner Kind ist man nicht gerade verwöhnt – im Kirchenbau. Es war ein erster Rausch der Sinne für mich, großes, frommes Barock-Theater. Es drehte sich alles im Klosterschiff, innen. Die Säulen drehten sich in marmornen Spiralen nach oben. Es tanzten die Engel und Putten ein seliges Ballet. Von schmerzdurchbohrten Heiligenkörpern brachen goldene Strahlen verzückt. Es wogten auch mächtige Busen von stattlichen Damen auf Nebenaltären.

Das Hochamt am Sonntagvormittag. Es war immer ein Fest, obwohl ich mich zu erinnern meine, daß Eure Familie mit dem Kloster eigentlich verfeindet war: ein Kleinkrieg der Seelen. Das Hochamt wurde mindestens von drei Priester-Mönchen zelebriert. Die vielen Meßknaben dazu, weißrot, die ab und zu klingeln durften und viele Knickse machten, dahin und dorthin. Der Weihrauch ist mir in Erinnerung, der dann geschwenkt wurde, betäubend im Duft. Das schöne Opium fürs Volk. Dann fiel die Orgel ein. Mächtig und brausend hallte sie durch den hohen Raum. Und es durften dann zum Schluß auch die Neuzeller laut singen: Meerstern, ich dich grüße! O Maria, hilf!

Liebe Tante! Es steht alles noch da wie früher. Die Klosterkirche Neuzelle »arbeitet« noch, wie die Russen sagen. Euer Dorf ist ein Wallfahrtsort im Kommunismus. Du wirst es nicht glauben: Sogar das Priesterseminar arbeitet noch. Gut ein Dutzend junger Theologen werden hier im ehrwürdigen römischen

Sinn auf das Priesteramt vorbereitet. Ich sah einige Theologen am Klosterteich wandeln. Solche Jugend imponiert mir, obwohl ich mit Kirche gar nichts zu tun habe. Dazu gehört Standfestigkeit, Charakter und Mut. Wenn ich da an unsere Frankfurter Protestjugend denke – ach Gott! Doch lasssen wir das.

Daß man direkt gegenüber dem Priesterseminar eine neue Lehrerbildungsanstalt der SED untergebracht hat, mag ein Stück Kirchenkampf sein. Markige sozialistische Sprüche schimpfen da ziemlich hoffnungslos gegen Kruzifixe an, die seit Jahrhunderten stehen. Auch der Ernst-Thälmann-Kopf im Park hinter der Kirche steht recht vereinsamt da. Der junge Pfarrer, den wir am Klosterteich trafen, nahm's von der heiteren Seite. Ja, unsere Konkurrenz, die neue Lehrerbildungsanstalt der Partei. Er sagte es in jener Fröhlichkeit, die die der Erlösten sein sollte. Sie kennen das aus dem Kapitalismus? Konkurrenz belebt das Geschäft. Wir Christen fürchten uns nicht vor der Konkurrenz der Marxisten. Wissen Sie, sagte er etwas leiser: Dreißig Jahre DDR – schön und gut. Aber zweitausend Jahre Jesus Christus – das ist auch nicht von Pappe, oder?

Liebe Tante! Jetzt kommt noch eine Ansichtskarte: Euer Haus. Es steht noch wie früher. Das alte, sehr respektable Stammhaus der Flikschuhs. Man muß einräumen: Ihr wart damals im Dorf sozusagen das Körnchen Bourgeoisie, die einzige Familie, die zählte, den Ton angab, auch den meisten Besitz hatte. Dein Vater, also mein Großvater, der sich eigentlich nicht als Kaufmann, sondern als Maler, als richtiger Künstler fühlte, betrieb mit der leichten Hand der Künstler eine ostdeutsche Weinkultur. Grünberger Weinberge gehörten Euch. Europas sauerster Saft wurde von Euch gekeltert. Oder war es nur Essig? Es war jedenfalls ein Mißerfolg. Gottes Segen lag nicht darüber.

Die Weinfässer, die er in den zwanziger Jahren nach Berlin schickte, waren offenbar auch zu flüchtig verkorkt. Alte Neuzeller erzählen noch heute, daß sie in Berlin oft leer ankamen, am Schlesischen Bahnhof, ausgetropft. Dann gab es daneben Euren Kolonialwarenladen, den erst Onkel Hans, dann Onkel Ossi betrieb. Es ist mir in Erinnerung der Geruch von Gurkenfässern: sauer; der Geruch von Gewürzen: zimtsüß. Onkel Ossi nannte sich »Heringsbändiger«. Euer Laden ist heute HO. Euer Haus ist Sitz und Residenz der örtlichen Volkspolizei, auch Meldestelle. Genau an der Stelle, wo bei Euch im Salon an der Wand früher das große Muttergottesbild hing, hängen heute Lenins und Honeckers Bilder. Meerstern, ich dich grüße! O Maria, hilf! Wie sich die Zeiten doch ändern, nicht wahr? Was für Familiengeschichten! So etwas erzählt heute nur noch das Leben, nicht mehr die Poesie.

Es müßte nämlich die Schlußpointe noch hinzugefügt werden: Den Hut auf den Kopf, bitte! Ihr wart nämlich die Reichen nicht mehr. Es schien mir nur so als Knabe mit Kinderaugen. Ihr hattet miserabel gewirtschaftet· und wart schon Ende der zwanziger Jahre total verschuldet, und 1934, als es eben mit Deutschland wieder bergauf zu gehen begann, brach Euer Laden zusammen. Die ehrbare Firma Flikschuh erwies sich als Bruch. Alles aus, futsch und kaputt. Dein Vater starb gottlob rechtzeitig. Drei Tage nach seiner Beerdigung Konkurs: alles gepfändet, beschlagnahmt und weggetragen. Anstelle des Wohlstands war plötzlich Riesenschuld. Deine Mutter, meine Oma also, mußte ausziehen, den Offenbarungseid leisten, wurde ein Sozialfall und ist dann in einem Armenhaus gestorben. Meerstern, ich dich grüße! Auf dem Friedhof hier trafen wir eine alte Dame, die sich noch an alles erinnerte. Sie führte uns an das Grab. Sie sagte: Die alte Frau Flikschuh ist wie eine Heilige gestorben. Sie war franziskanisch, im Geist. Sie soll in ihrem Armenhaus kurz vor ihrem Tod noch bekannt haben, daß dies die glücklichsten, die reichsten Jahre ihres Lebens gewesen seien, die in der Armut zum Schluß.

Ach, ich will doch nichts romantisieren, hinterher. Ich will auch nicht Franziskus bemühen. Es soll gar nichts vergoldet werden, was da morsch war, zerbrach, kaputtging von innen her im Bürgertum. Es war sehr viel reif damals zum Untergang. Ich will sagen: Das hatte auch Stil, auch Humanität – sterbendes Bürgertum. Man sollte das nicht alles so wegschmeißen heute, was war. Das soll uns doch erst mal der Marxismus nachmachen: Glanz und Verfall und der Friede des Menschen, mit gar nichts zum Schluß. Zum Schluß nur noch die Liebe Gottes, die Freude, nichts mehr zu haben, nichts mehr zu sein. Die Seligkeit zu sterben. Das ist mehr, als Kapitalismus und Kommunismus zusammen denken können: der Mensch zuletzt. Zuletzt wird er, zuletzt will er vielleicht gar nicht sein?

Aber es muß zum Schluß auch dies gesagt sein: Liebe Tante, ich habe lange in Eurem Garten gesessen. Es war Sonntag. Der HO-Laden zu, die Vopo auch. Ich habe da am Fließ auf einer Bank unter blühenden Apfelbäumen gesessen, wie wenn der

Garten meiner wäre. Es war eine richtige Spitzweg-Postkarte deutscher Romantik. Ich bin ein Erbe, der Enkel, und wenn alles anders gekommen wäre damals, wer weiß, vielleicht würde ich heute da wohnen. Die Letzten erben ja immer das Ganze. Der ganze Mist fällt ihnen zu, den Enkeln. Ich sah auf die Straße, die kleine Brücke, die neben Eurem Haus über den Bach führt. Ich immer mit meinen Erinnerungen, meiner deutschen Geschichte. Ich kann es nicht lassen.

Siehst du diese Landstraße? Eine Dorfstraße der DDR, sagte ich. Die sieht so harmlos aus. Ein paar Trabant, ein paar Lastwagen, sonst nichts. Aber ich sage dir: Die hat es in sich. Die könnte erzählen. Die ist wie ein Romankapitel bei Grimmelshausen oder Grass. Über diese Straße zogen nämlich 39 die deutschen Truppen gen Osten, siegesgewiß. Sie wollten die Polen zusammenschlagen, übrigens gemeinsam mit der Sowjetunion. Man sollte es nicht vergessen.

Mit Mann und Roß und Wagen, nicht wahr, hat sie der Herr geschlagen. Ich meine das schreckliche Hitler-Wort jetzt andersrum. Ich meine: Mit Mann und Roß und Wagen kamen sie fünf Jahre später genau auf dieser Straße im Januar 45 wieder zurück. Es war Winter. Es war eiskalt. Verwundeter Mann, verhungertes Roß, kaputter Wagen. Die Rote Armee, von Frankfurt kommend, trieb sie zurück. Jetzt wurden sie geschlagen, die Herrenmenschen, verloren, erfroren. So zogen die Trecks hier zurück. Deutsche Geschichte vor unserem Haus. Das muß man auch sehen. Das gehört mit zum Bild solcher Reise-Erinnerungen.

Und ich sage es eigentlich nur, damit man meinen Spott, meine vielen kleinen Bosheiten gegen den Sozialismus nicht in der falschen Richtung versteht. Deutscher Schmerz? Ja. Deutscher Stolz, deutscher Nationalismus? Nein. Das hat ja schon alles Konsequenz und Logik hier im Osten. Wer, wenn nicht wir, hat denn die Russen ins Land geholt? Die DDR? Man wird es ja wohl gemerkt haben inzwischen: Ich bin ihr Fürsprecher nicht. Ich glaube nicht, daß sie den Fortschritt der Deutschen in Deutschland bereitet. Aber Moskaus Herrschaft bis an die Elbe heute ist zunächst einmal unsere deutsche Schuld. Es mag nicht sehr höflich den Mächtigen gegenüber sein. Entspannung soll sein. Ich sage es trotzdem: Die DDR kommt mir manchmal wie eine Strafe vor. So hat die Geschichte die Deutschen bestraft – für Auschwitz und das.

Schreib das auf, Kisch!

Jetzt kommen helle, freundlichere Bilder. Wo bleibt das Positive, bitte? Die DDR ist auch ein Reiseland. Es ist eine nicht unbeträchtliche Tourismus-Industrie entstanden. Stolze Zahlen, viele Millionen Übernachtungen sind zu verbuchen. Das meiste sind Touristen aus Osteuropa, versteht sich. Mit Polen und der ČSSR gibt es seit Jahren einen paß- und visafreien Reiseverkehr. Es gibt die feinere Welt der Interhotels, die Nobel-Herbergen des Sozialismus. Es gibt 26 Interhotels, die mit etwa 12 000 Betten Gäste erwarten. Sie sind immer besetzt. Man kommt nie rein. Immerhin, es gibt sie.

Ich beschreibe jetzt das Hotel Lausitz in Cottbus. Kein Interhotel, aber doch mit Abstand das erste Haus am Platz. Ein Prunkstück de luxe im Spreewaldgebiet. Ein moderner, weißer Hotelkasten, wie mittlere Hotelneubauten in Hildesheim oder Gießen auch aussehen. Es empfing uns kein schläfriger Postbeamter. Der Betrieb in der Hotelhalle war großzügig, modern, durchaus westlich organisiert. Die Damen an der Rezeption sahen wie internationale Hostessen aus. Sie berlinerten wunderschön. Ihre Höflichkeit machte mich hoffen. Es ging alles mühelos mit den Hotelgutscheinen. Die Prozedur mit den Frühstücksmärkchen verlief auch vereinfacht. Man kriegt, wie überall in der Welt, ein kleines Papier in die Hand, den Hotelausweis, der hier allerdings wichtig ist. Es ist eine Art Polizeiausweis. Man muß ihn immer bei sich führen. Ohne diesen Ausweis keine Schlüsselausgabe. Du kommst nie rein in dein Zimmer – ohne Ausweis. Man wird auf dem Papier vorsorglich belehrt, daß man im Bett nicht rauchen, dortselbst auch keine fremden Personen empfangen darf. Offenes Feuer ist auch nicht erlaubt im Bett. Es ist eben alles etwas strammer und prinzipienfester. Ich möchte es nicht eben Weltniveau nennen, wie es hier heißt. Aber ein Hauch von Fortschritt zog schon durch das Haus.

Wir zogen ein. Nein, nein, ich will auch jetzt nichts miesmachen. Ich beschreibe nur wieder, was war. Die Leute hier haben dafür ein eigenes Wort gefunden. Der Berliner Mutterwitz reicht ja sehr weit, fast bis an die Oder. Sie nennen es Marx und Murx. Daß unser Zweibettzimmer für stolze Westpreise winzig war, will ich nicht erwähnen. Das Räumchen daneben, das man Bad oder WC oder Dusch-Corner nennen mag, vergrämte mich. Tatsächlich war alles da, was man theoretisch und nach Plan heute unter Weltniveau versteht im Tourismus. Nur wie! Das Waschbecken war offenbar für Zwerge gedacht. Es war auch falsch montiert. Hing es zu hoch oder zu niedrig? Daran erinnere ich mich nicht genau. Die Wasserhähne aus Plastik: Plaste und Elaste. Der Spiegel darüber erinnerte mich an Ulkspiegel in Lachkabinetten. Man sah sein Gesicht einmal ganz groß, dann wieder winzig, je nach Abstand und Bewegung. Daß die nicht einmal hier plane Spiegel machen können, sagte ich etwas erbittert am zweiten Morgen. Ich kam blutend aus dem Kabinett. Ich hatte mich nicht rasiert, sondern geschnitten. Das Neonlicht darüber. Es brannte, aber es brummte dabei wie ein mittlerer Dieselmotor. Das Duschen war auch gefährlich. Da man Unterputzleitungen hier nicht kennt, lag das ganze System von Röhren, Zuleitungen, Ableitungen samt Verschraubung und diverser Wasserhähne frei im Raum, und wenn man sich beim Duschen leichtfertig bewegte, waren härtere Püffe und gelegentlich blaue Flecken am Leib unvermeidlich. Heiße Eisenröhren brennen auch ganz schön am nackten Hintern. Daß man das WC nur in einer sehr angespannten Streckhaltung erreichen konnte, will ich nicht beschreiben. Es war nur so.

Man kann natürlich wieder sagen: Was bist du nur für ein Mensch? Du bist kleinlich, du bist zersetzend. Du bist auch ungerecht. Da wird diese große, geschichtliche Idee Sozialismus aufgebaut, und du redest von Klosettschüsseln und Plastikhähnen, die dir nicht passen. Du bist eben ein Kleinbürger. Siehst du denn nicht das Große, das gleichwohl geschieht? Ich sage: O ja, ich sehe es schon, nur nicht hier. Ich will doch mit dieser Beschreibung eines Hotelzimmers de luxe nicht sagen, daß in der DDR alles so sei: Marx und Murx. Ich bin sicher, daß auch hier präzis und mit deutscher Akkuratesse gearbeitet wird. Obwohl ich davon nichts zu sehen bekam, ich bin sicher, daß die Nationale Volksarmee zum Beispiel vorzüglich beliefert wird. Man kann gegen die innerdeutsche Grenze vieles sagen. Daß dieses gigantische Sperrsystem, das sich heute quer durch Deutschland zieht, technischer Murks sei, wird niemand ernstlich behaupten können. Ob es auch Marx ist, möchte ich lieber der Theorie-Debatte unserer linken Ideologen überlassen. Auch scheinen die Schießgewehre der Grenzsoldaten von vorbildlicher Präzision. Ich will sagen: Was die Menschen angeht, das Volk, die Bürger dieses Staates – da sind sie unverändert zurück. Der Konsumsektor ist immer noch kümmerlich. Es wird hier ein neuer Staat aufgebaut, aber unter welchen Opfern, unter wieviel Ausbeutung seiner Menschen, der Frauen vor allem. Ein Zug von Menschenverachtung ist nicht zu verkennen.

Die Speiseriten im Grandhotel Ost – sie haben mich auch vergrämt. Der Speisesaal war geschmackvoll, fast kultiviert. Er sah aus wie die Restaurants unserer Autobahn-Raststätten. Auch das Speiseangebot selber ist so übel nicht. Nicht eben delikat, nicht raffiniert. Aber muß das sein? Es ist eine solide, schmackhafte Küche, die man trotz Kommunismus gutbürgerlich nennen sollte. Ich lobe sie. Das Affentheater, an diese Speisen heranzukommen, das war es. Ein Kommunismus, der irgendwo in unterentwickelten Ländern kraftvoll und rabiat für die Grundrechte der Unterdrückten kämpft, sagen wir, der im Dschungel Südamerikas, mag seinen Sinn haben. Ich akzeptiere ihn. Ein Kommunismus aber, der nach dem Sieg und bei uns zwischen Plastikblumen und steifen Servietten preußisch piekfein und ganz exklusiv tut, ist unerträglich, für mich jedenfalls. Welche luxuriösen und sublimen Formen der Unterdrückung die Gastronomie entwickeln kann! Man hält es nicht für möglich. Ich sagte wieder: Das muß man erlebt und gesehen haben. Das allein ist die Reise wert.

Im Hotel Lausitz war es so: vor der Tür zum Speisesaal die übliche Garderobe. Ein großer Spiegel an der Wand, der matt und blind ist. Es putzen dauernd ältere Frauen daran mit wahrhaft orientalischen Gebärden der Sinnlosigkeit. Da ist gar nichts blank zu kriegen; trotzdem wird ihm viel Arbeitskraft gewidmet. Vor der Saaltür hängt meistens ein Schild: »Wegen Überfüllung geschlossen – wir bitten um Ihre Geduld!« Der Saal ist fast leer, wenn man dann trotzdem eintritt. Das Kellnerkollektiv hat auf die Hälfte der leeren Tische das Schild aufgestellt: »Reserviert!« Andere Tische sind von Kellnerinnen besetzt, die offenbar Bewirtungspläne ausarbeiten. Viel Papier liegt herum: Was kommt morgen um elf? Wo setzen wir morgen um zwei die Delegation der FDJ hin? Die restlichen Tische werden bedient. Man wird rangequetscht. Man kann es nicht anders nennen: Man wird einfach rangequetscht.

Und ob es nun mein westlicher Individualismus, also mein falscher Klassenstandpunkt ist: Ich fand es schlimm. Man muß nun demütig und ganz brav dasitzen. Es wird alles der Staat, die Gesellschaft, in diesem Fall das befreite Kellnerkollektiv besorgen, zu seiner Zeit. Es ist genau wie in Moskau. Man darf die Kellnerin nicht rufen. Man darf sich nicht selbständig eine Speiekarte vom Nebentisch holen. Es wäre unfein und gegen die Kultur der Arbeiterklasse. Statt Essen bestellen kann man die Liste der Selbstverpflichtungen studieren, die das Kellnerkollektiv der werten Kundschaft hier schriftlich kundtut. Ich zitiere jetzt einfach. Wir haben das aufgeschrieben, halb aus Langeweile, halb aus Hunger. Es war aber auch ein grenzenloses Staunen dabei, daß es so etwas gibt in Deutschland. Schreib das auf, Kisch! sagte ich. Das ist nun wirklich Reportage-Stil. Man muß es wörtlich zitieren. Es glaubt sonst niemand. Ich lese jetzt also ab:

»Selbstverpflichtung Brigade Frühschicht: 1. Planerfüllung, 2. Sauberkeit und Sicherheit, 3. Niveauvolle Bedienung und Preisehrlichkeit, 4. Gegenseitige Ersetzbarkeit in den Brigaden. Sonderschichten: Zusätzlich wurde das Konferenzzimmer gereinigt und die Holzverkleidung im Kellergang poliert. Weiterhin wurde ein Lichtbilder-Vortrag über die Sowjetunion durchgeführt.« Die Kellnerin kommt immer noch nicht. Wir haben viel Zeit zu weiterem Studium. Wir lesen: »97,5 Prozent aller Mitarbeiter, das sind 140 Kolleginnen und Kollegen des Hotel Lausitz, sind Mitglieder der Betriebsgruppe der Deutsch-Sowjetischen Freundschaft. Alle Brigaden verpflichten sich, bis zum 9. Parteitag der SED die hundertprozentige Mitgliedschaft zur DSF zu erreichen. Alle Brigaden des Hauses kämpfen um den Ehrennamen ›Kollektiv des DSF‹.« Da kam schließlich die Bedienung. Wir konnten bestellen. Es ging ruckzuck. Man darf da nicht lange fackeln und fragen. Man kriegt den Teller hingeknallt – zack. Mir hat es geschmeckt, trotzdem.

Es war nur die Sache mit den Desserts, die mich aufbrachte. Es gab keine Desserts, wie das Kollektiv mir beschied. Na gut, ich bin ja kein Lustmolch, kein Vielfraß. Es muß nicht sein. Aber es vergrämte mich doch, als ich dann weiter las: »Des weiteren gehört zu den gastronomischen Neuerungen ein Süßspeisewagen und ein Gebäckwagen, deren Sortiment von den Lehrlingen präsentiert und verkauft wird. Lehrlinge 1. Jahr: Unsere Hauptverpflichtung Süßspeisewagen: pro Tag 120 Mark Umsatz, bis zum 9. Parteitag 4000 Mark! Kampf um den Titel ›Kollektiv der Deutsch-Sowjetischen Freundschaft‹. Weitere Lehrlingsverpflichtungen: Reinigung der Beleuchtungskörper im Restaurant. Bei der nächsten Komplexprüfung ist ein Gesamtdurchschnitt von 2,2 zu erreichen. Vorbereitungen in der Hallenbar weiterführen. Zur Verbesserung der täglichen Arbeit wird außerdem ein zehnminütiges Gespräch geführt.«

Ich breche hier ab. Ich sage jetzt nichts mehr. Ich sage nur: S‹
– so ist das hier, in Deutschland.

Loblied auf den Spreewald

Der junge Mann am Straßenrand, es muß zwischen Kolkwit
und Vetschau gewesen sein. Erinnerst du dich, wie ich eine‹
Augenblick auf die Bremse trat, stoppen wollte, dann doc›
weiterfuhr? Mit schlechtem Gewissen übrigens. Ich spürte: D›
hast einen Fehler gemacht, du hättest halten müssen, hättes‹
dich seiner annehmen sollen. Vielleicht hat er etwas gewollt. Ic›
spürte so etwas wie Nächstenliebe – im Vorüberziehen. Was ih›
dem geringsten meiner Brüder ... Und da stand nun so eine‹
Er war blond, er war klein, eher unscheinbar, Anfang Zwanzig
Er hatte einen Gehfehler, er hinkte, er knickte mit dem linke‹
Fuß ganz tief ein. Er wirkte allein, und es war das drittemal, da›
wir ihn trafen. Das war es. Ich war verblüfft. Ich sagte: Da›
kann doch kein Zufall mehr sein! Da steht er ja schon wieder
und er steht wieder so allein. Ein Sonderling, ein Einzelgänger
ein Außenseiter, inmitten all dieser strammen Kollektive – wa›
ist?
Wir haben ihn, ich weiß das genau, vor einer Woche im Zen‹
trum von Cottbus zum erstenmal gesehen. Er war in diese›
evangelischen Kirche, die aber außer Dienst schien, nicht meh›
»arbeitete«. Da war eine Ausstellung. Ein evangelisches Hilfs‹
werk zeigte seine karitativen Leistungen für spastisch gelähmt›
Kinder in Fotomontagen und Bildern. Dort schien er eine ge‹
wisse Funktion zu haben. Er legte auf eine Stereoanlage ein›
Langspielplatte auf, und strahlende Barockmusik hallte plötz‹
lich laut durch den Kirchenraum: festlich. Wir haben ihn dre›
Tage später in Eisenhüttenstadt wiedergesehen, immerhin fünf‹
zig Kilometer entfernt. Das hieß früher Fürstenberg. Wenn wi›
in meiner Jugend zu Besuch in Neuzelle waren, fuhr ma›
manchmal dorthin. Es hieß: eine Landpartie machen. Die ganz›
Familie fuhr mit einem Kremserwagen, der mit Maien, als
jungem Birkengrün geschmückt war, nach Fürstenberg. De›
Wagen, der eigentlich zum Einfahren der Feldfrüchte da wa›
war jetzt eine Art Tanzboden. Er wurde von Pferden gezogen
Es standen Bänke und Tische drauf. Man trank Grünberge›
Wein. Man aß Zwiebelkuchen. Man sang und schunkel›

etwas. Es war meist Himmelfahrt oder Pfingsten, wenn das geschah.

Es gibt davon nichts mehr. Aus Fürstenberg ist Eisenhüttenstadt geworden. Der Name sagt alles: ein kaltes, kahles, modernes Industriezentrum wie überall auf der Welt. Ich bin immer enttäuscht vom sozialistischen Städtebau. Man meint doch, der revolutionären Arbeiterklasse müßte mal etwas Neues einfallen für ihre eigene Stadt-Architektur, etwas wirklich Kühnes, Humanes. Die könnten das doch mit ihrer zentralen Planung. Es ist aber alles so öd und phantasielos und rechteckig wie überall, nur viel schlechter in der Detailausführung. Diese neuen sozialistischen Zentren sind von einer niederdrückenden Monotonie. Es gibt eigentlich nichts Trostloseres, als an einem Sonntagnachmittag eine Arbeiterfamilie vor den Schaufenstern des HO-Warenhauses »Dynamo« oder »Konsument« zu beobachten: Konsumfetischismus genau wie bei uns, nur alles teurer, verstaubter und sehr viel schlechter. Wenn das so ist – wozu eigentlich die Große Oktoberrevolution, bei uns? Ja, und da saß er. Ich erinnere mich genau. Er saß auf einer Bank, wieder allein. Es flanierten Sonntagsspaziergänger um ihn herum. Es sprang ein Springbrunnen kerzengrade. Er blickte etwas nachdenklich in das fallende Wasser hinein.

Bin ich vom Thema abgekommen? Ich will vom Spreewald erzählen. Auf der Fahrt nach Lübbenau ging mir seine Existenz durch den Kopf: Wie leben hier solche Menschen? Wie ist das, wenn man nicht mittut, vielleicht einfach körperlich nicht mitkann im fröhlichen Kollektiv? Es gibt ja auch andere Außenseiter und Einzelgänger: Wie leben die wenigen Juden, die es, orthodox, in Cottbus sicher noch gibt? Was macht ein Ernster Bibelforscher in der FDJ, in der NVA? Wie lebt ein junger Homosexueller, der in Finsterwalde oder Senftenberg, sagen wir, Friseur ist? Das Altersheim mit den Omas in Brandenburg fand ich unwürdig. Was uneheliche Mütter anlangt, so sind sie aber sehr fortschrittlich. Die moralische Qualität einer Gesellschaft erkennt man an der Freizügigkeit, die sie ihren Randgruppen und Outcasts einräumt. Die Sorben, gut; aber das sind keine Outcasts. Es ist ein alter slawischer Stamm mit russischer Rückendeckung. Die sorbische Eigenkultur ist eine eherne Staatsdoktrin, die einem hier im Spreewald jetzt etwas zu deutlich und demonstrativ dauernd vor Augen geführt wird.

In Lübbenau war Riesenbetrieb, ein ungeheurer Touristenrummel. Es drängten sich überall Wartburgs und Trabants.

Auch die DDR hat ja ihr kleines Wirtschaftswunder. Mit uns geschah es wieder wie anfangs in Potsdam: Wir wurden sofort als West erkannt, aus dem Gedränge herausgelotst und bekamen einen wunderschönen Parkplatz auf DM-Basis. »Extraschatten für Sie, mein Herr!« sagte der Wächter und hielt die Hand offen. Solche Sonderbehandlung quittiert man nur scheinbar befriedigt. Es ist auch ein ungutes Gefühl dabei. Soll ich sagen: ein Rest gesamtdeutscher Verschämung? Man möchte es nicht, aber es ist immer noch so, im Volk jedenfalls, bei den Leuten. Wir sind die besseren, die Deutschen erster Klasse. Platz da für die aus dem Westen! Ich nahm es hin. Ich dachte, mich selbst besänftigend: Wir haben auch unsere Opfer gebracht, der Republik. Man hatte uns schon in den ersten Potsdamer Tagen das BMW-Zeichen vom Auto montiert, des Nachts, als wir friedlich schliefen. Und der Volkspolizist, den ich bei einer späteren Gelegenheit darauf aufmerksam machte, hatte nur gegrinst und gelangweilt gesagt: »Na und? Mercedes-Benz oder BMW, das ist nun mal so. Das bleibt oft hier, bei unserer Jugend.«

Ich habe Neuzelle gelobt. Ich habe die sozialistische Küche gelobt. Ich will ein weiteres Loblied singen. Es heißt: Der Spreewald ist wunderschön. Man muß freilich Sympathie für die spröde Schönheit des Ostens mitbringen. Was da schon an flacher Melancholie reinweht: russisch. Man muß Birken lieben und Weiden, die hängen. Man muß das zarte Grün von Erlen, Eschen, Pappeln im Mai beseelter empfinden als dunkle Schwarzwaldtannen. Man muß auch Wasser-Sucht haben. Das Wasser im Spreewald ist sanft, ist still, beinah süß, süßfaulig. Es scheint fast zu stehen. Es ist ganz flach: Seerosenglück. In solchen Wassern kann man nicht schwimmen, nur gleiten. So ungefähr, nicht wahr, haben sich doch die Griechen einmal die Überfahrt in den Hades vorgestellt, das Übersetzen ins sanfte Reich der Schatten, die Fahrt zu den Toten, die nicht tot, nur besänftigter sind: der Reigen seliger Geister. Eurydike-Gefühle, Orpheus-Musik?

Nicht wahr, ich gerate beim Schönen in dieser Republik immer um eine Nuance zu sehr ins Schwärmen. Es fiel schon bei Neuzelle auf – oder? Also, laß Luft raus, komm auf den Grund. Diese Kähne der Genossenschaft Lübbenau sollte man nicht mit den Gondeln Venedigs vergleichen. Sie sind karg, schmucklos, bieder, riechen nach Teer. Nur der Fährmann am Heck, der die Stoßstange nur selten und dann kunstvoll ins Wasser taucht, erinnert entfernt an Mythisches. Diese Spreewaldkähne nehmen bei Hochbetrieb etwa fünfundzwanzig Menschen auf, und wenn man Pech hat, kann man durchaus eine ziemlich ordinäre und ganz ungriechische Kahnpartie erwischen. Da sitzen dann junge Männer, im Gesicht geschwollen und leicht gerötet, bierbäuchig, fläzen sich, singen, lassen Kofferradios spielen, springen auch manchmal unterwegs vom Kahn, stellen sich an den nächsten Baum, pissen, springen wieder schwerfällig zurück. Ein ungeheures Gewieher der anderen empfängt sie. Das ist eben die Arbeiterklasse, dachte ich, wie sie leibt und lebt, und dies ihr Staat. Nur komisch? Solche Typen gibt es nicht mehr bei uns. Die gab's mal vor fünfzig Jahren. Wo sind sie geblieben? Doch, ging es mir später durch den Kopf, im Theater, bei Brecht-Inszenierungen zum Beispiel, kann man sie bei uns auch sehen, auf Bühnen.

Wir hatten Glück. Wir hatten eine stille und freundliche Gruppe erwischt. Die Fahrt dauerte drei Stunden. Man kann sie aber, vorbestellt, bis acht Stunden haben. Das Erlebnis ist das der Ruhe, der großen Entspannung. Kein Motorgeräusch, kein Ruderschlag, kein Wellengeplätscher. Der Kahn gleitet lautlos durch schwarzes Wasser; endlos geht das. Es öffnen sich immer neue Seitenarme, ein Labyrinth weiter, stummer Verführung. Wozu, wohin? Ach, laß doch das Fragen. Das Schöne ist immer das Ziellose, das Unterwegssein. Die Ziele, die wir erreicht haben im Leben, sind ohnehin meist enttäuschend. Das ist mit dem Sozialismus nicht anders als mit sehr vielen Ehen. Erlen ziehen langsam vorbei und Eschen. An ihren Stämmen rankt sich lianengleich Hopfen empor. Der ältere Herr vor mir, der, sich zurücklehnend zu mir, einmal sagte: »Der Sozialismus? Ein fabelhaftes System! Mit diesem System zentraler Planwirtschaft kann man einfach alles machen.« Dann Maiglöckchen und Sumpfdotterblumen, Kuckucksnelken, rot, Hahnenfuß, gelb. Die Frau neben mir, die an einem Schmalzbrot kaute. Man kann auch nach oben blicken. Ein hohes, lichtes Dach, ein grüner Blätterdom. Bussarde und Kiebitze fliegen, der große Brachvogel. Und irgendwo auf dem Dach eines Heuschobers gibt es Storchennester. Also wenn es denn sein muß, dachte ich – hier in einem Blockhaus, in mancher Wochenendvilla, an der wir vorbeizogen, da könnte ich auch leben. Man kann ja des Abends hier West fernsehen, oder?

Es ist nicht alles Gold, was glänzt. Es ist auch nicht alles grün, was hängt. Man muß dies hinzufügen: Auch dieses Idyll ist nicht mehr heil. Es ist teilweise ganz schön kaputt. Die nahen Braunkohlelager, zwei neue Großkraftwerke in Vetschau und Lübbenau, die Strom produzieren für die Republik, lassen von ihren Schornsteingiganten, hundertvierzig Meter hoch, Wolken von Schwefeldioxyd auch lautlos niedergleiten. Man sieht es da und dort: entlaubte Baumkronen, kaputte Wälder, die schwarzen Wasser, in denen kaum noch was lebt. Das meiste ist tot. Es ist wie bei uns: Umweltzerstörung. Und ich erzähle dies eigentlich nur unseren jungen linken Vögeln, die unsere Umweltzerstörung immer so fix und glasklar der Raffgier des Kapitalismus zuschreiben. Wenn's nur so wäre, so einfach! Hier ist nun die Raffgier besiegt. Es gehört alles ganz vorbildlich dem Volk. Und was ist? Haargenau derselbe Dreck! Der Unterschied ist nur, daß im Sozialismus das Volk schwerfällig und dickfellig wird. Die beginnen das Umweltproblem hier jetzt überhaupt erst zu merken. Ihr solltet ein paar Spezialisten in die Staaten schicken. Nach Chicago oder Los Angeles. Da könnt ihr lernen, mit solchen Problemen fertig zu werden. Überhaupt, da würdet ihr staunen, was Weltniveau ist.

Bilanzen

Jetzt nur noch Rückzüge, Heimkehrer-Bewegungen. Die Koffer gepackt, das Zeug zusammen: Rasierschaum, 4711, die halbe Flasche Whisky, der Nescafé, was eben übrigblieb. Muß das denn sein? Was soll's? Lauter Reisekram, winzige Fetische West, laß liegen! Fahr weg! Was soll's? Wer will's?

Die beiden Putzfrauen auf unserer Etage, die Züge von Anhänglichkeit, mütterliche Betreuung, Reste gesamtdeutscher Fühligkeit zeigen, jetzt, da wir aufbrechen. Schlesischer Dialekt. Sie reden so viel. Es klingt immer, als wollten sie sagen: Sehen Sie denn gar keine Möglichkeit, uns nachzuholen? Wieder dieses liebevolle Streicheln der Geldscheine, mit denen wir uns dankbar und artig empfehlen. Dieser kurze, heftige Revitalisierungseffekt DM. Sie sind munter. Sie fassen mit an, schleppen das Zeug, halten die Fahrstühle auf. Danke, danke, auf Wiedersehen und so weiter. Die Koffer ins Auto. Das Auto gestartet. Kein Blick zurück! Bloß keine sentimentalen Geschichten zum Schluß. So inniglich war's ja nun auch wieder nicht. Nimm dich zusammen! Blick vorwärts! Siehst du die

Rotampel nicht? Bist du blind? Willst du jetzt noch einen Unfall bauen, zum Schluß? Bitte, wo geht's hier zur Autobahn nach Berlin?

Wir fahren zurück. Es ist immer noch Mai. Es ist immer noch Baumblüte. Noch einmal die Lausitz, friedlich und flach, ein strahlender Himmel über Feldern, die gelbbraun, schon etwas verbrannt sind. Sommergefühle: Wird es heute wieder heiß werden? Die Türme der Braunkohleindustrie in der Ferne. Die alten Namen, die Wörter von einst, Ausfahrtschilder: Freiwalde, Schönwalde, Staakow, Zeesen, dann Königs Wusterhausen, der Deutschlandsender. Wer weiß das noch? Das Wunschkonzert vom Deutschlandsender. Es hieß: »Allerlei von zwei bis drei«, und ich war immer entzückt, hörte aufmerksam zu, wenn sie die Zwischenaktmusik aus ›Rosamunde‹ oder die Ouvertüre zu ›Donna Diana‹ spielten. Es muß Anfang der Nazizeit gewesen sein. Die Radiostation heißt jetzt »Stimme der DDR«. Die Wunschkonzerte sind auch geblieben. Ich frage wieder wie zu Beginn: Was noch? Was ist noch gewesen? Was haben wir außerdem noch gesehen auf dieser Reise?

Wir sind gestern noch an der Grenze gewesen. Mir schien das wichtig. Ich meine die Ostgrenze der DDR, die Friedensgrenze, auch Oder-Neiße-Linie genannt. Wir Bundesbürger kennen diesen Staat ja immer nur von seiner rasselnden, mörderischen Westgrenze. Wir sind die Strecke von Forst bis Frankfurt sehr langsam abgefahren. Hier kann man heran. Hier ist alles offen. Kein Hund war zu sehen. Und wie es so oft mit historischen Namen ist: Vor Ort war es eher kümmerlich. Das soll sie sein? Mehr nicht? Die Lausitzer Neiße ist ein schmales Flüßchen, sie fließt still vor sich hin. Sie scheint von ihrer Bedeutung überhaupt nichts zu wissen. Sie fließt, wie wenn nie etwas gewesen wäre. Schwer zu fassen für einen Deutschen wie mich, der noch die Reste des Reichs im Kopf hat. Hier also kam dieses tausendjährige Gedränge und Geschiebe der Völker endlich zum Stehen. Dieses zähe, wütende, blutige Hin und Her, dieses Geschubse der Stämme, das wir Geschichte nennen. Hier endete dieser ewige Kampf: Ostkolonisation, die Schlacht bei Tannenberg, die Teilungen Polens, die Ausrottungsversuche der Nazis, die Vertreibung der Deutschen zum Schluß. Man stellt sich solche Orte in der Phantasie immer bedeutsam vor. Da müßten Mahnmale stehen. Da steht aber nichts außer dünnen Grenzpfählen. Die neue Trennlinie zwischen den Germanen und den Slawen ist unbefestigt: kein Stacheldraht, keine Mauer. Pax Sovietica möchte ich es nennen. Das soll nun so sein. Hier ist das richtig.

Die Autobahn wurde voller, Kolonnen entstanden, kleinere Staus, und als wir dann nach Ost-Berlin kamen, hatten wir plötzlich zum Greifen vor Augen, wovon wir immer nur gelesen, gehört hatten auf unserer Reise: Ein großes Ereignis, ein gewaltiges Fest, eine richtige Jubeloper des Sozialismus stand hier auf dem Programm. Wir bekamen Vorspiele, Ouvertüre-Fetzen zu hören. Es begann eben ein Parteitag der SED – ich glaube, es war der neunte. Die Zahl ist egal. Es ist immer dasselbe. Kongreß der Weißwäscher, sagte ich, zynisch Brecht zitierend. Nun sieh bloß: Weißer geht es nicht. Sieh all die Fahnen, Transparente, die Wimpel, Standarten, Embleme, diese nicht abreißende Kette von Selbstverpflichtungen, durch die wir von Köpenick über Treptow jetzt schon fast eine Stunde fahren. Fabelhaft, alles Siege! Ob unser Kellnerkollektiv seine Cottbusser Sonderschicht »Konferenzzimmer gereinigt und die Holzverkleidung im Kellergang poliert« auch gemeldet hat? Ob der Süßwagenplan der Lehrlinge jetzt hier im »Palast der Republik« als erfüllt oder unerfüllt zu Buche schlägt? Man kann es nicht wissen – im Sozialismus.

Es war jedenfalls ein kollektives Glück in der Hauptstadt der Deutschen Demokratischen Republik im Gang. Marschmusik aus Lautsprechern. Marschkolonnen auf Bürgersteigen. Chöre jubelten. Es stauten sich immer mehr Autos, die russischen Prachtkarossen, ihre zugehängten Fenster, Samtvorhängchen. Die Nationale Volksarmee marschierte in eisernem Stechschritt. Volkspolizisten an allen Ecken, Berliner Schupos, ihre alten Gesichter, ihre neuen Uniformen. Es war, als wenn gleich der Kaiser einfahren würde: ein rotes Hohenzollernfest. Die Kronprinzen, so hörte man im Radio, standen schon stramm zum Empfang des Zaren, draußen in Schönefeld angetreten. Der kam aber nicht. Es kam damals nur Suslow. Und als wir dann schließlich den Alexanderplatz erreicht hatten und uns in den Kreiselverkehr einschleusen konnten, sehr langsam, sagte ich: Nichts wie weg! Wir bleiben keine Minute länger. Wir schenken uns dieses Fest. Das ist ja das Schöne an solchen Lustreisen, das ist überhaupt das Schönste am Sozialismus: Man kann wieder weg – als Westtourist.

Bizarr und verwirrend, plötzlich wieder in Berlin-West zu sein. Scharfer Bildschnitt, harter Sequenzwechsel Ost-West. Spröder Liebling, amputiertes Riesenkind, du Glitzerding

West. Die Insellage Berlins merkt man massiv nur, wenn man vom Osten kommt: Freunde, es ist Land in Sicht! Das war auch eine Art Fest, auch Fröhlichkeit, auch Hochstimmung – nur anders. Lockerer, freier, kein preußischer Stechschritt. Es flanierten Touristen über den Kurfürstendamm, massenhaft. Massenhaft und doch nicht kollektiv, lauter Einzelgänger im Schlenderschritt. Es war alles überfüllt. Wir hatten Mühe, hier in der Zoogegend überhaupt ein Hotelzimmer zu finden. Ich glaube, es waren eben die Theaterfestwochen im Gang. Oder war es was anderes? In Berlin, das eigentlich doch lahm und blutleer und vergreist sein müßte, nach marxistischer Doktrin, ist immer was los, komisch. Es ist gar nicht komisch: Das ist eben der Kapitalismus und seine eigene, sehr zähe Art von Lebendigkeit; der läßt sich immer wieder was Neues einfallen. So leicht ist der nicht unterzukriegen, wie unsere Revolutions-Boheme immer meint.

Und wenn man dann so wie wir zurückkehrt, mit diesem Reisegepäck Ost auf dem Rücken, nicht mehr mit Kindheit, sondern mit deutscher Gegenwart Ost vollbefrachtet, dann stellt man eine ganz merkwürdige Reaktion bei sich fest. Man spürt als erstes ein Bedürfnis nach Niedrigkeit. Das Frivole lockt. Ach, laß uns heute abend zunächst einmal etwas ganz Obszönes besuchen: einen Pornofilm, eine Bumsbar, einen Tuntenball, eine Verbrecherkaschemme oder »Chez nous«, die feineren Frivolitäten der Transvestiten. Das war eigentlich das Schlimmste drüben: diese Bravheit und Mediokrität – zum Sterben langweilig. Ich sehne mich nach etwas Verworfenheit, der Schönheit des Bösen, auch ›Les Fleurs du Mal‹ bei Baudelaire genannt. Oder ›Notre-Dame-des-Fleurs‹ von Jean Genet?

Ich glaube, hier täuscht sich einfach der Marxismus, philosophisch. Der Mensch ist nicht so gut, wie die Ideologie meint. Das ist ihr anthropologischer Irrtum, ihr Elend, und nur deswegen muß sie sich abgrenzen, muß Stacheldraht werfen, muß Mauern bauen. Der Kommunismus will den Menschen zu etwas zwingen, was er nicht ist: erlöst und nur gut. Er ist eine neue Religion. Der Mensch hat ein Recht auf das Zwielicht, die Dämmerung, das dunkle Unten. Es muß nicht alles aufgeklärt werden im Leben. Der Witz, den wir drüben so oft hörten: Warum sehen die Bürger der DDR immer so müde und abgeschlafft aus? Weil es in dieser Republik nun schon dreißig Jahre immer nur bergauf geht. Das ist es. Das strengt so an. Es liegt alles so hoch, es ist alles so »niveauvoll« – da drüben.

Wir sind nicht in die Bumsbar gegangen. Es genügte zu wissen, daß es möglich wäre. Wir saßen in dieser Nacht sehr lange in einer Diskothek. Es war in der Joachimsthaler Straße: das Ku-Dorf. Es wimmelt da von sehr attraktiven, kessen Amüsierschuppen. Wir sahen die Jugend hier, wie sie kam und ging, wie sie sich bewegte, kokett, wie sie gekleidet war: anmutig und frech, eine abenteuerliche Provokation. Die Menschen hier im Kapitalismus wirkten nicht unterdrückt, eher glücklich. Und ich sagte: Also bei einem bleibe ich, Deutschland wird nicht aufhören, mich zu faszinieren. Was für ein Land, was für ein Volk, was für eine Stadt Ost-West-Berlin: Unsere Teilung ist auch eine Chance. Wir haben die Weltprobleme ganz hautnah und können alles im eigenen Haus durchprobieren. Zeit der neuen Glaubenskriege. Es ist wie mit der Reformation: Wir sind beides zugleich, katholisch und evangelisch. Wir liegen wieder mal vorne in der Geschichte. Ich meine, man sollte nicht immer nur über die deutsche Teilung klagen und jammern. Man sollte ihre Chancen sehen. Geschichte ist bei uns zu Gast. Man muß dazu allerdings öfter mal in die DDR reisen. Dann fährt einem die Geschichte schon in die Knochen.

Ich könnte nun mit Bilanzen beginnen. Ich könnte sagen: Im Grunde ist es nicht zu fassen. Das ist doch alles Mark Brandenburg, auch diese Diskothek in der Joachimsthaler. Weißt du noch, als wir neulich in der Stadt Brandenburg saßen? Achtzig Kilometer entfernt von hier? Wir hockten in dieser HO-Gaststätte. Wir waren mit zwei jungen Mädchen ins Gespräch gekommen. Diese Müdigkeit, dieses Gemaule der sehr jungen Damen. Wir fragten: »Was macht ihr hier des Abends?« Und die, wie sie uns fassungslos ansahen, dann zu kichern begannen, dann sagten: »Hier? Hier ist überhaupt nichts los. Es gibt in Brandenburg nicht ein einziges Lokal für uns, nicht mal einen Jugendklub. Wir gehen alle um neun schlafen.«

Ich könnte auch eine Korrektur anbringen. Dieses Klischee bei uns immer: Die Alten da drüben, die sind vielleicht noch dagegen. Aber die Jugend, die neue Generation, die, die nur noch den Kommunismus kennt. So eben nicht. Es ist eher umgekehrt: Die Alten, die noch die Nazizeit kennen, reagieren viel fügsamer. Sie sind ja oft selber autoritär. Die Jugend? Ich sage nicht, daß sie für den Kapitalismus schwärmt. Ich sage nur: Man kann keinen jungen, kritischen Menschen zum Kommunismus erziehen, solange die Tatsachen einfach dagegen sprechen. Die wissen doch alles, die kennen uns doch. Die hängen jeden Abend am Fernsehen, am Radio, die verfolgen unsere Bundestagsdebatten. Die kennen Abgeordnete und Quizmaster, die mir bis heute entgingen. Ich werde den Jungen auf der Steinstufe in Werder nicht vergessen. Er saß da vorm Haus. Er ließ sein Kofferradio spielen. Er hatte den Deutschlandfunk Köln eingestellt. Es ging damals um das Fußballspiel Real Madrid gegen Bayern München. Und als München dann siegte, sprang der Junge, der vielleicht sechzehn war, auf und schrie wie wild: »Tor! Tor für uns!«

So, jetzt bin ich bei dem Bilanzposten, der mir wichtig ist. Er soll zum Schluß klar gesagt sein, obwohl er nicht sensationell ist. Es wird einem nur etwas deutlicher, klarer, glaubwürdiger, wenn man es drüben erlebt hat: Es gibt noch viel mehr Bindungen zwischen uns, als wir hier im Westen glauben. So schnell reißt das nicht. So leicht kann man nicht auseinanderhauen, was schließlich historisch gewachsen ist über Jahrhunderte: Deutschland.

Die vielen Leute, mit denen wir sprachen und die dann meistens zum Schluß hin sagten: »Ja, in Stuttgart, da wohnt unsere Mutter. In Hildesheim meine Tochter. In Freiburg mein Onkel. Nach Celle, da fahren wir jeden Herbst. Wir sind gottlob Rentner.«

Der ältere Herr im Spreewaldkahn, der sich zu mir zurückbeugend gesagt hatte: »Der Sozialismus? Ein fabelhaftes System!« Als wir uns dann später am Auto verabschiedeten – wir waren privat noch ins Reden gekommen, hatten dies und das abgewogen in beiden Systemen –, da sagte er plötzlich beim Handschlag: »Und grüßen Sie mir auch meinen Sohn. Der wohnt nämlich bei Ihnen in Frankfurt am Main, in Ginnheim draußen.« Er lächelte dabei etwas verlegen. War er republikflüchtig, der Sohn? Mir ist das einerlei. Ich tue es gern. Ich grüße ihn hiermit: weißhaariger, sozialistischer Vatergruß aus dem Spreewaldkahn.

Ich weiß, ich weiß schon. Ein bißchen klingt das alles nach Möchtegern-Ideologie. Gesamtdeutscher Schmus. Mir liegt das nicht. Ich bin für Konturen. Ich bin auch für Abgrenzung. Es bleibt doch meine Reise-Erfahrung, letzte Bilanz: Wir haben die abgeschrieben. Die uns – noch nicht.

Wien oder Die Last der Vergangenheit
Ein deutscher Versuch, Österreich zu verstehen

Vielleicht ist es gut, ich fange von rückwärts an. Vom Ende her wird meistens der Anfang deutlich. Erst zum Schluß wird immer sichtbar, was war – eigentlich. Als wir nämlich ganz zum Schluß dieser Reise wieder in Frankfurt einfuhren, es war später Nachmittag, Rush-hour, und wir eher müde, stumm, etwas mißmutig, dieses melancholische Versacken und Verschmerzen schöner Erinnerungen, die nun zu Ende sind, da – ich glaube, es war schon in Niederrad auf der Mörfelder Landstraße –, da, wie gesagt, mußte ich plötzlich in unsere Stille hinein schallend lachen. Weißt du, was uns fehlt? sagte ich. Weißt du, was wir vermissen? Uns fehlt die Kunst!

Mein Gott, wir fahren und fahren. Wann kommt endlich eine Barockkirche, ein Schloß, ein fürstliches Portal? Ich sehe nichts als mickrige Mietshäuser, Kleinkramläden, Schnellreinigungen, Gebrauchtwagenschuppen, Bockwurst-Wohnwagen, Hessens Plastikkultur, ach! Es ist alles kantig und viereckig hier: eine schäbige Stadt, unser Frankfurt. Aus welch fürstlichen Welten kommen wir! Nicht einmal auf der Hauptwache steht eine Pestsäule in schöner barocker Verdrehtheit zu erwarten. Wie arm wir doch sind, wir Restdeutschen!

Wer aus Wien zurückkehrt, wird immer zunächst diesen Kunstverlust buchen. Ein Rausch der Sinne verfliegt, ein Schatzhaus klappt zu; es ist, als käme man aus einer glanzvollen Theateraufführung plötzlich wieder ins sogenannte wirkliche Leben zurück: blöde Ernüchterung. Es ist aber auch Erleichterung dabei, eine Art Aufatmen. So schütteln sich Pudel das Wasser ab. Es lebt sich doch leichter ohne die dauernden Drohungen der Vergangenheit. War Wien eigentlich schön? Schön schon, möchte man sagen, aber sehr fremd, oftmals ratlos machend. Wien ist eigentlich eine immerwährende Einschüchterung für Fremde. Wer ist das wieder? Was hat der gemacht? Bist du sicher, daß es nicht Johann Strauß, nicht Fürst Metternich ist? Er hat nur die Schiffsschraube erfunden, nicht den Walzer? Na, Gott sei Dank! Man kann in dieser Stadt nicht zum Zeitungkaufen, zum Tabakholen gehen, ohne an der Häuserwand, steinern, den hehren Mantel der Geschichte zu streifen. Das belastet.

Dabei fing es nicht großartig an. Es lag eine drückende Schwüle über der Stadt, als wir einfuhren. Ein grauer Himmel, Gewitterwolken, die nach großer Entladung aussahen. Gereizte Nervosität der Autofahrer, die hier noch etwas rabiater und aggressiver rasen als die in der Bundesrepublik. Wenn immer in Eile zu sein, keine Zeit zu haben, etwas verzweifelt im Terminkalender herumzublättern ein Zeichen von Weltstadtrhythmus sein sollte – ich bin nicht so sicher –, so ist Wien zweifellos heute wieder eine Weltstadt. Obwohl es sich weich, gemütlich, so herzig-verschlampt gibt, auf Prospekten, ist es im Grunde eine kalte, ja harte Stadt. Verzuckerte Bosheit erwartet den Fremden. Doch so etwas weiß man erst hinterher.

Der erste Eindruck ist Staub. Es ist alles recht staubig und ziemlich schmutzig hier. Die alten, grauen Hausfassaden, die vielen Fenster, in die man nicht sehen kann, weil sie niemand reinigt. Erblindet und stumpf die alte Pracht. Kein Malraux wusch sie rein. Es riecht nach Muskat, also Balkan, an manchen Ecken. Die Gerüche des Orients, die sich vom Naschmarkt ausbreiten; auch Zimt ist dabei. Wien ist heute eine moderne Stadt, und doch ist es, wenn man aus der Bundesrepublik kommt, als müßte man um Generationen zurückdrehen, sagen wir, bis zur Mitte der zwanziger Jahre. Wien ist eine sehr westliche Stadt, und doch riecht man schon Osten; Sozialismus-Müdigkeit weht rein.

Die Neustiftgasse im 7. Bezirk: Als wir unser Quartier dort bezogen, brach das Gewitter los. Es goß und blitzte, es strömte und donnerte draußen. Wenn man das Fenster öffnete, schlug einem dröhnender Straßenlärm naß um die Ohren. Wenn man es schloß, meinte man zu ersticken in feuchter Schwüle. Es war so gar nichts von Wiener Charme zu spüren. Die alte Frau gegenüber am Fenster, der dicke Mann, der mit nacktem Oberkörper sich weit hinauslehnte, kühles Naß zu fassen suchte. Radiomusik, die aus einer Küche kam; eine Frauenstimme, die dazu sang. Unten, im Haus gegenüber, schien in einem Saal eine Versammlung von Bodybuildern am Werk zu sein. Da wurde Karate geübt. Die Fenster weit offen. Man hörte Befehle. Sie knallten wie nasse Lappen: Zack, zack! Dann sprang die weiße Männergruppe in eine neue Position und stand wieder starr: ein Turnerballett aus Gips.

Ich schloß das Fenster. Ich ging nicht weg diesen ersten Abend. Es hat dann eine Woche geregnet – und wie! Es schüttete Tag und Nacht. Wien war ein Wasserspiel, ein Springen von

Insel zu Insel. Die Donau schwoll. Sie trat über die Ufer. Sie überschwemmte Teile der Stadt. Ich saß am Anfang immer in der Neustiftgasse und hörte im Radio die Wasserstandsmeldungen. Immer mehr Donaubrücken wurden in Niederösterreich gesperrt. Wir werden niemals zurückkommen, sagte ich. Wir sind abgeschnitten. Ich sagte es nicht ohne ein heimlich zustimmendes, böses Gefühl der Selbstbestrafung. Warum machen wir auch solche Geschichten. Österreich – muß das denn sein?

Ja und nein, würde ich heute sagen. Es war eine unendlich verspätete und doch notwendige Geschichte. Österreich an sich war mir nie wichtig gewesen. Ja, ein Ferienland, eine grüne, blaue Urlaubsoase, drei Wochen lang, fröhliche, dumme Sommergeschichten zwischen Sankt Wolfgang und Salzburg, lauter Operettenkulissen. Aber sonst? Sonst schien mir Österreich immerhin dreißig Jahre lang ernster Rede nicht wert. Ein bißchen schien es mir schon unter meiner Würde – als Deutschem.

Ich glaube, es war ein politischer Aspekt. Er hing mit der DDR zusammen – noch ein deutscher Staat. Er hing auch mit Berlin zusammen. Schließlich haben die Wiener einmal die gleiche Situation gehabt wie die Berliner. Ganz Österreich war einmal wie Deutschland viergeteilt. Wien war auch eine Viersektorenstadt und ist es heute nicht mehr. Wie haben sie das geschafft?

Österreich ist immerhin das einzige Land auf der Welt, das von der Roten Armee nicht nur erobert, sondern auch wieder verlassen wurde. Welch ein Wunder und Exempel der Weltpolitik. Das kann einem Deutschen, den die glücklose Entwicklung der deutschen Frage nach 1945 bewegt, nicht ganz gleichgültig sein. Es ging mit den Sowjets offenbar auch anders, hier nämlich. Und wie, bitte? Das war es. Es war in meine Neugier so etwas wie brüderlicher Neid gemischt, vielleicht auch ein Hauch von gesamtdeutscher Wehleidigkeit. Tu, felix Austria, nube! Warum gibt es eigentlich kein felix Germania? Mein Gott, was für Fragen? Deutsche Fragen.

Traumstadt und schöner Schein

Man merkt in dieser Stadt bald, was uns trennt, uns fremde Brüder, uns uralte Reichskinder. Es ist der schlichte deutsche Glaube, daß die beste Verbindung zwischen zwei Punkten die gerade Linie sei. Das ist unsere Wahrheit und unser Unglück.

Preußens Wahrheit, Deutschlands Unglück, Kantische Logik: die deutsche Direktheit, die Rechtwinkligkeit aller Piefkes.

Hier ist alles verwinkelt, verschlungen, verschachtelt. Wien ist ein Labyrinth, ein Dschungel von Andeutungen mit Vieldeutigkeit. Wien ist ein Tanz purer Möglichkeiten mit vielen ironischen Schleifen und höflichen Rücktritten. Das stimmt immer zu, das weicht immer aus, das mischt sich ein, hält sich raus, kehrt zurück, behauptet plötzlich das Gegenteil, aber bitte, wenn Sie meinen, es kann auch anders sein – oder? Es gibt keine Kanten in der Stadt, an denen man sich festhalten könnte. Es ist alles gebogen, gerundet, schwingend, verschwebend. Nichts ist dingfest zu machen. Der Boden ist glatt, Rutschgefahr. Ein Gefühl von Schmierseife stellt sich ein. Oder soll ich sagen: Schlagsahne? Du wirst die Stadt niemals fassen. Zugreifend, ist sie dir, wie ein sehr schöner Traum, schon wieder entglitten.

Ich habe vorgegriffen. Wenn man mit der Stadt anfängt, ist zunächst nur eine geringe Veränderung des eigenen Ichs zu registrieren. Man wird leichter, lockerer als zu Hause. Wien beginnt mit einem kleinen Glücksgefühl. Was ist los? Ist das deine Art? Jeder Wien-Besucher ist natürlich glücklich, nun hier zu sein, die schweren, süßen Trauben der Stadt auch pflücken zu dürfen. Kostbarer Wein der Vergangenheit – spürst du, wie er wirkt, dich schwer und müde und ziemlich genußsüchtig macht?

Bei mir fing es damit an, daß ich plötzlich für Kunst zu schwärmen begann. Ich, ausgerechnet ich, sagte plötzlich mit großer Entschiedenheit: Wir müssen in die Staatsoper. Wir müssen unbedingt den ›Rosenkavalier‹ sehen. Wir müssen ins Burgtheater, nicht wahr? Im Akademietheater läuft der ›Anatol‹? Nichts wie hin: Gibt es denn etwas Wienerischeres als diesen frühen Schnitzler? Und wo spielt man Raimund, wo Nestroy, bitte? Die Spanische Reitschule? Die müssen wir auch sehen, die Lipizzaner, das weiße Pferdeballett. Und Belvedere und Schönbrunn draußen: Wenigstens zwei Schlösser sind wichtig. Und hast du Grinzing vergessen? Die Weinseligkeit draußen, Wiener Vorstadtgeschichten? Das süße Mäderl? Der fesche Strizzi? Es wurde noch schlimmer mit mir: Ich sah im Theater an der Wien in einem Gastspiel die greise Zarah Leander und fand ihre kleinen, etwas tapsigen Auftritte nett. Ein böses Symptom. Wien ist ein süßes Gift: Traumstadt und schöner Schein.

Merkwürdig, das an sich selbst zu erfahren, wie das Leben, das ja so glanzvoll nicht ist, sich erhebt und zu schöner Kunst zerfällt. Alles wird Bühne, Auftritt, Szene. Wenigstens der 1. Bezirk ist eine einzige Selbstinszenierung österreichischer Geschichte, die taumeln macht, eine große Oper in Stein, die Arien des Imperialismus einmal: der Michaelertrakt, die Stallburg, der Schweizerhof, der Leopoldinische Trakt, die Zuckerbäckerstiege und die Lakaienstiege – laß sein! Nichts für dich. Man blickt nach oben, sperrt immer den Mund auf, verwechselt auch manchmal irgendwelche Prinzen und Fürstbischöfe. Was soll's? Laß sein.

Eine Pralinéschachtel süßer Erinnerungen ist die Altstadt: Hier wohnte Schubert, hier Mozart, hier lebte doch Grillparzer, dort Beethoven. So wird man mit Kunst durch die Straßen geschleift, unbarmherzig. Es steht überall fein säuberlich angeschrieben, von Rilke bis Hofmannsthal; gold auf weiß: »Wien, eine Stadt stellt sich vor«. Was ist Wien? Ein alter Narziß, der dauernd fragt: Bin ich nicht schön? Bin ich nicht immer noch wunderschön? Der Droschkenfahrer auf seinem Fiaker ist kein Kutscher. Er ist der Darsteller eines Kutschers. Er zieht mit seinem verschlissenen Zylinder dauernd Wienstücke ab für Fremde. Jeder Hotelportier ist ein Hofschauspieler a. D. Er buckelt, er ist sehr servil, was man hier liebenswürdig nennt. Er überschüttet den Fremden mit flinken Artigkeiten und vielen Titeln, die nur so herausfallen aus seinem verbrauchten Mund: Herr Professor, Herr Doktor, Herr Hofrat, und zischt dabei zwischen den Zähnen den Götz-von-Berlichingen-Fluch. Verzuckerte Bosheit ist das. Mein Fall nicht.

Überhaupt, was ist das für ein Volk, das statt ich immer i sagt. Auf welcher Stufe der Kindheitsentwicklung ist es stehengeblieben? I will mei Rua habn! Und wie sie hier mit einem einzigen Wort jonglieren können, etwa mit dem Wort »bitte« beim Obsteinkauf. Mindestens ein dutzendmal kommt es bis zur Übergabe des Kilos Pfirsiche. Und als Literat muß man einräumen: Jedesmal hat das Wort eine etwas andere dramaturgische Funktion; keinmal ist es plumpe Wiederholung. Zunächst wird es verlockend, zum Kauf einladend gebraucht. Etwas Flehendes liegt noch darin. Dann wird es im Ton der Befriedigung, sozusagen als Bestätigung des Kaufvertrages, gesagt. Dann folgen zwei, drei Bittes, die sich während des Pfirsichabwiegens als Pausenfüller anbieten. Die Bittes schwanken jetzt unentschieden hin und her. Dann bei der Übergabe der Tüte ein sehr bestimmtes, dann bei der Rückgabe des Wechselgeldes eine ganze Serie von kleinen Bittes, die mit den Schillingen fallen wie scheppernde Münzen. Schießlich ein letztes Bitte, in dem schon eine gewisse Schärfe schwingt, ein Ton der Abweisung. Hau ab! heißt das auf hochdeutsch. Die Sache ist gelaufen. Der Nächste – bitte!

Also? Man kann die Stadt nicht erobern, aufbrechen, im Handstreich nehmen wie andere Städte. Sie ist wie ein Exhibitionist, der vorzeigt, imponieren will, dann verschwindet. Wien ist ein Stück, das man bewundern muß. Nur als Genießer kommt man heran. Wir taten das dann. Wir bewunderten Wien – so ging das. Es ist, will mir scheinen, eine Stadt voller Legenden, die immer noch funktionieren. Die Wiener Oper ist eine Legende, die immer noch funktioniert, die Spanische Reitschule ist es. Schönbrunn ist eine Legende der späten Kaiserzeit. Der Prater ist eine etwas ordinäre Legende, das Burgtheater eine Legende, die man umstritten nennt. Es gibt auch kaputte Legenden am Ort. Etwa das Wiener Caféhaus. Es gibt immer noch über tausend Caféhäuser hier, merkwürdig altmodische, kahle, hohe Räume, die mit winzigen Marmortischchen und wackligen Holzstühlchen oder kleinen Sofas zu nichts als Zeitungslektüre nebst Mokkatäßchen einladen. Es sind einsame Lesesäle geworden. Hier geht der Geist nicht mehr ein und aus. Das Wiener Judentum fehlt, was man einmal Journaille nannte. Der Weltgeist für einen Tag ist gestorben. Karl Kraus ist sehr tot und nirgends im dürren Wiener Pressewald ein Nachfolger zu sehen. Es stellt sich überhaupt die Frage: Ist Wien heute nicht etwas zu arisch geworden?

Schließlich die letzte Legende der Stadt, die funktioniert. Und wie? Immer noch sitzen draußen in Grinzing, in Sievering, in Nußdorf des Abends die Wiener. Sie sitzen massenhaft in großen Gärten an langen Holztischen unter Nußbäumen: das immerwährende Heurigenfest. Schon um neun Uhr abends ist nirgends mehr Platz zu finden: Gedränge, Geschiebe, Geschubse. Gebrabbel und Raunzen liegt in der Luft. Kaum ein Wort zu verstehen. Der Wein ist miserabel, jedenfalls für Zungen, die Frankenwein oder Kaiserstühler gewohnt sind. Bedienung findet kaum statt. Speisen muß man sich holen. Masse Mensch ist hier versammelt, sitzt glücklich mit sich selber verkeilt, zeigt zu vorgerückter Stunde Anflüge von Seligkeit. Warum und weshalb, habe ich nicht verstanden.

Und immer nähert sich dann nach einiger Zeit die unvermeidliche Schrammelgruppe. Man kann sagen: Du malst ein Klischee. Das Komische ist: Am Ort sind die Klischees meistens Wahrheit. Es kommt also tatsächlich das fiedelnde, zithernde, schluchzende Trio. Geiger, Gitarre und Ziehharmonika kommen immer näher, haben sich ausgerechnet uns plötzlich ausgesucht und fiedeln uns vertraulich und etwas frech an. O Gott! Mir ist das peinlich. Preußische Abwehr wird wach. So etwas wie kalter Schweiß beginnt sich auf meiner Haut zu bilden. Wenn die Kerle nur weggingen; aber die kleben nun dran. Ein ungeheurer Schmalzberg wird nun in Töne verflüssigt und läuft an uns nieder, triefend und fett. Wie sie doch schluchzen und zittern können und immer hineingreifen, ich meine: ins volle Menschenleben oder was man so nennt. Es zittern die morschen Knochen der Künstler. Unter der Liebe und unter dem Tod ist hier nichts zu haben beim Heurigen. Sie singen gemütvoll von lauter letzten Sachen. Sie singen das immerwährende Lied vom Tod und wie alles hinfällig ist, fast wie Thomas Bernhard. »Erst wann's aus wird sein mit aner Musi und an Wein!« Die Wirtin singt laut – es war in Ober-Sankt Veit in einem kleineren Beisel – : »Was ist das Glück? Asche bleibt zurück!«

Ja, meine lieben Wiener. Ich will ihnen zu nahe nicht treten, aber hier draußen wird schon etwas klar, mir wenigstens: Probleme werden nicht angenommen und durchgestanden. Sie werden ästhetisiert. Man macht in Wien ein Kunststück aus allem. Drei, vier – ein Lied zuletzt, süffig und schön. Schelmenstreiche der Realitätsverweigerung, könnte man sagen. Auch: Leben als Lippenkunst. Auch: Konflikte als Wortmusik. Welch eine raffinierte Taktik, mit der Wirklichkeit fertig zu werden. Uralte Tradition einer Stadt. Sie spielt Barock-Theater, immer noch. Das Leben? Das Leben ist nur ein Traum, der sich erinnern läßt.

Berggasse 19

Die Straße atmet Gründerzeit. Grau, breit, kaum Verkehr. An den hohen Hausfassaden da und dort Jugendstilmotive, etwas Klassizismus, Ornamentik, die wenig schmückt. Die strenge Nüchternheit gutbürgerlicher Mietshäuser von damals herrscht vor. Die Straße heißt Berggasse und liegt im 7. Bezirk. Im Haus Nr. 19 unten jetzt eine Klassenlotterie und ein Geschäft für

Spannteppiche. Geht man hinein, steigt man hoch ins Mezzanin, steht man vor der Tür Nr. 6, so findet man das Namensschild: Prof. Dr. Freud. Darunter in freudianischer Knappheit die Ordinationszeiten: 3–4. Weiter nichts. Nicht einmal das Wort »Uhr« ist hinzugefügt. Ich weiß Bescheid mit diesen strengen Riten der Analytiker: 3–4. Ich kenne das und bin fasziniert. Was ist? Bin ich bestellt?

Nein, ich kann diese Wohnung nicht als Museum betreten, was sie jetzt ist. »Sigmund-Freud-Museum« steht geschrieben. Tiefe Wunschphantasien werden wach, regressive Hoffnungen, Vaterwunsch-Phantasmagorien. Es hat ja jeder so seinen eigenen Tick, seinen Spleen. Meiner ist: Ich wäre gern einmal von Freud analysiert worden, aus erster Hand. Das ist der Analytiker, der dir gewachsen wäre. Das wäre eine schöne Geschichte geworden, so ein Wolfsmann aus Frankfurt, vielleicht. Was weiß denn ich? Narzißmus kommt hoch. Diese tiefe, verdrängte Lust, sich im Vater zu spiegeln, zu sehen, zu finden. Ach, diese alten Juden. Ein Fall ödipaler Verhakung. Bin ich nicht zwischen Inzest und Kastration irgendwo hängengeblieben? Was weiß denn ich? Ich bin ein Intellektueller, ich bin ein Neurotiker, ich leide am Leben, wie man so sagt. Warum würde ich sonst schreiben, nicht wahr? Wer glücklich ist, schreibt nicht. Er lebt einfach. Man wird das klären müssen. Das eben wäre zu analysieren: die wahren Antriebe beim Schreiben. Ob er mich annehmen wird? Schon beginnt, während wir auf die Klingel gedrückt haben und warten müssen, der Mechanismus der Übertragung zu wirken. Eine leichte Unruhe in mir. Wenn Übertragung und Widerstand funktionieren, sagt eine Faustregel der Zunft, kann mit der Analyse begonnen werden. Wohl wahr. Ich füge hinzu: Man muß auch Geld dazu haben. Viel Geld und viel Zeit. Die gepolsterte Ausgeruhtheit wohlhabender Bürger.

Solche Lokaltermine sind wichtig. Sie geben ein anderes Bild dieser Stadt, sie setzen ernstere Akzente, tiefere Perspektiven. War Freud wirklich ein Wiener? Er war ein ernster, strenger Mann, ein Patriarch mit Sympathie für den Abgrund. Er hätte sehr gut ein Berliner sein können, ein preußischer Jude, so etwas wie Sternheim oder Arnold Zweig. Wienerisches schwingt bei ihm nicht mit. Er haßte die verschlammte, verschmierte Allerweltsseligkeit. Er verachtete all diese Hypnosekünstler und Schulterklopf-Sprechakrobaten seiner Zeit. Er riß ihre Fassaden herunter. Er sah in die Tiefe und entdeckte dort die Mechanismen des Unbewußten, die Regeln des anderen Ichs, das verborgen ist. Im Grunde war er so etwas wie Marx oder Kant, ein Gesetzgeber, der Tafeln aufstellt, die bleiben. Allerdings ist da die Sache mit dem Traum. Ein Wiener Motiv, nicht zu bezweifeln. Wie sagte ich: Das Leben ist nur ein Traum, der sich erinnern läßt? Hier muß es heißen: Dein Leben ist ein Traum, den wir erinnern müssen. Nun erinnere dich doch an deinen Traum! Die Psychoanalyse ist nichts als der Kampf um diese Erinnerung.

Zwei volle Tage der Wien-Reise ließ ich mir das Haus kosten. Der Gedanke allein ist bestürzend: In diesem Haus wurde vor gut achtzig Jahren die Theorie entwickelt, auf der heute noch alle Psychotherapie, wie immer sie weiterentwickelt sein mag, doch fußt. Hier geschah der Anfang, die kopernikanische Wende der Psychologie. Von 1890 bis 1895, in einem Zeitraum von nur fünf Jahren, entdeckte ein einziger Mensch, und noch gegen den Geist seiner Zeitgenossen, ganz allein das Phänomen, das wir heute Neurose nennen, und wie sie zu heilen sei. Heute ist das Wort ja in jedermanns Munde. Heute spricht man von Freudschen Fehlleistungen an Stammtischen. Das Phänomen hat auch seinen kulturgeschichtlichen Aspekt. Man sollte es nicht nur medizinisch sehen.

Zum letztenmal in unserer euopäischen Geschichte machte hier ein einzelner, ja ein Einsamer eine Weltentdeckung. Das Bild von Saïs wurde entschleiert. Heute gibt es solche produktiven Durchbrüche einzelner nicht mehr. Heute ist alles Neue, was kommt, auf Teamwork, auf Gruppenarbeit und Labor-Experimente gestellt. Es hat einen romantischen Aspekt, was sich hier abspielte. Letzter Triumph des bürgerlichen Ichs. Ein einzelner, der die Welt in Frage stellt. Bin ich nicht schon wieder bei Wien? Was ist die Neurose anderes als ein Stück Burgtheater im Kleinen? Ein Seelen-Dramulett? Der Regisseur ist die Hysterie, das flammende Stück Widerstand. Und gespielt wird das alte Wiener Stück: Wie ich doch leide und wie mir mein Leiden trotz allem gefällt. Wie ich selbstverliebt glücklich bin in meinen Schmerzen, schön fixiert auf meine Qual. Ein Schnitzler-Stück also. Ich würde Freud gern heimholen ins Reich, so nebenbei, aber es geht nicht. Man kann ihn nicht aus der Stadt lösen. Die Analyse bleibt eine Wiener Geschichte.

Topographie der Geschehnisse: Die Tür Nr. 4 im Parterre des Hauses führt zu einer Dreizimmerwohnung. Von 1891 bis 1908 diente sie Freud zur Ordination. Es ist also wichtig zu wissen, daß die großen Durchbrüche nicht oben, sondern hier unten geschahen. Erst 1908 verlegte Freud die Praxisräume nach oben. Tür Nr. 5 im Mezzanin war der Eingang zur Wohnung der Familie Freud. Die andere Seite der Etage, Nr. 6, enthielt die Ordinationsräume. Die Tür zwischen beiden Wohnungen ist heute vermauert. In Freuds alter Wohnung wohnen heute noch Privatmieter. Die Wohnung, die die Ordinationsräume enthält, ist unverändert geblieben. Sie beginnt mit der Garderobe, die in ein Wartezimmer führt. Es folgt das Behandlungszimmer. Fußboden und Türen, auch Fenster sind erhalten. Den Tapeten wurde die ursprüngliche Farbe gegeben. Links von der Eingangstür führt eine kleine Tapetentür, die man kaum sieht, zu der Garderobe zurück. Hier konnten die Patienten ohne unerwünschte Begegnungen im Wartezimmer die Ordination verlassen. An das Behandlungszimmer schließt sich das ehemalige Arbeitszimmer Freuds an.

Warum ich das so pedantisch beschreibe? Weil es die Urszene authentisch erkennen läßt. Hier geschah es. Hier fand das Stück statt. Alles mittelgroße, normale Räume, und wie es so oft an Tatorten ist: Die Szene ist ungeheuer desillusionierend. Die bürgerliche Ausstattung, die bourgeoise Stillosigkeit von 1900 ist genau wiederhergestellt. Das war kein Tempel der Erleuchtung. Es war eine typische Großbürgerwohnung von damals, also fast ein Ramschladen verstaubter Bildungsgüter. Die kapitalistische Besitzgier zu Hause und im kleinsten Kreis. Man kennt das: Sofa und Tischchen, Vitrinen, Kommoden, mit viel Nippes, antiken Figürchen, Statuetten, Staubfängern vollgestellt. Lauter Mitbringsel von der Bildungsreise in den Süden. Wirklich? Es waren alles Versuche, Vorahnungen, figürliche Phantasien, an denen Freud seinen Abstieg ins dunkle Reich der Dämonen provisorisch durchspielte. So etwas wie der Dionysos mit dem erigierten Glied mußte es sein: die phallische Demonstrationsphase, kurz vor dem Ödipusdrama. Freud war ein Kind seiner Zeit, ein Bürger. Was er erkannte, leitete das Ende der bürgerlichen Epoche ein. Er war ein Zersetzer, gottlob.

Schließlich der Tatort selber: die Urcouch, wenn man so sagen kann. Psychoanalyse heißt ja: sich auf die Couch legen. Heute gibt es zehntausend solcher Liegen überall in der Welt: die Heilung auf der Couch. Wir ertappen Freud in flagranti, sozusagen. Die Urcouch aber ist nicht hier. Sie wird immer noch in London von Freuds uralter Tochter Anna benutzt. Hier ist die Urszene einstweilen nur fotografisch rekonstruiert.

Man hat eine lebensgroße Fotografie an der Wand befestigt, um seine Arbeitstechnik deutlich zu machen. Es ist eine altmodische Chaiselongue zu sehen. Hinter dem Kopfteil Freuds Sessel, so abgewinkelt, daß – lege artis – ein Blickkontakt nicht möglich war. Jeder soll aussprechen, was eben kommt an Einfällen, Assoziationen, Traumresten: ein schamloses Geschäft, wohl wahr. Es fällt mir auf, daß kein Tischchen, nur ein Fußbänkchen vor Freuds Sessel steht. Hier saß er. Er konnte nicht mitschreiben, keine Einfälle, keine Notizen fixieren. Er saß nur da und hörte. Der Gedanke, daß dieses unbekannte, hochkomplizierte Burgtheater der Neurose von ihm nach der Stunde in freier Erinnerung zusammengebaut wurde, ist wieder bestürzend. Welch eine geniale Gedächtnisleistung. Für unsere heutige naturwissenschaftliche Forschungsmethode hat es fast etwas Frevlerisches. Doch lassen wir das.

Ich will nur noch einen Brief an Wilhelm Fließ erwähnen, der mir im Arbeitszimmer unter vielen Dokumenten auffiel. Er nimmt 1900 noch einmal auf eine Erinnerung an Schloß Bellevue auf dem Cobenzl im Wienerwald Bezug. Freud schrieb an den Kollegen nicht ganz ohne rückblickende Ironie. Er schrieb: »Das Leben auf Bellevue gestaltet sich sonst sehr angenehm. Nach Flieder und Goldregen duften jetzt Akazien und Jasmin, die Heckenrosen blühen auf, und zwar geschieht das alles, wie ich auch sehe, sehr plötzlich. Glaubst Du eigentlich, daß an dem Haus dereinst zu lesen sein wird: ›Hier enthüllte sich am 24. Juli 1895 dem Dr. Sigmund Freud das Geheimnis des Traums?‹ Die Aussichten hierfür sind bis jetzt gering.« Auch das sah er klar. Es gibt diese Tafel nicht in Wien.

Sankt Marx und Größeres

Fast immer kommt mir auf solchen Reisen auch ein Stück Zufall entgegen. Etwas Glück muß der Mensch haben. Es geht nicht anders. Diesmal war es Robert Stolz. Mein Fach ist das nicht: die großen Dynastien der Wiener Operette, die Straußens und die Lanners und Lehárs. Immerhin, der Mann, der als Letzter dieser Walzer Familien die Wiener und mit ihnen die halbe Halbwelt betört und verzaubert hatte, früher einmal, war gestorben. Er war, fünfundneunzigjährig, also fast mumifiziert, in Berlin bei Schallplattenaufnahmen verblichen. Ich profitierte davon bei seiner Bestattung. Eine große Szene, doch darüber später.

Es ist zunächst von weiterer Selbstentfremdung zu berichten, einer neuen Stufe. Das Gift wirkt, schwimmt nun im Blut, dringt ins Gehirn und erzeugt dort einen Grad von Fröhlichkeit, den ich unangebracht finde, jetzt, hinterher. Wir waren viel zu glücklich, wir lachten zu oft – das war es. Welch eine Droge der Heiterkeit ist diese Stadt. Was ist nur mit mir – ein Mann Ende fünfzig? Ich will nicht mit Robert Stolz sagen: Die ganze Welt ist himmelblau, aber sie schien öfters so, trotz Regen.

Es gab Morgende, wo mir das Wort Ottakring nicht aus dem Sinn ging. Ich sagte immer wieder in unsere Gespräche hinein: »Ottakring« und fand das lustig. Einmal gab es Ärger mit dem Auto. Ein Wiener Knabe hatte mich um Mitternacht vor einer Rotampel mit seinem VW von hinten etwas angebufft. Es gab Scherereien, aber auch diese Fatalität konnte schließlich nur in allgemeinem Gelächter enden: Sieh mal, wie komisch das Auto jetzt von hinten aussieht. Wie eine Tomate, die überreif ist, nicht? Wir standen vor einem alten, zerbröckelnden Mietshaus. Ein Schild an der Tür: »Österreichische Gesellschaft für Weltraumforschung: Mezzanin, Tür 4.« Heute, da ich das schreibe, gibt das nichts mehr her, aber damals fanden wir den Gedanken, daß die Republik Österreich im zweiten Stock dieser Bruchbude hinter schmutzigen Fenstern heimlich Weltraumforschung betreibe, erheiternd.

Einen Sonntagnachmittag waren wir mit Freunden draußen in Schloß Laxenburg, und obwohl es da nichts als Verfall, zerbröckelnde Schloßflügel und einen verwilderten Park zu sehen gab, der nach Verwesung roch, waren wir alle entzückt, sagten sozusagen im Chor: Wunderschön. Wie stimmungsvoll, die Verwesung.

Kann es da überraschen, wenn ich sage, daß uns eines Morgens das Wort »Sankt Marx« in jähe Heiterkeit versetzte? Lautes Gelächter am Opernring: das Schild der Straßenbahn. Eine fortschrittliche Republik, sagte ich. Ach, diese Strizzis der Macht, haben sie sich so aus der Affäre gezogen? Haben sie Marx hier schon heiliggesprochen? Wie elegant diese Lösung, wenn man an unsere eher plumpen Veteranen des Klassenkampfs denkt.

Wir stiegen in die Bahn. Wir fuhren nach Sankt Marx. Es gab unterwegs unter den Fahrgästen eine längere Streitszene; ich

glaube, es ging um die Rechte der Pensionisten beim Straßen-
bahnfahren. Doch was besagt das? Nicht das Was, das Wie war
es. Erst erschrak ich, dann mußte ich wieder lachen. Es sind
bühnenreife Kabarett-Sketche, die hier gespielt werden: jeder
Wiener ein Volksschauspieler. Wie sie ihre Giftigkeit kunstvoll
verspritzen, diese reiche Palette feinster Bosheiten und Stiche-
leien, die über eine unendlich umständliche Bürokratiesprache
hochrituell und irgendwie knarrend abgespult wird. Es ist reine
Literatur. Wir hier in Deutschland halten Männer wie Kreisler
oder Qualtinger immer für singuläre Künstler. Es ist eigentlich
ein Irrtum. In Wirklichkeit sind sie nichts als glanzvolle Reporter und ihre Wortspiele exakter Naturalismus: So reden alle
hier. Österreich selber ist das Theater.

Sankt Marx: Mit Karl Marx hat diese Endstation höchstens
die Armeleute-Atmosphäre und die Schlachthöfe hier draußen
gemein. Nicht weit davon diese Oase. Sankt Marx ist der letzte
Biedermeier-Friedhof der Welt. Er ist heute als Park freigege-
ben. Er steht unter Denkmalschutz. Es hatte die Tage vorher
geregnet. Jetzt war ein strahlender, heißer Sommertag. Es
dampfte die Erde. Sonne lag über verwachsenen Gräbern, Hitze
floß um das weiße Marmorgestein. Feuchtigkeit stieg auf. Alte
Frauen saßen auf schmutzigen Steinbänken, strickten, häkelten,
schimpften gelegentlich auf Enkelkinder ein, die sich fröhlich
an totem Gebein zu ergötzen schienen. Modergeruch in der
Luft. Es war wieder eine richtige Wien-Szene: Schönheit, die
am Verfaulen ist, Trauer, die glücklich macht – viel süßer
Schmus über bleichen Knochenresten. Und ich war wieder be-
flügelt. Wir gingen lachend durch die Gräberreihen: Tod, wo ist
dein Stachel, hier?

Totenkult im Biedermeier: Jeder Grabstein ist wie ein kleines
Wohnhaus, das bürgerlich-antikisierten Frieden verheißt, so in-
tim, so kostbar. Die Grabsteine sind säulengeschmückte Portale, die sagen: Tritt ein, Besucher, ins Beinhaus des Bürgertums.
Die Grabinschriften auf Goldgrund, die Wiener Titelsucht. Wir
lasen: »Anna Möckel, k. u. k. Hof-Maurerpoliers-Gattin«. Bitte,
sagte ich, schreib das auf. Wir lasen: »Johann Barwitzkan, bürgerlicher Hutmachermeister« und lachten. Wir lasen: »Frau
Franziska Rücker, k. u. k. Bergbeamtens-Gattin«. Als wir dann
zu Johann Bapt. Matscheck kamen, wurde ich still, dachte einen
Augenblick betroffen: Ob das einmal auf deinem Grabstein
stehen wird? Es waren in großen, gotischen Lettern nur zwei
Worte geschrieben. Ich las: »Bürgerlicher Vergolder«. So geht

es im Leben, nicht wahr? Man meint, ein Chronist und treuer Reporter der Zeit zu sein; schon eine Art Schriftsteller. Aber vielleicht sieht man das später anders? Vielleicht heißt es dann: Es war nur ein bürgerlicher Vergolder – im Spätkapitalismus. Ich hätte nun wieder zu Freud Zuflucht nehmen können. Ich hätte sagen können: Wir sollten die Antriebe zum Schreiben genau analysieren. Vielleicht ist was dran. Ich tat es nicht.

Dann waren wir da. Vorbei an vielen Großmüttern, Grabsteinen, blühenden Hecken und einem jungen Liebespaar, das sich nach vollendetem Picknick eben zärtlich zu küssen begann, waren wir an sein Grab gekommen. Nur ein schlichter Säulenstumpf, von Rosen bekränzt. Eigentlich kein Grab, mehr eine Gedenkstätte, die anmutig, fast heiter wirkt. Er war damals zum Schluß sehr arm gewesen. So heißt es jedenfalls. Sie brachten ihn in ein Massengrab. Es ist bis heute ungeklärt, wo seine Gebeine wirklich liegen. Sie haben ihm hier ein symbolisches Grab gegeben. Wir standen lange davor. Wenn man sehr lange in diesem Schweigen steht, ist es, als hörte man Musik. Seine Musik, seine schwebenden, leichten Kadenzen, seinen spielerischen, heiteren Ton. Sie hat jeder im Ohr. Apollinisch, sagt man; doch lassen wir das. Ich sage: Sankt Marx – ich hörte hier Mozarts Klänge.

Der viel größere Friedhof ist der Wiener Zentralfriedhof. Er liegt auf dem Weg nach Schwechat, dem Flughafen, rechts neben der Simmeringer Hauptstraße. Eine Stadt in der Stadt, ein gewaltiger Hain der Musen, die nun verblichen sind. Österreichs Schatz und Beitrag zur Weltkultur liegt hier in vielen Ehrengräbern. Gluck liegt hier. »Ein braver, teutscher Mann«, war zu lesen. Beethoven liegt hier und Schubert und Brahms und Pfitzner und Nestroy und viele mehr; auch Franz Werfel, den sie aus Amerika einflogen, von der Walzer-Dynastie Strauß ganz zu schweigen. Hier wurde jetzt Robert Stolz begraben. Es war köstlich: a schöne Leich'! Es war eine letzte Stunde dieser alten Gattung, die Wiener Operette genannt. Eine heiße Szene: Schmalz quoll noch einmal aus den Ritzen der Stadt. Alle Stars und Manager der Unterhaltungsbranche waren noch einmal versammelt, waren in schweren Karossen vorgefahren. Es entstiegen wie Götter all die Schmalzdackel, die ich nur, entfernt, von Fernsehprogrammen kenne: Peter Alexander kam lächelnd an und Heintje, jetzt schon ein junger, schmucker Mann. Vico Torriani fuhr vor mit farbenfrohem Schlips. Ein Meer von Blumen, Kränzen. Auf dem prächtigsten Kranz stand »Axel

Springer« zu lesen. Kardinal König zelebrierte. Die berühmten Fischer-Chöre aus Deutschland jubelten in gemessener Trauer. Rudolf Schock sang ein Ave Maria. War es von Bach-Gounod oder Robert Stolz? Es klang auf jeden Fall herzergreifend. Es klang alles wie: »Auch du wirst mich einmal betrügen, auch du!« Es blühten im Prater damals auch tatsächlich die Bäume.

Ein brütender Hochsommertag. Zehntausende von Menschen drängten sich. Dann wurde der Barocksarg, pompös und zärtlich zugleich wie eine kolossale Sachertorte, herausgetragen, Richtung Grab. Bewegung und Unruhe kam in die Massen. Tausende von alten Frauen, die bisher wie Krähen auf Grabsteinen gehockt hatten, flatterten empor, begannen wie aufgescheuchte Vogelschwärme querfeldein durch die Grabreihen zu laufen. Sie wollten die kostbare Grabstätte verkürzt erreichen, noch vor dem Trauerzug. Sie hasteten, sie jagten zwischen Kreuzen und Monumenten. Sie fuchtelten mit Regenschirmen, die eigentlich Sonnenschirme waren, diesen Nachmittag. Manchmal fiel ein Hut vom Kopf, eine Handtasche ging zu Boden. Sein Volk, seine Verehrer, was man »die Leut'« nennt: Tausende zerknitterter alter Frauen strömten in wilder Hast dem neuen Ehrengrab zu und weinten und schimpften und gifteten über eine Nachbarin, die noch etwas schneller lief. O heilige Wiener Raserei! Niemand interessierte sich für den Toten. Die Lebenden waren an der Reihe. Jeder wollte wenigstens von Peter Alexander oder Vico einen Rockzipfel streifen. Heintje gab Autogramme. Welch ein Spektakel: Wien, Leben und Tod. Wie ich schon sagte: Ein Zeitalter ging zu Ende. Die Operette wurde zu Grabe getragen, endgültig. Endgültig? Ich bin nicht so sicher.

Und später dann, als der Staatsakt vorbei war, sah man die alten Frauen, erschöpft und doch selig, wieder auf ihren Grabsteinen ruhen. Sie hockten jetzt wieder wie schwarze Vögel. Sie ruhten sich aus, wischten sich den Schweiß vom Gesicht. Es brummte ein kolossaler Jumbo-Jet ganz niedrig über den Friedhof, Richtung Schwechat. Die Toten sind so nicht zu wecken. Man hörte von ferne noch immer die Fischer-Chöre, die, jetzt für sich allein mit Trauerresten, die Herrschaft am offenen Grab übernommen hatten. Man nennt das: die letzte Ehre, das letzte Geleit geben. Sie griffen jetzt schamlos in die Saiten. Reste von Requiem waren aus der Leichenhalle noch orgelnd zu hören. Darüber die Chöre, aus Deutschland: »Jung san ma, fesch san ma«, »Leutnant warst du einst bei den Husaren«, natürlich auch »Die ganze Welt ist himmelblau«.

So geht alles gut zusammen in Wien: Leben und Tod, Trauer und Fröhlichkeit. Drei, vier, ein Lied zuletzt. Zuletzt sangen sie: »Adieu, mein kleiner Gardeoffizier, adieu!«

Ballhausplatz 2

Haben Metropolen Geschlechter? Hamburg, wenn man das Spiel versuchen wollte, wäre mit Sicherheit männlich. New York wäre männlich. Bei Berlin bin ich nicht so sicher. Wien ist wahrscheinlich weiblich, wenn man so altmodische Unterscheidungen noch üben will. Heute ist ja ohnehin alles eher inter. Durch Schwäche stark sein, immer nachgeben zunächst, wie der Halm im Wind sich biegen, sich ducken im Sturm der Geschichte, aber eben dadurch nicht brechen, überleben, elastisch wieder hochkommen, zäh, aber nicht ohne Charme das Spiel von neuem beginnen, sich durchsetzen zum Schluß, nicht radikal, mit vielen kleinen Kompromissen – ist das nicht Wiens Art? Ein Ergebnis dieser Technik heißt »Der Staatsvertrag«. Er ist längst volljährig. Es läßt sich über Erfahrungen sprechen, rückblickend.

Ich sitze im Außenministerium: Ballhausplatz 2. Der Herr mir gegenüber: Botschafter Steiner. Er ist einer aus der kleinen Diplomatengruppe, die von 1945 bis 1955, also zehn Jahre lang, zäh und elastisch mit der Sowjetunion verhandelte. Es gab, bis der Vertrag perfekt war, mehr als zweihundertfünfzig Sitzungen. Es gibt ein Foto von dieser Gruppe, wie sie 1955 in Moskau nach Abschluß aller Verhandlungen auf der Straße steht. Zehn lächelnde, würdige, etwas professorale Herren in dicken, altmodischen Ulstern, alle mit Homburg, der etwas keck nach hinten geschoben ist: eine zivile Siegesgebärde. Trotzdem, man friert beim Anblick der Gruppe. Links außen, etwas von der Gruppe distanziert, Bruno Kreisky, dann Schärf, Raab, Figl, Verosta, Bischoff. Ganz rechts außen, den Homburg noch etwas heiterer in den Nacken geschoben, fast wie Graf Bobby, jener Herr Steiner, der mir gegenübersitzt. Natürlich sieht er jetzt älter aus. Ein österreichischer Diplomat alter Schule, könnte man sagen. Man kann bei solchen Besuchen immer sicher sein, daß dabei gar nichts herauskommt. Charmante Gesprächigkeit, die redet und doch nichts sagt. Die hohe Kunst der Diplomaten. Sie ist so etwas Ähnliches wie die Spanische Reitschule: Lipizzaner-Ballett.

Ich spreche also nicht von diesem Nachmittag. Ich fasse zusammen, was ich sah, beobachtete, erfuhr in gut vier Wiener Wochen. Ich sah, daß die Österreicher eine ganz andere, fremde Nation sind. Die gemeinsame Sprache täuscht. Konstantinopel liegt ihnen mit Sicherheit näher als Hamburg. Sie sind viel älter, erfahrener, viel weiser im Umgang mit anderen Völkern. Uralte Habsburg-Erfahrung, mit den Völkern des Ostens lebend. Sie waren immer auf den Balkan, die slawischen Völker fixiert. Die Russen? Für sie war das nichts Neues. Angst vor dem Koloß der Sowjetmacht, die da auf sie zurollte? Aber sicher, die haben sie auch gehabt. Die Österreicher sind ja nicht gerade Helden im Widerstand. Nur, sie zeigten es nicht. Sie gingen nicht gleich in Abwehrhaltung. Sie versteiften und verkrampften sich nicht in steilen Gebärden totalen Widerstandes wie Konrad Adenauer damals. Deutscher Antikommunismus der ersten Nachkriegsepoche: kein Wort reden, eisiges Schweigen gen Osten, diese deutschen Erstarrungsgebärden der Angst.

Die Österreicher reagierten anders. Sie waren natürlich noch bedrohter und hilfloser, aber blieben flexibel, fühlten sich ein, gingen zurück, gaben nach, kamen wieder hoch, begannen zu reden, zu taktieren, zu verhandeln. Sie stießen die Russen nicht vor den Kopf. Sie nahmen sie hin und an, wie eine Frau eben sich manchmal arrangieren muß, vorläufig. Wer sagte das in Wien? War es nicht doch dieser Botschafter Steiner? Hat er tatsächlich etwas gesagt? »Wissen Sie«, sagte er, »im Grunde sind die Russen noch immer eine Agrarnation, ein Volk, das in seiner Tiefe bäuerlich blieb. Man muß ihnen zunächst das Gefühl der Unterlegenheit nehmen. Man muß ihnen Sympathie, ja Respekt entgegenbringen, man darf sie nicht verletzten durch Arroganz. Dann läßt sich manches machen.«

Natürlich kommen objektive Faktoren hinzu. Das Experiment Staatsvertrag, das als Kern die Verpflichtung zur immerwährenden Neutralität in sich trägt, ließ sich nur in der bescheidenen geographischen Größenordnung dieser neuen Republik für alle relativ gefahrenlos ansetzen. Wer sagte das wieder? Österreich ist das Land des Westens, dem die Sowjets ein Minimum an Mißtrauen und die Amerikaner ein Maximum an Vertrauen entgegenbringen. Tu, felix Austria! Nur so ließ sich zwischen den Weltblöcken diese Wippe der Blockfreiheit installieren. Das Experiment darf man heute als gelungen bezeichnen. Der Staatsvertrag war seine Grundlage. Er wurde von allen Unterzeichnern peinlich respektiert. Die Rote Armee zog sich zurück, die Freiheit kehrte wieder ein. Auf dieser Grundlage begann in den sechziger Jahren der ökonomische Aufschwung, das österreichische Wirtschaftswunder genannt. Wir haben davon wenig gehört. Es vollzog sich, wie alles hier im Lande, lautloser, nicht demonstrativ. Es war nicht von Pappe. Es war aus Stahl.

Zwei oder drei Tage später war es dann, als uns die Nachricht erreichte, der Herr Bundeskanzler erwarte uns. Ich war erstaunt. Es sei zwar ein verrückter Tag heute, die letzte Parlamentssitzung vor den Ferien. Es stünden noch über sechzig Gesetzesvorlagen an, immerhin. Dr. Kreisky schätze es schon, mit deutschen Schriftstellern zu sprechen. Es werde sich eine Stunde finden zur späteren Abendzeit. Ballhausplatz 2, bitte. Bitte, zwei Treppen. Mezzanin? dachte ich. Ob Dr. Kreisky wie Dr. Freud im Mezzanin regiert, diese komische Stockwerkzählung hier in der Stadt, mit der sich Wien so elegant in die Tasche lügt?

Er stand schließlich vor uns. Ein mittelgroßer, kräftiger Mann hoch in den Sechzigern. Ein volles, trotzdem markantes Gesicht, Reste von rotblonden Haaren, Lockenausläufern, die er während dieser Stunde dauernd streichelte, zu glätten suchte. Warum? Wie ein Sozialdemokrat wirkt er nicht. Es geht von ihm Ruhe, Sicherheit, eine Art Würde aus, die nicht aus dem Kopf, eher aus dem Bauch kommt. Alles an ihm ist Macht, gelassenes Bewußtsein des Amtes und seiner Gewichtigkeit. Eher ein Großbürger. Bruno von Österreich, der Sonnenkönig am Ballhausplatz, hat man gesagt. Das ist natürlich übertrieben. Aber sicher ist: Kreisky hat etwas von einem Souverän. Ein sozialistischer Volkskaiser, sehr österreichisch. Ich lobe das.

Souverän, fast monarchisch verlief dann auch diese späte Stunde im Kanzleramt. Ich hatte mir Fragen ausgedacht, aber brauchte sie nicht. Er sprach. Er sprach langsam, fast zögernd am Anfang und so leise, daß man scharf zuhören mußte. Er machte lange Pausen, wo gar nichts war. Man merkte, er sann, er meditierte, irgendwelche anderen Gedanken schoben sich durch das Gehirn. Oder schlief er für Augenblicke? Ein schwerer Tag, der müde machte. Es interessierte ihn nicht, wer ich war und was ich wollte. Es gab keinen Dialog, wohl aber begann langsam und dann immer lebhafter ein Monolog, den man als monarchisch bezeichnen konnte. Der Staatsmann dachte, er äußerte sich in Sachen Republik. Ich fand viel Zeit, sein Amtszimmer zu betrachten. Einige große, herrlich flimmernde Bilder sind mir in Erinnerung: Hundertwasser. Übrigens: Die Brille, die er im Fernsehen immer so eindrucksvoll abnehmen und dann als Zeigestock demonstrativ benutzen kann, mitunter auch als Taktstock bei sehr wichtigen Passagen, war nicht zur Hand. Hier war kein Fernsehen. Es war fast privat.

Ja, was war eigentlich gewesen? Er sprach erst vom einfachen Volk, dem seine Arbeit gelte. Die Habsburger? Wenigstens die letzten seien nichts als Kleinbürger gewesen. Er sprach von dem zähen Kampf der SPÖ, das Land aus der drohenden Gefahr einer dumpfen Provinzialisierung zu führen. Den Staatsvertrag nutzen, also Öffnung zur Welt. Einladung an alle: Kommt doch nach Wien! Hier ist ein besonderer Ort der Begegnung. Das Wort OPEC fiel. Der Komplex Atombehörde wurde gestreift. Das Riesenprojekt UNO-Stadt wurde hervorgehoben; für dies kleine Land ein kostspieliges Unternehmen, aber man müsse auch bedenken, daß später einmal die Anwesenheit von immerhin einem Drittel aller UNO-Behörden Österreich mindestens die Kosten von hundert Düsenjägern erspare, weil es dann nichts mehr aufzuklären gebe. So ging das weiter.

Ich meine: Es kam nichts zur Sprache, was nicht bekannt wäre. Man kann es so oder ähnlich in der Presse nachlesen. Ein Leitartikel der SPÖ aus erster, berufener Hand. So sind Politiker nun einmal. Politiker müssen immer dasselbe dauernd wiederholen: die Sprache als Medium der Macht. Ich dachte an Simon Wiesenthal, den wir in seinem kleinen, bunkerartigen Büro zuvor besucht hatten. Ein Rächer der Enterbten, der ungeliebte Sohn einer Stadt, der mir sehr gefiel und den sie dringend nötig hat. Wiesenthal hatte gesagt: »Gegen Kreisky habe ich nur das einzuwenden: Am liebsten würde er verleugnen, daß er einer von uns, ein Jude ist.« – »Na und?« entgegnete ich. »Ist das so wichtig? Immerhin ist es einer mit arabischen Neigungen. Immerhin in einem Land, dem man gewisse Anhänglichkeiten an den Antisemitismus bis heute schwer absprechen kann.« Er macht eine sehr gute Figur in dieser Phalanx schöpferischer Sozialdemokraten heute, von Olof Palme bis Willy Brandt. Noch eine Vaterfigur. Europas Fortschritte sind heute die Väter, nicht die Söhne.

Wir verlassen die Stadt. Wir atmen auf. Das Große und Imperiale, das doch immer recht anstrengend ist, auf die Dauer, fällt ab. Es wird flach, es wird weit und leer auf den Straßen. Balkanluft schlägt uns entgegen. Die Tiefebene, die Pußta, also Ungarn, beginnt. Wir fahren in das Burgenland.

Ziehbrunnen und Pferdegestüte, flache und weißgekalkte Bauernhäuser mit dunklen Strohdächern. Ein Hotel fliegt am Autofenster vorbei, das »König von Ungarn« heißt. Sonnenblumen auf den Feldern, Maiskolben unter Fenstersimsen. Manchmal auf Kirchtürmen erste Storchennester. Salzgeschmack in der Luft: Der Neusiedler See kündigt sich an. Er ist so etwas wie der österreichische Balaton: das größte Planschbecken Europas, ganz flach. Ein Steppensee, eine einzige lauwarme Salzlake, im Grunde trübsinnig. Ans Ufer kommt man kaum ran. Breite Schilfgürtel umlagern den See. Seltene Vogelarten brüten im Schilf, auch Schwärme von Schnaken und Mücken, die das einfache Badeleben hier zu einem etwas zweifelhaften, juckenden Vergnügen machen.

Nein, es wird jetzt zum Schluß kein neues Kapitel aufgeschlagen. Das Burgenland und der burgenländische Mensch, das wäre ein eigenes Thema: Österreichs Verhüttung und Verhutzelung, das platte Land, das gegenwärtig ungemein Mode ist. Wir sahen strahlende Mercedes aus Hamburg und Düsseldorf dankbar und tief zufrieden durch Sumpfdörfer fahren. Ich spreche jetzt nur noch von Wien-Umkreisungen. Alte Reiseerfahrung: Mit Städten ist es im Grunde wie mit Menschen – du mußt auf Distanz gehen; nur im Abstand ist das Gegenüber zu sehen. Wir taten das die letzte Woche. Wir umkreisten Wien per Distanz.

Wir saßen in Rust, tranken in einer Kneipe burgenländischen Wein. Wir wohnten in Podersdorf ein paar Tage. Podersdorf an der Poder? Nein, am Neusiedler See natürlich. Ich war enttäuscht. Ein gewaltiger und doch mickriger Massenbetrieb, ein einziger windschiefer Campingplatz, auf dem es nach Bratwürstchen, Niveacreme und Schweiß riecht: Balkanprovinz. Das ist nun das Land, das die Habsburger einmal beherrschten. So ungefähr geht das bis Lemberg weiter: Die Steppe beginnt. Die Steppe? Von hier kamen sie, die Besten, nach Wien. Es waren meist Juden. Der Geist und die Kunst: Sie kamen aus diesem Osten.

Dann Westumkreisungen: die flachen, schwingenden Hügel des Wienerwaldes, die stillen Tage in Baden bei Wien, wo die Straßen zartrosa und so verschnörkelt sind, daß sie an Marzipan erinnern. Die Kurstadt Baden ist eine Mozart-Oper, die Konditoren und Zuckerbäcker inszeniert haben – zu süß. Trotzdem, es waren noch einmal sehr schöne Tage, als wir dann weiterfuhren. Ein letzter Triumph. Österreich umarmte uns, Wien verlassend, noch einmal in einer einzigen Gebärde rauschhafter Barock-Einladung. Es war, als wollte es uns in einem großen Fest festhalten und verzaubern. Wir saßen des Abends im Kloster Heiligenkreuz. Wir hörten die Zisterziensermönche ihr Abendgebet singen. Muttergottesstrahlen flammten und züngelten. Überall, wo wir jetzt hinkamen, drehten sich Pestsäulen in wilder Todesverzückung: in Heiligenkreuz, in Sankt Pölten, in Krems, in Dürnstein, in Göttweig und Kloster Melk. Wo noch? Das Spiel von der Welt, die schön und schrecklich, die Traum und Tod ist, rotierte erst voll in der Wachau. O du lieber Augustin! Doch das gehört eigentlich nach Wien. Die Donau schob sich wie ein Riesendrachen durch den Nibelungengau. Sie drohte wieder mit Hochwasser.

Stift Altenburg: Der Zufall kam uns zu Hilfe. Noch einmal hatten wir Glück, Reiseglück, meine ich. Österreich zeigte sich ganz. Es riß seine letzten Schleier herunter, war nackt, beinah schamlos und ziemlich obszön. In dem abgelegenen Kloster, dessen Gärten ohnehin schon von bizarren und phantastischen Figuren bevölkert sind, gab es eine kostbare Ausstellung: »Groteskes Barock«. Das, das genau hatte uns grad' noch gefehlt, zum Schluß. Wir gingen durch die Säle, die Kapellen, die Treppen, die Keller, die Parks: überall Bilder, Skulpturen, kostbare Geräte, Gerippe und Kruzifixe, prunkvolle Zimmer, wo Tote aufgebahrt waren, mit Gold und Asche bestreut. Es war ein großes Fest dieser späten Stunde Europas, als damals der Reichtum des Barocks sich ins Laszive und Absurde aufzulösen begann. Zerfall und obszöne Nachgeburt. Es war wie ein Paukenschlag. Wasserfiguren tanzten um uns. Urinierten sie? Aus riesigen Schlitzohren und pausbäckigen Fischmäulern spritzten Fontänen empor. Samen ergoß sich. Goldene Trinkgefäße, die zu bizarren Tierleibern zerflattert waren. Gesichter, die aus Früchten collagiert waren: Fratzen und Dämonenkunst, der Reichtum der Erde – die Angst.

Und immer wieder, wie ein Leitmotiv dieses Volkes, das Spiel vom Tod: der Sensenmann, das klappernde Gerippe, das Knochengerüst. Freund Hein, der Tod: als Trompetenbläser, als Geigenspieler, als Kerzenhalter, als festlicher Deckel, der eine Porzellandose beschloß, die offenbar für Pralinés einmal gedient hatte, bei Hofe. Der Tod trägt jetzt ein scharlachrotes Gewand. Er ist zur Hälfte ein Jüngling, zur Hälfte ein Greis. Er hält eine Flöte in der Hand und erinnert mich damit an den erigierten Dionysos in der Sammlung von Freud. Er wird jetzt zum Tanz aufspielen: Tod, wo ist dein Stachel? Sankt Marx ging mir durch den Kopf. Was ist Österreich? Hier war es zu sehen, ganz nackt: Österreich ist ein immerwährendes Thomas-Bernhard-Stück. Eine schauerlich schöne Theaterszene von lauter letzten Sachen. Tod, Tod, Tod! Glanz des Verfalls.

Es war also nur folgerichtig, daß wir dann als letzte Station Braunau besuchten. Vielleicht wird es später einmal ein neues Jedermann-Stück geben, das heißt: ›Der Tod von Braunau, der Mann, Adolf Hitler genannt‹. Man kann es nicht wissen. Bei den Österreichern ist alles drin – auch das. Ich hoffe, man hat meine Faszination durch den Barock nicht mißverstanden? Mit Kunstgeschichte hatte sie nichts zu tun. Was hin ist, ist hin. Man soll es eher noch stoßen. Es war der politische Aspekt. Es trieb mich die Frage um, was an diesem Hitler eigentlich das Österreichische gewesen war. Es muß doch in seiner Person immerhin Elemente gegeben haben, die von dort kamen, schrecklich entartet, abscheulich heruntergekommen. Wie wäre sonst dieses schauerlich-schöne Schmierenstück, das Glanz und Untergang, Aufstieg und Fall Deutschlands hieß, auch das tausendjährige Reich, möglich gewesen?

Heute, hinterher, rückblickend, wirken diese zwölf Jahre wie ein Spuk, ein böser Traum, der längst vergessen ist. Eigentlich, nicht wahr, ist nichts gewesen, nichts als das kurze Thomas-Bernhard-Stück: Glanz und Verfall. Tot, es ist alles tot gewesen, von Anbeginn. Da kam ein Mann aus österreichischer Provinz ins Reich, spielte den Deutschen auf, fiedelte, geigte, sang, schluchzte, weinte und schrie, bezauberte sie alle und hat sie dann alle mit in den Abgrund gerissen: der deutsche Totentanz, Berlin, die Reichskanzlei zum Schluß. Es bleibt die Frage: War das nicht ein sehr österreichisches Stück, an dem sich die Deutschen berauschten?

Braunau gibt für solche Fragen wenig her. Braunau ziert sich, sperrt sich noch immer und will nichts davon wissen. Hier am Ort sieht man es mit Augen: Es hat Hitler nicht gegeben. Es war nur ein Spuk. Bei Tag gesehen war nichts. Die Stadt verleugnet den traurigen Ruhm, immerhin die Geburtsstadt des Zerstörers des Reichs gewesen zu sein, und wahrscheinlich hat die Stadt recht. Was kann sie dafür? Der Mann war damals ein Baby, mehr nicht. Erst Linz und Wien und München haben ihn geformt.

Dumme Situation, in die man gerät. Braunau ist eine alte Brückenstadt am Inn. Ein freundlicher, stiller Ort mit gotischer Pfarrkirche und Gnadenbild und so was mehr. Jeder Einheimische weiß natürlich genau, was die wenigen Touristen, die hier Station machen und durch die alten putzigen Gassen pilgern, in Wirklichkeit suchen. Amerikaner sind öfters dabei. Wo steht hier Hitlers Geburtshaus, bitte? Aber niemand sagt es. Kein Hinweisschild, nirgendwo eine Tafel. Die Stadt hält den Mund fest geschlossen, als könnte sie das Unaussprechliche nicht preisgeben. Wir fanden das Unaussprechliche doch.

Wie gesagt: dumme Situationen. Man geht in eine Tabaktrafik, man steckt seinen Kopf in einen Zeitungskiosk und fragt den alten Mann, nicht ohne ein Gefühl leichter Peinlichkeit, das man durch Grinsen verdeckt: »Sagen Sie mal, hier muß es doch irgendwo auch das Hitlerhaus geben – oder?« Die Leute blicken einen dann etwas dumm an. Manche schweigen. Andere stellen sich schwerhörig. Manche gehen einfach weiter, wenn man sie auf der Straße anspricht. Es gehört sich nicht. Eine junge Frau schließlich offenbarte sich uns. Die junge Generation ist gottlob auch hier freier.

Es ist ein gelbes, neuverputztes Haus noch vor dem Stadttor in der Straße: Salzburger Vorstadt Nr. 15. Ein großes, dreistöckiges Gebäude; wie man noch heute sieht, ein Dienstgebäude, in dem die Familie des uniformblitzenden Zolloffizials Alois Hitler zur Miete wohnte. An der Hauswand steht tatsächlich etwas: »Städtische Höhere Technische Lehranstalt Braunau am Inn«. Wirklich: Es ist nichts gewesen. Es gibt allerdings eine Ansichtskarte, die hier viel verkauft wird. »Braunau am Inn« steht darauf, und darunter: »Salzburger Straße mit historischem Stadt-Turm«. Wie zufällig ist das Hitler-Haus rechts vorne ganz groß zu sehen.

Ich aß mit den Herren von Braunau zu Abend. Es war ein rotarisches Treffen, nur so. Wir saßen in einer Gartenwirtschaft. Die Sonne war schon versackt. Die Hitze des Tages zerbröckelte. Der Inn rauschte vor uns. Drüben hinter der Brücke begannen die ersten Lichter zu funkeln. Der Freistaat Bayern grüßte. »Das feindliche Ausland«, sagte einer der Her-

ren mit Heiterkeit. Er zerriß einen Topfenstrudel und wies mit
der Gabel nach Bayern. Die Schicksale von Grenzstädten wurden ventiliert. Es sei mit Braunau, historisch gesehen, nicht viel
anders als mit Straßburg: mal so, mal so. Es wurde aber auch
das Österreichertum betont. Ein Direktor beklagte die törich-
ten Schulgesetze aus Wien: viel zu lasch, viel zu liberal. Ein
anderer sagte: »Ich bin noch mit Prügelstrafe erzogen worden.
Na und? Bin ich nichts?«

Ich forschte, ich versuchte, am Ball zu bleiben, ich hätte so
gern das Gespräch auf das Österreichische in Adolf Hitler gebracht. Es war nicht zu schaffen. Hier am Ort interessierte im
Augenblick eine Landshuter Theateraufführung viel mehr. So
ging das hin. Ich insistierte, ich gab nicht auf. »Wissen Sie«,
sagte schließlich ein anderer Herr, ich glaube, es war ein Fabrik-
direktor, »mit uns ist es genau wie mit Dachau oder Nürnberg
bei Ihnen: Semper aliquid haeret. Wir haben zwar nichts damit
zu tun, aber so was bleibt hängen, auf ewig. Immer wenn ich
nach Deutschland fliege, in Hamburg, Düsseldorf ankomme
und der Zöllner meinen Paß prüft, kommt dieser deutsche Re-
flex, eine feine, giftige Art, uns zu empfangen. Immer heißt es
dann: ›Ach, aus Braunau kommen Sie? Hätten Sie bei Gelegenheit nicht wieder einmal einen Führer für uns? Wie wär's damit?‹« – »Ja«, erwiderte ich abwinkend, »so ist das im Leben.
Die Leiden der Völker verkommen zum Schluß in Witzen, die
nicht einmal sonderlich witzig sind.«

Also: Braunau als Geburtsort dieses Mannes gibt gar nichts
her. Das kann man abschreiben. Aber so etwas weiß man erst
hinterher. Wenn man zu nahe dran steht, ist nichts zu sehen. Es
ist also verständlich, daß mir erst einen Tag später, als wir schon
wieder in Deutschland waren, es war auf der Höhe von Strau-
bing, also in schönster Bayernprovinz, dieser Gedanke wieder
durch den Kopf ging: Da kommt der Mann her. Gibt es gar
nichts dazu zu sagen?

Nein, ich werde jetzt nicht zum Schluß diesen Mann den
Österreichern anlasten. Weit gefehlt! Hitler war unsere Sache,
unsere deutsche Schuld. Was denn sonst? Wir sind auf ihn her-
eingefallen, zunächst, zunächst nur wir. Unter den Österreichern wäre er nie etwas geworden. Hitler war ja in Wien. Er hat
es versucht. Er ist dort gescheitert. Man kennt seine kläglichen
Niederlagen in der großen Stadt, das Männerheim, Wien 1913.
Er hat sich in der Staatsoper auf einem Stehplatz unzählige Male
an Wagners Opern berauscht. Aber sonst? Wien hat ihn

abgewiesen. Dort wäre er auf ewig ein Vagabundierer und Halbbohemien, eine der vielen verkrachten Existenzen geblieben, von denen die Stadt voll war, heute immer noch ist. Wien war ein brodelnder Schmelztiegel damals. Wer da alles war 1913: Tito und Trotzki, Bucharin und Lenin, Stalin und Masaryk und Adolf Hitler, den wir uns aus diesen allen erkoren. Eine absurde Geschichte, wenn man sie rückblickend sieht. Ausgerechnet wir entschieden uns für diesen. Warum?

Ich denke, weil er dieses heruntergekommene, abscheulich trivialisierte Stück Österreichertum mitbrachte. Der Mann war doch ein Schmierenkomödiant, eine verrottete Schauspielernatur mit vielen Teilbegabungen. Das ist einzuräumen. Man soll es sich auch nicht zu leicht machen. Mit moralischen Kraftworten hinterher ist gar nichts getan. Aber es bleibt doch die Grundstruktur, daß er die uralte Begabung der Österreicher zum Volksschauspieler mitbrachte. Noch einmal barocke Ästhetisierung der Welt. Das Dritte Reich war ja, wie der ganze Faschismus, ein ästhetisches Phänomen. Ein Bühnenweihfestspiel stand auf dem Programm, schauerlich schön. Man spielte noch einmal das Stück von Leben und Tod, Tod und Leben und daß beides so ganz wirklich nicht ist. Man kann sich schließlich immer noch umbringen zum Schluß. Was soll's, nicht wahr?

Wir haben das aufgenommen. Wir haben das angenommen. Wir hielten das für Geschichte. Noch einmal stießen Preußen und Österreich zusammen. Ein Fremder kam zu uns ins Reich. Er gab als Politik aus, was doch Theater war. Er spielte den großen Magier der Macht, den Retter der Deutschen, den Zauberer der Geschichte. Blutig ernst genommen wurde sein Stück nur bei uns.

Was war Hitler? Ein Wiener Totentanz, nach Preußen verrückt. Die Österreicher? Das ist nun wie mit den Deutschen und den Juden: Das wird nie mehr zusammenkommen. Last der Vergangenheit. Braunau heißt wirklich – das Ende.

Wo Bayern beginnt
Loblied auf Mainfranken

Manchmal dieser Wunsch: weg! Aufbruchsphantasien, Wochenendhoffnung, Feriengefühle. Wohin? Du mußt einfach jetzt für ein paar Tage weg. Ach, Frankfurt am Main: Ich habe es satt. Ich bin es leid. Darüber ist eigentlich nichts mehr zu sagen. Es ist alles gesagt und geklagt worden. Wenigstens darüber ist sich die Bundesrepublik vollkommen einig: Welch eine monströse und männermordende Stadt! Wie viele Oberbürgermeister hat sie vorzeitig ins Grab gebracht? Wie können Sie nur in Frankfurt wohnen, leben, und dies auch noch freiwillig, ohne zwingenden Grund? Sie hätten solch Elend nicht nötig. Sie als Schreiber könnten in Schwabing oder am Tegernsee wohnen, wo ohnehin die Kunst zu Hause ist. Was sind Sie nur für ein Mensch?

Ich gerate dann oft ins Grundsätzliche. Ich werde ernster. Ich spreche von Adorno und Horkheimer, der Frankfurter Schule, ihrem fortwirkenden Geist. Ich spreche von der Polarisation der Kräfte: wie hier Kapital und kritischer Geist aufeinanderstoßen und wie daraus ein eigener Funkenschlag deutscher Wirklichkeit heute wird – für mich jedenfalls. Ich bin ein Zeitgenosse. Ich lese die Uhren der Zeit. Was hat die Zeit hier geschlagen?

Wenn auch dies nicht überzeugt, wenn das Kopfschütteln bleibt, komme ich manchmal mit meinem letzten Argument. Ich ziehe meine geheime Trumpfkarte. Ich sage, etwa in Hamburg oder Berlin, wo man sich in deutscher Geographie nicht so genau auskennt: Wissen Sie eigentlich, daß Frankfurt ganz nahe bei Bayern liegt? Gell, da staunen Sie? Nur vierzig Kilometer – wir sind drüben. Ist Ihnen bewußt, daß wir in Frankfurt den Bayerischen Rundfunk wie einen Ortssender empfangen? Das wußten Sie nicht? So mögen DDR-Bürger zuweilen den RIAS hören: eine freie Stimme der freien Welt. Es ist nicht sinnlos, im roten Hessen zuweilen auch das dunklere Pausenzeichen von drüben zu hören: In München steht ein Hofbräuhaus. Den Alten Peter dürstet.

Also weg! Nun kann man natürlich sagen, von Frankfurt aus: Der Taunus, der Rheingau, der Westerwald, der Odenwald – ist das nichts? Habt ihr nicht alles, rundum versammelt, schön vor der Tür? Wohl wahr: Ich habe es alles probiert in fünfzehn Jahren. Worms war mir lieb und Mainz. Ich fuhr durchs Wispertal zur Loreley. Ich sah den deutschen Rhein, sein totes Wasser. Ich sah all die Kaiserpfalzen von Lorsch bis Gelnhausen. Schön und gut, Wochenendziele: Montagabend sind sie wieder vergessen. Längerer Rede sind sie nicht wert. Ich würde nie auf die Idee kommen, darüber zu schreiben. Wenn du das suchst, was bleibt, was haftet, was dich ein Leben lang in der Tiefe trifft: das andere, stillere Deutschland – geh nur nach Südosten. Überschreite mutig die Mainlinie, unsere heimlichste Staatsgrenze. Wenn du auf der Autobahn zum erstenmal die Ausfahrtschilder siehst, Aschaffenburg, Alzenau, Kahl, gleich dahinter den tröstlichen Radiohinweis: BR 3 – so hast du es geschafft. Du bist drüben. Es spricht jetzt einfach alles – für Franken.

Wenn ich jetzt zurückdenke: fünfzehn Jahre Annäherungsversuche, eine fortgesetzte Liebesgeschichte auf Freizeitbasis – was für Affären, wieviel zärtliche Werbung! Die Berge, die Täler, die Kirchen, die Burgen, die Schlösser, die vielen Wirtshäuser, in denen wir saßen! Der junge Mann mit den zwei Äffchen an langen Leinen im skurrilen Park von Veitshöchheim, die Würzburger Frau Frieda Schneider, Mergentheimer Straße, die Ritterrüstungen repariert und die wir nie fanden. Ich bin immer nur ein Fremder, ein Besucher gewesen, eine Art Don Juan, der kam, sah und liebte, dann wieder ging. Wenigstens von dieser Basis distanzierter Begehrlichkeit her wage ich schon jetzt den Satz: Kein schöner Land in dieser Zeit. Ich weiß nicht, wie es hinter all diesen Barockfassaden und romantischen Toren wirklich aussieht, wie man in Ochsenfurt oder Dettelbach tatsächlich lebt als Bürger. So lieblich stelle ich es mir nicht vor. Idylle sind eng, oft unausgelüftet. Ich sage nur: Wenn man von Frankfurt kommt, sind es Feriengefühle. Die Sonne ist heller, der Himmel höher, die Hitze heftiger. Bukolischer Zauber erwacht. Ich bin jedesmal neu erstaunt, daß es so etwas gibt: intakte Provinz, eine unzerstörte Region. Oder scheint das nur so?

Unterfranken, es sei vorweg gesagt, besitzt Seele. Sein größter Vorzug: daß es in diesem Deutschland gigantischer Großleistungen, in dieser »führenden Industrienation«, wie man uns nennt, sich selber treu blieb, begrenzt, bescheiden, klein von Geburt. Kein Alpenglühen, kein Achensee, tiefblau, kein Obersalzberg, schaudernd, kein Oberammergau in finsterer Passions-Entschlossenheit. Nichts will hier imponieren; ein Stück von deutscher Redlichkeit wird nur gespielt. Provinz? Na und? Es ist gottlob zurück. Ich meine: Nach vorne stürmen wir ohnehin alle. Der Fortschritt ist nicht aufzuhalten. Der Zug rast durch die Zeit. Was ging dabei verloren?

Ich will zunächst in Bildern sagen, Erinnerungen, die kommen. Der Geist der Nachdenklichkeit: Walther von der Vogelweide vor der Würzburger Residenz. Der Geist der Sinnlichkeit im Park von Veitshöchheim. Der Geist der Liebe: Grünewalds Madonna, früher Aschaffenburg. Der zarte, schöne Schmerz, der auf dem Gesicht des Adam von Riemenschneider zu erkennen ist. Die tiefe Leidensfähigkeit des Gekreuzigten: Nürnberg, Sebalduskirche. Die helle Freude, die einem von Balthasar Neumanns Vierzehnheiligen entgegenschlägt. Sagen wir es im Klartext: Die Tiefe des Menschen geht immer mehr verloren, heute. Er wird immer flacher in seinem sozialen Netz. In Frankfurt kann man immer nur Gesellschaft besichtigen. Sie ist sehr wichtig. Im Frankenland ist noch der Mensch zu sehen, die Tiefe seiner Existenz. Das ist es. Das macht mir das Land lieb und sehr wichtig. Hier ist das Bild des Menschen aufgehoben.

Meine Mainschleife

Meine Liebe! Sie in Ihrem fernen New York wollen wissen, was Sie erwartet? Sie haben einen Europa-Trip gebucht? Lassen Sie sich ruhig von Ihrer Reisegesellschaft durch den Kontinent karren: Rom, Paris, Amsterdam, München. Wenn Sie Ihr Programm absolviert haben, wenn Sie fertig sind mit all den sogenannten Sehenswürdigkeiten, am letzten Tag, wenn Sie ohnehin hier in Frankfurt sind, werde ich Ihnen ein Deutschland zeigen, das man mit Pan American nicht buchen kann. Es wird nur einen Tag dauern, einen schönen. Er soll ein Art Denkzettel werden für Sie. Ich werde Ihnen ein Land zeigen, das gleich hinter Frankfurt liegt, wo Bayern beginnt. Solche Grenzzonen sind wichtig. Ich werde Ihnen meine Mainschleife zeigen, mein Lieblingskind, einen deutschen Bilderbogen, und Sie werden sagen: Really, that's Germany – lovely!

Sie wissen, daß Frankfurt in Hessen liegt? Sie wissen, daß jedenfalls dies Stück hier zwischen Offenbach und Hanau schrecklich zersiedelt, ziemlich kaputt, eben häßlich ist? Der Name sagt alles. Das riecht hier alles nach Coca-Cola, nach

Henninger Bier und deutscher Tüchtigkeit. Das schwitzt und stampft vor Kraft. Es ist sehr amerikanisch – wem sage ich das. Aber wenn wir nach zwanzig Minuten den Freistaat Bayern erreichen, werden Sie wundersame Verwandlungen erleben. Wäre ich katholisch, so würde ich mich genau auf der Mainbrücke vor Aschaffenburg heimlich bekreuzigen. Gegrüßet seist du, Maria, würde ich sagen, eingedenk all der Madonnen, die uns erwarten. Der Main zum Beispiel, der hier in Frankfurt nur noch eine breite, tote Dreckbrühe ist, wird wieder zu leben beginnen. Er wird schmaler, schlanker, ein schöner Fluß, von grünen Ufern umsäumt. Er wird ferienhaft, urlaubsreif. Menschen, die auf Wiesen liegen, Campingvergnügen. Das leuchtet und blüht plötzlich. Ist es kein Wunder?

Weiter: die neue, andere Kulturlandschaft, in die wir nun hineinfahren. Ich will nicht behaupten, daß in Aschaffenburg schon der Balkan begänne. Der beginnt, wie Sie wohl wissen, erst in Ulm. Aber Sie werden es spüren: Hessen, häßlich, fällt ab, plötzlich erreichen wir Zipfel einer anderen Kultur. Soll ich nun sagen: Süddeutschland, Österreich, Wien, die uralte Habsburgwelt weht uns an? Es ist übertrieben, aber tatsächlich beginnt schon in Aschaffenburg jenes große, strahlende Reich des Barocks, das dann bis Prag, bis Wien, ach, bis Ungarn und noch weiter reicht. Die alte Mainbrücke in Würzburg ist natürlich ein Vorgeschmack der Karlsbrücke in Prag. Die gotischen Türme von Nürnberg erinnern auch schon an Prag. Die Donau rauscht. Reste eines großen historischen Zusammenhangs werden sichtbar und dazwischen mein Lieblingskind. Es wird uns plötzlich mit einem Reichtum überschütten, der verwirrt. In den winzigsten Nestern, die man immer verwechselt als Fremder, werden Sie Perlen der Kunst finden: Kirchen, Schlösser, Burgen. Das liegt hier einfach so rum: eine schöne Spielzeugschachtel für Kenner.

In Miltenberg, der ersten Mainschleife, werden wir Rast machen. Es wird etwas mühsam sein, einen Parkplatz zu finden, aber dann, wenn wir uns dort am Mainufer etwas die Füße vertreten haben, werden Sie staunen. Ich werde Ihnen ein kleines, mittelalterliches Städtchen präsentieren, wie Sie es höchstens aus Hollywood-Filmen kennen. Spitzgieblige, hohe Fachwerkhäuser, mit vielen Erkern und Türmchen geschmückt. Die Häuserfronten sind hellgelb bis weiß. Das Fachwerkholz rötlich bis braun. Und wenn wir dann vor dem Schnatterloch stehen, werden auch Sie dankbar anerkennen, daß wenigstens diese Nester der alliierten Bombergeschwader nicht für würdig befunden wurden, damals. Gott oder der US Air Force sei es gedankt, noch heute. Wir werden dann im Hotel zum Riesen Mittag essen, zum erstenmal Frankenwein kosten, herb.

Unser nächster Ort heißt Wertheim. Ob der Name etwas mit dem Berliner Kaufhaus zu tun hat, weiß ich nicht. Ich halte es immerhin für möglich. Wertheim war eine alte Kaufmannsstadt. Daß es hier am Rande schlimme Beispiele für falschen Wohnungsbau gibt, braucht uns nicht zu interessieren. Sie sollen es nur wissen. Daß Kenner das Städtchen das Fränkische Koblenz nennen, ist auch nicht wichtig. Solche Vergleiche sind immer schief. Ich erinnere Sie nur an das Wort Klein-Chicago für Frankfurt. Wenn die Leute hier wüßten, wie gewaltig und schön Chicago ist. Es ist für mich nach San Francisco die schönste Stadt in den Staaten. Tatsächlich mündet in Wertheim die Tauber in den Main.

Wir werden wieder durch ein Mittelalter gehen, zuckersüß für Touristen. Wir werden auf dem Marktplatz stehen, einer breiten Straße mit herrlichen Fachwerkhäusern. Wir werden den kostbaren Engelsbrunnen mit seinen vielen Figuren besichtigen. Ich werde Sie auf den roten Sandstein hinweisen, der hier zu Hause ist. Der schönste Ziehbrunnen im Mainfränkischen, sagt man. Sie wird das denkbar ermüden. Wir werden es trotzdem bis oben schaffen. Wir werden im Schatten einer gewaltigen Wehrburg draußen auf Klappstühlen sitzen und Kaffee trinken. Ich werde dann nicht vom heiligen Kilian anfangen, was jetzt notwendig wäre, theologisch gesehen. Ich werde Sie nach Kissinger fragen, Sir Henry, dem Franken aus Washington. Was ist mit Amerika? Mir ist diese blauäugige Jeansfröhlichkeit Jimmy Carters jetzt etwas unheimlich. Ich sorge mich. Ich wünsche mir, Sie könnten die Mainschleife so lieben wie ich Ihre Staaten.

Mein Brief geht dem Ende zu. Ich muß sehr vieles auslassen. Nur dies sei gesagt: Ganz zum Schluß, wenn die Sonne schon untergeht, werden wir in Volkach auf dem Stationsweg zur Kapelle Maria im Weingarten hochpilgern. Das klingt alles so fromm, sehr katholisch. Ich bin das nicht. Ich bin ein Liberaler, ein Ketzer aus Preußen. Mich hätte man früher hier verbrannt oder doch wenigstens etwas gefoltert, des bin ich sicher. Wir werden trotzdem die stille Kirche auf dem Weinberg betreten. Dort hängt sie, mit Blaulicht und Martinshorn jetzt gut gesichert: Riemenschneiders schönste Frauengestalt, Maria im Rosenkranz. Sie schwebt lebensgroß in einem weiten Oval, das aus einem Kranz geschnitzter Rosen besteht. Weißes Lindenholz, jetzt bräunlich. Der leicht geneigte Kopf, die viel zu langen Finger, das weite Gewand und wie sie fast schwerelos den Sohn hält: ein vollkommenes, ein makelloses Bild junger Mütterlichkeit. Das war das Hochbild der Frau hier in Franken.

Und dann? Dann werden wir nach dem Nachtessen über die Autobahn zurückfahren. In anderthalb Stunden sind wir wieder in Frankfurt. Und irgendwo unterwegs im Dunkel unseres Autos werde ich sagen: So, jetzt können Sie getrost nach Manhattan zurück. Vergessen Sie Heidelberg, Rüdesheim und die Drosselgasse. Sie haben ganz tief Deutschland gesehen: in Volkach zum Beispiel.

Erinnerungen an Sommerhausen

Meist sind wir im Herbst hier gewesen. Oktobertage, Weinlesezeit, das schwere Fest der Reben. Es riecht dann alles so süß, süßfaulig. Der ganze Ort scheint zu gären und schön zu verwesen. Sommerhausen riecht dann wie ein Komposthaufen. In solcher Zersetzung steckt Kraft. Aus Lehm wurde die Welt gemacht. In Beton wird sie einst verenden. Die Reste der alten Stadtmauer, die man neugierig abläuft. Die putzigen Türme, der rote, der blaue, und all die anderen, die schon versunken sind. Intellektuelle aus Frankfurt, Würzburg, München hausen hier. Man geht an Gärten entlang. Dahlien blühen etwas mickrig gegen den November an. Sterblichkeit, die sich noch hellgelb spreizt. Schmale Handtücher, die Gärten. Ein Herr Anfang Fünfzig liegt im Liegestuhl, sonnt sich im späten Oktoberlicht, liest Alexander Mitscherlichs ›Die Unfähigkeit zu trauern‹. Sommerhausener Verspätungen. Ist das die Stadt?

Wird Sommerhausen einst das Schicksal von Venedig erleiden? Man hat immer das Gefühl, es versinkt. Es sinkt immer tiefer in schönen Kulturmorast. Alles liegt tief, ist alt, ist schöner Zerfall. Die engen Gassen, die bröckelnden Hausfassaden, die Brunnen, die Wirtshausschilder: alles uralt, obwohl die vierhundert Jahre, die manche Häuser hier auf dem Buckel haben, für Frankens Ausgeruhtheit im Schoß der Geschichte so schwer nicht zählen. Kokettiert nicht die Stadt mit ihrer Gebrechlichkeit? Black ist jetzt beautiful. Alt ist jetzt jung. Verkommen ist schick. Nur wer wie ich aus trostlosen Hochhäusern kommt, weiß die schiefe Schönheit von Schindeldächern dankbar zu schätzen. Ich meine, es muß seinen Grund haben, warum ich gerade von Sommerhausen spreche. Nicht von Schweinfurt.

Theatralische Vorzeichen: Der Friedhof hier wird an seiner Rückseite durch eine hölzerne Arkade abgeschlossen, die leicht erhöht, den Totenacker zu einem Parkett gestaltet. In der Mitte der Arkade eine steinerne Freikanzel, reliefverziert, die ein kleines Schieferdach schützt. Es ist, als wenn hier gleich ein Stück, ein altes Jesuitendrama gespielt werden würde. Ein schwarzer Bußprediger müßte ächzend die Kanzel erklimmen, müßte den Toten und den Lebenden das große Memento mori verkünden. Gedenke, daß du sterblich bist, du fremder Musensohn! Vergeßt nicht die Sanduhr, den Sensenmann, das Jüngste Gericht! Mitten im Leben, nicht wahr? Ganz oben, am linken Anfang der Arkade, liegt er begraben. Ein schlichter Stein: »Luigi Malipiero« ist zu lesen. Welch ein wunderlicher Mann. Er paßte sehr gut in diese kleine, wunderliche Stadt. Ab 1950 hat er hier auf jene skurrile und zugleich progressive Weise Theater gespielt, die man originell nennt. Ich würde sagen: fränkisch. Zum kleinsten Theater in Deutschland pilgerten Kenner. Kritiker aus der großen Welt eilten zu Premieren in diese winzige Schuhschachtel. Wer, wenn nicht Malipiero, hätte Sommerhausen je berühmt gemacht? Ich jedenfalls hätte es übersehen, lebenslänglich.

Als wir das letztemal hier waren, war Winter. Es fror, es schneite, es war eiskalt. Ich wollte miterleben, wovon ich im Frankfurter Feuilleton gelegentlich Respektvolles gelesen hatte. Black ist sehr beautiful. Alt ist sehr jung. Soll ich es so sagen? Ein junges Wintermärchen, tief verschneit. Man rutscht mit seinem Auto eine Weile den Main entlang, und wenn man dann schließlich im Licht weniger Lampen in der Ferne das stufengezackte Würzburger Tor sieht, wirkt es zunächst wie ein Knusperhäuschen. Stoß bloß nicht dran! Es fällt gleich zusammen. Junge Leute, pelzvermummt, stehen wie Landsknechte davor, stampfen sich den Schnee von den Füßen, schnauben und wiehern auch manchmal: Theatergelächter, Würzburger Musenkinder. Auch ein Bus trifft jetzt ein, aus Schweinfurt

Nein, ich werde keine Rezension abliefern. Eine Theaterkritik steht nicht auf dem Programm. Das Drumrum war mir wichtig. Ich war überrascht, wie geräumig, ja großzügig die winzige Schachtel von innen wirkt. Es gibt neben der Kasse, der

Bar, dem Getränkeausschank ein hohes Foyer, in dem man jüngste Grafik und Malerei abschlendern kann. Oben im Theaterraum selber wird's enger. Man sitzt Fuß bei Fuß. Es kamen immer noch Gäste. Es strömte immer noch Jugend. Man meint, der kleine Dachboden sei längst voll. Es mußte unten noch einmal ein Bus gekommen sein. Noch einmal Musenkinder, massenhaft. Es war wie bei einem Weihnachtspäckchen: Es ist nur eine Frage geschickter Verpackung. Da geht noch ein Plätzchen hin, dort eine Mozartkugel. Hier hat noch eine Halskette, dort ein Paar Ohrringe Platz. Würzburger Mädchenverpackung, hautnah, alles zum Anfassen.

Heute rückblickend, scheint mir das, was man damals spielte, ernsterer Rede nicht wert. In Erinnerung blieb mir das Wie. Mit einer ungeheuren Verve, ja Passion wird Theater gespielt. Hier ist unendlich geprobt, trainiert worden. Es scheint nur ein Zimmertheater. Hier sind exzellente Professionals im Spiel, Technik und Lust sind am Werk, Schauspieler, die sich in München oder Berlin mühelos genauso bewähren würden. In summa: Die Inszenierung war glanzvoll, das Stück eher schwach. Bin ich nun doch ins Rezensentendeutsch geraten? Ich breche ab.

Unten auf der Treppe saß er dann schließlich, der Mann, der Malipieros Werk heute auf so eigenwillige Weise fortsetzt. Er saß entspannt, gleichmütig, mit einem Zug heiterer Selbstironie auf einer Treppenstufe und fragte: »Wie war's denn? War's denn erträglich?« Ein noch junger, schon grauhaariger Bursche, der sich der Kuriosität seiner exzeptionellen Rolle in der deutschen Theaterszene bewußt zu sein schien. Er lachte eigentlich immer nur verlegen, als wollte er sich entschuldigen. Veit Relin, der Chef dieser kunstvollen Bruchbude, sieht übrigens sehr literarisch aus. Er erinnerte mich an Adolf Muschg, den Schweizer Poeten, doch mag dies ein Irrtum sein. Man müßte Joachim Kaiser in München fragen. Solche Grenzphänomene muß er entscheiden.

Es knirschte der Schnee, es krachte das Eis unter den Füßen, als wir dann ins Freie traten. Der Himmel war aufgerissen jetzt. Ein runder, fast voller Mond hing weißkalt in der Nacht und goß sein Geisterlicht über die schiefen Dächer. Vom Kirchturm hallten zwölf schwere, dunkle Schläge: Mitternacht. Es war fast wie in einer E. T. A.-Hoffmann-Novelle mit buckelnden Katzen und anderem miauendem Nachtgelichter auf Kopfsteinpflaster; ›Nachtstücke‹, 1817, meine ich. Und obwohl es so spät war, bekamen wir im Gasthof noch köstlich fränkische Labung:

Wurst, Schinken und Preßsack wurden serviert. Schnell ist ein Bocksbeutel leer. Schnell muß ein neuer her. Die Augen beginnen zu glänzen, der Geist wird jetzt leicht und sehr munter. Da saß dann die junge Gemeinde, Reste von Publikum hockten um die schweren, breiten Holztische, die ja von selbst gesprächig machen, tafelten, tranken, flunkerten fröhlich. Das Nachtleben von Sommerhausen sollte man nicht unterschätzen. Es verklärt sich die Welt zum Schluß, weinselig.

Damals war es auch, daß mir plötzlich bewußt wurde, wie anders die Menschen hier sind. Ich will jetzt nicht vorgreifen. Ich komme darauf noch zu sprechen. Ich spürte jenen Unterton von Güte, ja Weichheit, den die Menschen hier hinter ihren sehr rustikalen Dickschädeln sich bewahrt haben. Ich dachte: Es gibt Bier-Ironie. Es gibt Wein-Ironie. Es gibt München. Es gibt Würzburg. Diese dort macht aggressiv, jene hier eher zärtlich.

Würzburg im Winter

Ich beginne mit einem Memento. Ich will eine Rede halten, ganz kurz. Ich sage: Gedenket des Todes zunächst. Am Anfang war Feuer, war Brand. Die Menschen liefen als brennende Fakkeln herum. Die Stadt stand in Flammen. Es war alles kaputt. Deutschland, ein Beinhaus, ein rauchender Trümmerhaufen. Es roch nach Brand, nach Tod und Verwesung. Es war Tabula rasa damals in Germany. Alles zerschossen, zerbombt, gesprengt, vom Reichstag in Berlin bis zur Würzburger Residenz. Gedenket der Toten zunächst und des Nichts, aus dem wir kamen, wir, Hitler überlebend. Ich gedenke der Toten von Würzburg. Meine Rede ist schon zu Ende.

Der Winter war eingebrochen, jetzt mit wütender Macht. Ein eisiger Wind fegte durch Würzburgs Straßen. Schneeflocken tanzten nicht. Sie deckten wie flauschige Laken das Auto zu, machten die Fenster blind. Frau Holle schüttelt die Betten aus. Diese Kitschbilder der Kindheit, was taugen sie? Nichts – hinter dem Steuerrad mit Sommerreifen. Es war eher riskant, jetzt zum Marienberg raufzufahren. Aber was macht der Fremde, der Würzburg für ein Wochenende wiedersehen will? Natürlich fährt er zunächst zur Festung hoch. Der Wagen rutschte, zog manchmal weg, aber wenn man sehr behutsam nur Halbgas gibt, in den zweiten Gang zurückschaltet, gelegentlich einen

Heiligen anruft oder auch flucht, schafft man es über alle Brük-
ken, durch alle Kurven, Tore, Fallgatter. Ich habe es bewiesen.
Es geht. Man steht plötzlich oben im Burghof. Man parkt präzis
vor dem Mainfränkischen Museum. Es war alles leer. Es war
niemand da. Es war ein Nachmittag tief verschneiter Welteinsamkeit. Man schliddert herum, sieht dies und das, sagt: Es ist
nicht zu fassen. In Frankfurt ist jetzt langer Samstag, alles verstopft und verdreckt. Hier ist andere Zeit. So mußt du dir
Deutschland vorstellen zur Zeit Martin Luthers. Eine feste
Burg, nur katholisch.

Was ist der Mensch eigentlich? Wenn man in so großer Stille
hier durch das Museum geht, alles sieht, stellt sich die Frage.
Wenn man die stummen Gestalten Riemenschneiders sehr lange
betrachtet, befragt, ihre zu großen Köpfe, ihre sehr schlanken
Leiber, den Schmerz spürt, der sich in ihren Gesichtern mit
Schönheit und geistiger Kraft geheimnisvoll verbindet, so wird
die Frage unabweisbar. Der Mensch, meine ich immer, Camus
bedenkend, ist wie Sisyphos. Er muß den Stein immer wälzen.
Der Mensch ist der Widerspruch und das absurde Trotzdem.
Trotzdem sein Leben eine Niederlage ist und im Tod endet,
hört er nicht auf, dem Leben sein schönes Haus zu bauen. So
lange wir leben, hoffen wir eben – Würzburger Geschichten
nach 1945. Obwohl alles nun wegradiert war, wie Hitler es
wollte (bei den anderen, meine ich), hat man die Stadt wieder
aufgebaut, wieder hochgewälzt. Obwohl nur noch Trümmer
und Gerippe da waren, hat man der Schönheit hier wieder ihr
Fest bereitet. Die Feste des Barocks sind heiter-beschwingt, ein
unendlicher Jubel, ein strahlendes Ja zum Leben. Es tanzt
trotzdem in ihrer Tiefe der Tod immer mit. Würzburger Sisyphosarbeit seit dreißig Jahren. Man sollte sie loben.

Ich sah also den Dom wieder, all seine Türme: die spitzen, die
runden, die bauchigen. Ein kleiner Vatikan, dachte ich. Man
geht im Dom von Säule zu Säule, prüft, staunt, zuckt auch
manchmal zusammen über so viel forcierte Modernität. Manches ist schon sehr kraß. Ich sah den mächtigen Kuppelbau
Neumünster. Zum erstenmal sah ich die Kiliansgruft unten,
spürte den Atem der Zeit, die Tiefe der Geschichte, aus der alles
kommt, hier in Würzburg. Merkwürdigerweise steht am Anfang großer Mythen, die dann Geschichte machen, ja immer ein
Mord. ›Mord im Dom‹ heißt die Formel. Immer wird erst einer
umgebracht. Erst über seinem Blut kann sich die Kuppel des
Heils erheben. Man müßte Freud fragen. Im Kirchenschiff oben

war ich betroffen von dem seltsamen Kruzifix auf der linken Seite. Der Sterbende, der die Arme nicht ausstreckt im Tod, sondern über der Brust gekreuzt hält. Kühn, fast modern wirkt das, fast wie von Barlach: 14. Jahrhundert. Im Lusamgärtlein das Grab des Dichters – Walther von der Vogelweide soll hier liegen. Es pickten keine Vögel Körner. Frost lag über dem Stein. Ob sie nun historisch stimmt oder nicht, die Grabstätte – ich fand sie in sich stimmig. So kann man, so muß man sich wohl die erste Strophe, die Geburtsstunde der deutschen Lyrik vorstellen: poetische Stauferzeit.

Nein, nein, ich bringe jetzt keine Jubelfanfare über die Residenz. Mein Fach ist das nicht. Ich sage nur, was ich sah. Ich sah Balthasar Neumanns Werk wieder Glanz und Freude, Licht und Schönheit ausstrahlen, als wäre nie etwas gewesen. Niemand residiert hier. Solche vollkommen geglückten Werke residieren aus sich. Es hat etwas Wunderbares, wie das Zeitalter des Barocks fast schon am Ende des Heiligen Römischen Reiches gerade hier, gerade jetzt und ausgerechnet in Würzburg seine vollendete Gestalt fand. Hier traf sich vieles: Der Wiener Kaiserbarock, Schloß Versailles, Italiens Paläste, alles, was Europa bisher gedacht, gewagt und versucht hatte, floß ausgerechnet in diesem Maintal hier zu seiner endgültigen Form, zu seiner abschließenden Schönheit zusammen. Warum nicht in Mainz, in Speyer, in Worms? Für einen Augenblick war Franken ganz vorn: Europas Mitte. Dann sank es wieder zurück ins Begrenzte und Regionale, wohin es gehört. Wie kommt das? Was ist das eigentlich, was wir Geschichte nennen?

Würzburger Wiedersehen – es ist auch dies zu sagen: Gemessen an den Glanzpunkten der Geschichte, dem Festtagskleid, schien mir das Alltagskleid dieser Stadt, die Bürgerstadt, die Wohnstadt, wenig reizvoll. Ein Grau in Grau herrscht vor, das enttäuscht. Der Geschmack von Bausparkassen und sozialem Wohnungsbau dominiert. Ich weiß auch, warum – trotzdem. Ich kann nur hoffen, die sensible Würzburger Stadtseele werde es mit fränkischer Gelassenheit hinnehmen, wenn ich sage: Für den Fremden, der dies erwartet, ist es keine Augenweide, es bereitet keine Lust, einfach durch die City zu streifen, sich von den Straßen, den Häusern, den Plätzen anmuten zu lassen. Manches ist interessant: die Spannung etwa, in der die Marienkapelle zum schönen Rokokohaus des »Falken« steht. Das Juliusspital und das Bürgerspital befriedigen den Fremden. Aber sonst? Mißlungene Moderne verwirrt das Auge.

Von den kalten Wunderlichkeiten im Dom sprach ich schon. Wie man aber einen so alten und schönen Marktplatz durch fade Bürofronten, die nach Düsseldorf aussehen, sich verderben kann, verstehe ich nicht. Der Grafeneckart am Rathaus ist herrlich renoviert. Wie man daneben Mieles Waschautomatenhaus in weißblauer Tristesse dulden kann, ist mir rätselhaft. Ein kahles, neues Wohnhaus am schönen Kardinal-Döpfner-Platz verletzte mich, im Auge. McDonalds Restaurant, diese US-Oase der Jugend, schien mir deplaciert. So was muß sein. Aber hier in der Altstadt? Ich weiß, es schmerzt. Es ist gewagt, was ich sage. Ich bin gleich zu Ende. Ich sage nur noch: Die Mainfront im ganzen schien mir, gemessen am Stolz der Würzburger auf diesen Strom und an seiner klassischen Lage zwischen Burg und Residenz, nicht wirklich erschlossen, belebt und zum Treffpunkt der Bürger entwickelt. Oder täusche ich mich? Ich frage ja nur. Ich räume auch ein: Es war Winter. Es war bitterkalt damals.

Ja, das könnte nur so weitergehen mit Sankt Burkard, mit Stift Haug, der Deutschhauskirche, dem Käppele. Was noch? Ich denke nicht daran. Auf dieses Glatteis lasse ich mich nicht führen, es war glatt genug damals. Ich bin auch kein Oberlehrer, der Zensuren verteilt. Ich bin nur ein Fremder. Ich war natürlich auch hier meinem Thema auf der Spur. Ich denke jetzt an den Abend im »Stachel«. Von Kneipen verstehe ich mehr als von Kirchen. Man wird es gemerkt haben. Wir waren erst abends um zehn gekommen. Freundliche Führung hatte uns sanft geleitet. Ich sage nicht, daß wir schwankten, aber ein paar Promille schwammen mit im Blut. Ich bin nicht der barschen Meinung der Polizei. Wenigstens mit Frankenwein im Blut, meine ich immer, sieht man manches viel klarer und schärfer. Es gibt eine Communio der Trunkenen, die sehr hellsichtig macht fürs Gewisse. Das ist? Das ist doch nicht Bayern, sagte ich eintretend, was hier beginnt. Das kann man doch sehen. Ich bin doch nicht blind.

Es ist aber auch nichts Fränkisches schlechthinnig, wie Franz Josef Strauß sagen würde. Mit den Nürnbergern haben sie zum Beispiel überhaupt nichts zu tun. Es ist seltsam genug: Die große, stolze Stadt oben, die so reich und so frei ist, wirkt von Würzburg aus, nun, ich sage nicht: kränklich, aber doch merkwürdig unausbalanciert, von immerwährenden Profilneurosen zerrissen. Ist Nürnberg zu protestantisch? Sorgt es sich zu sehr um sein Heil? Sie blicken immer beleidigt nach München. Die

Nürnberger fühlen sich leicht unterdrückt, zurückgesetzt, auf den Fuß getreten von den krachledernen Altbayern. Sie mucken auch manchmal auf, in Grenzen natürlich. Aschaffenburger verstehen das wieder. Die wurden auch ausgeraubt. Aber sonst? Der Gedanke, daß Franken Bayerns zweite Garnitur sein könne, konnte wirklich nur in Nürnberg geboren, in Tutzing dann ausgebrütet werden. Er ist vollkommen unwürzburgisch. Ein neurotischer Komplex. Das haben sie nun davon, daß sie nicht katholisch blieben. Es sind ja fast Preußen, die Nürnberger. Hier in der kleineren, ärmeren Stadt fühlt man sich nicht unterdrückt, obwohl die Sache mit dem Kiliansschwert der Franken schon schmerzt. Die Würzburger sind nur zu gesund, um daraus ein Drama zu machen. In Würzburg will man leben.

Also die späte Stunde im »Stachel«, der verklärte Blick so nach elf. Ich sah die Trunkenen: die runden Schädel, die Pagenfrisuren, den breiten Mund, den maßvollen Bart, der nicht droht, eher zum Kraulen da ist. Blondköpfe dazwischen. Das sind keine Bayern. Bayern ist nur das Korsett. Aber drinnen? Drinnen ist Mischrasse, Mischvolk, wie überall, wo Deutschland gelungen ist. Würzburg ist eine Nordsüdkippe. Vieles kam da zusammen. Das hält sich nun hier, ist hier zu Hause. Es war, als sagte in dieser trunkenen Nacht alles: Erkenne deine Grenze! Überschreite sie nicht. Nur in den Grenzen ist Freiheit. Nur hier am Main ist Heimat. Was geht uns München an? Wir sind die Mitte. Wir sind die Welt. Um uns dreht sich der Kosmos – Gott hat es gewollt. Also?

Ein bißchen bin ich schon herumgekommen in meinem Leben. Ich sah New York und Moskau. Ich sah Warschau und Wien. Ich habe Prag und Los Angeles, Stockholm, Tel Aviv und Budapest studiert. Ich selbst bin Berliner, heute in Frankfurt. Alles kaputte Städte, innerlich, alles Kommunen mit schweren Identitätskrisen. Ich weiß also, was ich sage, wenn ich jetzt sage: Würzburg ist die erste Stadt ganz ohne Neurosen, die ich sah. Kein Fall für Psychiater. Hier will man, es ist kaum zu glauben, wirklich nur – leben.

Bocksbeutelkunde

Der Randersackerer Teufelskeller, der Mainstockheimer Hofstück, Iphöfer Kalb, der Würzburger Stein, Abtsleite, Innere Leiste, der Randersackerer Pfülben, der Iphöfer Kronsberg –

hör auf, gib auf! Nun spiel dich bloß nicht als Kenner auf. Du kannst sie ja kaum aussprechen, die seltsamen Worte. Die fränkische Weinorgel mögen andere spielen, Berufenere. Immerhin, der Wein gehört mit zu meiner bescheidenen Reiseerfahrung. Einiges habe ich gelernt. Im Wein ist Wahrheit. Welche zum Beispiel?

Nur Barbaren trinken ihn einfach runter. Das weiß ich inzwischen. Es ist so: Man muß das volle Glas, den Schoppen heben, andächtig, beinah sakral. Man kann, aber muß nicht das Glas dabei vorsichtig schwenken, so, als gälte es, seine geheimen Ingredienzen erst jetzt zur vollkommenen Mischung zu lösen. Man muß dann daran riechen. Ein Schnuppern, ein leichtes Zittern der Nasenflügel ist möglich. Man darf die Nase ziemlich tief ins Glas hängen, aber nicht reintunken. Das würde alles verderben. Man muß das Glas dann absetzen. Man muß den Duft tief einatmen. Man muß bedeutungsvoll vor sich hin blicken. Ein ganz leichtes, seliges Lächeln ist möglich; aber bitte nur wenig. Wie riecht er denn? Erst nachdem das geklärt ist, Geruchsfragen, darf man ansetzen. Wer jetzt einfach trinkt, ist unmöglich. Es muß sich um einen Bayern handeln, der Bier meint. Der Franke kostet jetzt. Wie?

Er nimmt ein ganz kleines Schlückchen, läßt das fragliche Naß zart über die Zunge nach hinten rollen, legt dann die Zunge feinschmeckerisch auf den Gaumen und beginnt jetzt zu kauen, als hätte er einen mittleren Knödel zwischen den Zähnen. Das Kauen muß kräftiger Art sein, der Mund muß sich verziehen, die Kinnbacken müssen mahlen. Der Schmeckeffekt plötzlich beim Runterschlucken des zerkauten Weins: Ganz aus der Tiefe der Mundhöhle breitet sich Erleuchtung über dem Gesicht aus – das Licht der Erkenntnis, nach dem wir Menschen ja streben. Es ist, als wäre eine geheime Botschaft entschlüsselt. Aromakunde: So also? Also so! Ein Kopfnicken, eine Geste anerkennender Zustimmung meist, nicht immer. Erst danach kann man zu einem richtigen Schluck ansetzen.

Weiter: der Bocksbeutel und seine Riten. Die Männer der Zunft, die da vor Jahren gerichtsnotorisch um das ausschließliche Recht der Franken auf ihre Flaschenform kämpften, taten recht. Es mußte einmal höchstrichterlich entschieden werden, vor Gott und der Welt und allen Konkurrenten, daß diese Form den Franken allein gebührt. Sie ist tatsächlich das Fränkischste, das es gibt auf der Welt. Von ihr darf man ohne hämischen Unterton sagen: altfränkisch. Erinnerung an Feldlager, an Ledersäcke, an Pferd, Reiter und Sattel werden wach. Das klapperte früher eben so mit auf der linken Gesäßbacke und ist nun zum schönsten Bild sinnvoller Verspätung geworden. Recht so, sage ich wieder, im Zuge des Fortschritts sitzend. Der Bocksbeutel ist schon überwältigend unmodern und ganz unpraktisch natürlich. Er muß die Winzer hier viel Geld kosten, zusätzlich. Während die übrige Weinindustrie sich längst auf den Schlegel, die viel einfacher zu handhabende Hochflasche, umgestellt hatte, beharrten die hier auf ihrem gläsernen Spätmittelalter. Ein Gefühl unerschütterlicher Solidität geht von so umständlichen Gebilden aus. Es ist zwar nicht so, aber scheint doch, als enthielten solche Beutel nur köstlichste Säfte. Auch kriegt man die Dinger ja nicht einmal im Eisschrank unter, als Batterie. Zwei Bocksbeutel – die Tür ist blockiert.

Weiter: das Einschenken aus dieser Flasche. Man kann es richtig und falsch machen. Doch das ist zu plump gesagt. Weinriten sind viel differenzierter. Ich widerrufe also. Ich sage: Man kann es wie ein Kenner oder wie ein Fremdling machen. Der Kenner nimmt den Beutel zunächst in die rechte Hand. Er umfaßt den Körper. Er prüft, er wägt ihn, spielt mit den vier Fingern auf dem Bocksbeutelrücken zärtlich wie auf dem Rücken geliebten Fleisches. Ein Gefühl von Sinnlichkeit stellt sich ein. Ahnungsvoll genießt er mit rechter Hand. Die Form ist einfach so rund und bauchig, daß sie auch den verstocktesten Hagestolz noch an weibliche Formen erinnert. Es steht jedenfalls unbezweifelbar fest, daß der Schlegel, die hohe Weinflasche, daran gemessen nur phallischer Natur sein kann und irgendwie an Preußen erinnert. Diese droht mit Länge, jene schmeichelt mit Rundung. Auch ein Hauch von Mütterlichkeit spielt mit.

Erotisierende Vorspiele beim Bacchusfest. Übertreibe ich? Stilfragen, meine ich immer, sind Substanzfragen. Der Stil ist der Mensch. Die Form ist das Ganze. Der Ritus ist heilig. Das Zeremoniell macht die Kunst. Man merkt, daß wir uns dem Höhepunkt meiner bescheidenen Bocksbeutelkunde nähern. Jetzt werden hochdelikate Fragen gravierend, die eigentlich nur noch unter Künstlern zu diskutieren sind. Schon die alten Griechen rechneten ja das Kochen zu den Künsten, zu den tragischen, versteht sich, wie das Drama. Die griechische Tragödie verlangt gebieterisch, nach Aristoteles, den Untergang des Helden im vierten Akt. Nämliches geschieht in der Kochkunst. Es wird einfach vertilgt, man kann auch sagen: aufgefressen, was schöne Kunst in der Küche entwarf. Tragisch ist solches Schicksal zu nennen, weil unentrinnbar, wie das des Ödipus. Unentrinnbar ist bei der Schiffbäuerin in der Kleinen Katzengasse Nr. 7 der Untergang des herrlichen Wallers schon beim ersten Quirlen des hauseigenen Spezialsudes grausam beschlossen. Der hatte einmal so heroisch zwischen all den Meerfischli geschwommen, der stolze Karpfen – und endet so fürchterlich als Knochengerüst auf unseren Tellern.

Zur Sache: Der Kenner hat das zärtliche Tätscheln und Fummeln abgeschlossen. Er ergreift die Flasche aufs neue, jetzt aber von unten her. Er umfaßt mit der offenen Hand den Boden, bringt den Beutel in die waagrechte Lage. Während er jetzt den rechten Arm bis zur Schulter leicht anhebt, senkt er die Flasche in Querhaltung so über die Waagrechte vorsichtig ab, bis es maßvoll und makellos ruhig zu fließen beginnt. Murmelt er dabei ein Gebet? Es hat etwas vom Darbringen einer Opfergabe. So kultisch-kunstvoll kann man einen Rheinwein zum Beispiel nicht servieren. Herr, ich danke dir, daß du mir diese Freuden gibst bis ins höchste Alter! Noch auf dem Krankenbett kann man ein Fläschchen Frankenwein sinnvoll riskieren. Er heißt dann Diätwein. Er sollte als Medizin von der AOK akzeptiert werden.

Man kann fragen: Schneidest du nicht doch etwas auf? Woher weißt du das alles? Ich sah es, sage ich, ich sah es immer wieder in den Wirtsstuben hier. Ich sah es zum letztenmal ganz überzeugend, als uns tiefere Einweihung in Würzburg zuteil wurde. Es ist eine sehr wichtige Erfahrung, wenn man als Fremder in der Residenz, nach all dem barocken Glanz oben, dann in die tiefen Keller geführt wird, das dunkle Geheimnis der langsamen Reifung sieht. Die Wahrheit der Katakomben; die Beamtenweinfässer der Staatlichen Hofkellerei zum Beispiel werde ich so schnell nicht vergessen. Das Kerzenlicht nicht, die anmutigen Sitzecken nicht; auch nicht, wie dann der Kellermeister kam und Proben zum besten gab. Frohe Botschaft wurde verkündet. Der trockenste Sommer seit Menschengedenken, so wurde uns enthüllt, habe eben jetzt, eben hier einen Jahrgang zum Lieben erbracht. Spitzenwerte vom Jahr 1976 wurden geraunt, unerhörte Kunde: Würzburger Stein Ruländer Trockenbeerenauslese, dieses Jahr 179 Grad Öchsle – bitte! Es wurde eines Rieslings mit 188 gedacht. Es wurde der Würzburger Abtsleite Rieslaner Trockenbeerenauslese mit 189 Grad Öchsle staunend gerühmt. Alles Rekorde. So ging das weiter.

Es waren nicht diese Rekordmeldungen, die mich bewegten. Ich nickte nur, tat ungemein kennerhaft, als verstünde ich davon etwas. Es war der Kellermeister, den ich nicht vergessen werde. Es war wieder das Bild des Menschen, von dem ich einleitend sprach, nicht das der Gesellschaft. Der Kellermeister sah ungemein fränkisch aus. Der rundliche Kopf, die blondbraunen Haare, die Lederschürze, ein Diener des Bacchus, ein redlicher Handwerker Anfang Vierzig, denkt man. Weit gefehlt! Damals sah ich, was ich eben sagte: Schon das Einschenken eines Frankenweins gehört zur Berufsgruppe Kunst. Ein Künstler war bei der abschließenden Weinprobe sichtbar am Werk. Ich sah es mit Staunen und etwas Entzücken.

Dieser Mann, indem er zunächst das Tröpfchen sachkundig erklärte, hatte jene Art des Einschenkens, die ich zuvor beschrieb: mit leichtem Anheben der rechten Schulter, nur daß die Gläschen jetzt winzig waren. Wieder sah ich an solchem Kleinformat, daß Kenner nicht trinken. Sie kosten. Er hob dann also sein Gläschen, hielt es gegen das Kerzenlicht auf dem Tisch, ließ die Probe kennerhaft in der Runde glitzern, sah unendlich liebevoll, fast andächtig ins funkelnde Naß. Den stämmigen Mann umgab jetzt ein Hauch von Zärtlichkeit. Zierlich wurden seine Gebärden. Es war, wie wenn ein Juwelier seine kostbarsten Brillanten aus dem Tresor holt, um sie erwählten Kunden vor Augen zu führen. Er dreht die Brillanten, hält sie ins Licht, läßt sie funkeln. Er betrachtet sie verliebt. Welch ein Feuer, nicht wahr? sagt er leise, indem er das Stück auf den dunklen Samt zurücklegt. Was meinen Sie, mein Herr?

Ich meine, hier geht es nicht mehr um Käuflichkeit, um Mein und Dein, Gewinn und Handel, profane, schnöde Sachen, die schon wichtig sind, anderenorts. Es geht um die Erkenntnis von Vollkommenheit. Es geht um die Einweihung in ein Mysterium der Erde. Das also hatte Gott unter anderem mit der Schöpfung gemeint? Das ist Kultur wirklich: die vollendete Reifung. ›Hinterlassungsfähige Gebilde‹ nannte Gottfried Benn seine Gedichte. »Die Statuen bergen die Saat.«

Mit fränkischem Wein im Blut, und es war nicht zuwenig an diesem letzten Würzburger Tag, könnte man es meinen. Es gibt natürlich auch den Apollo von Belvedere, es gibt ein Bild von Miró. Es gibt die Klavierkonzerte Chopins, Riemenschneiders Gestalten, den Goethe-Vers: »Füllest wieder Busch und Tal/Still mit Nebelglanz« – Werke der Vollkommenheit, Sinnstiftung in einer absurden Welt. Ist das der Sinn unseres

Lebens? Erfahrung von Vollkommenheit? Läuft es darauf hinaus, was wir In-der-Welt-Sein nennen, lebend und halbwegs lebend, uns quälend, manchmal auch hoffend, manchmal verzweifelt: die Schönheit des Vollkommenen spüren? Bocksbeutelkunde: Ein Wein und ein Mund, der ihn schmecken kann, gehören mit dazu.

Im Spessart

Wir fuhren zurück. Immer wieder diese Rückzüge aus der Mainschleife. Es ging immer glatt. Wie ich sagte: Eine, höchstens anderthalb Stunden auf der Autobahn – man ist wieder zu Hause. Man ist wieder in Frankfurt, wo alles begann, wo ich lebe, nun zu Hause bin, wo ich hingehöre; kaputter Typ gehört in kaputte Stadt. Das hat schon seine Richtigkeit – wie?

Das Zerbrochene ist mir näher als das Heile. Die Gegenwart ist mir wichtiger als die Geschichte. Das Neonlicht macht mich produktiver als die Sonne, die über Würzburg manchmal schon in südlicher Vorahnung scheinen kann – Licht der Toskana, Künstlerlicht. Ich bin eine Großstadtpflanze, eine am Rande, ganz für sich, auch noch in Frankfurt. Ich will die Beziehung nicht weiter ergründen. Ich sage nur: Kaputter Typ gehört in kaputte Stadt.

Es ging immer glatt? Es ging gar nicht glatt, dies letzte Mal. Es war, als wollte meine Mainschleife sich um mich legen, als würgte mich etwas. Es war, als wollte Unterfranken mir eine letzte Lehre erteilen: Sei bloß nicht so schnell fertig mit uns. Mit uns ist das viel komplizierter. Du glaubst doch nicht etwa, uns erkannt zu haben mit diesen kleinen Kapitelchen, die du schriebst? Ich weiß: Vieles wäre noch zuzulernen. Ich werde, wenn es mir vergönnt ist, sicher noch weitere fünfzehn Jahre hinfahren, Erfahrungen sammeln. Dies war nur ein Vorgeschmack, den ich geben konnte, nicht mehr. Ein Schelm ist, meine ich immer, der mehr gibt, als er hat. Ich hatte nur dies.

Immerhin, das lernte ich zum Schluß noch. Es war ein diesiger, grauer Winternachmittag, als wir vom Käppele, das wir noch besucht hatten, wegfuhren. Ein feuchtes, verwaschenes Klima, bei dem alles drin ist: schwarzer Dreck oder neues Winterkleid, weiß. Wir waren oben auf der Einbahnstraße zur Frankenwarte schön ins Rutschen gekommen. Es war spiegelglatt. Und als wir dann endlich unten auf der Autobahnauffahrt wieder festen Grund hatten, sah ich es am Himmel zunächst. Er hing nicht voller Geigen wie meistens beim Würzburger Mozartfest. Schneewolken wälzten heran. Riesige graue Federbetten, die sagten: Gleich reißen wir auf. Gleich lassen wir unsere Pracht fallen, paß auf! Leise rieselt der Schnee in ganz ungebührlichen Massen. So war es.

Als wir zwischen Homburg und Wertheim die Mainbrücke überquerten, brach es los. Oder war es schon früher? Finsterstes Schneetreiben setzte ein. Ungeheure Massen gingen nieder. Es wurde dunkel. Es wurde ganz schnell Nacht. Ich hatte das Licht eingeschaltet, aber die Dunkelheit blieb. Ich fuhr immer langsamer. Riesige Lkw-Transporter überholten uns, warfen neuen Schnee und alten Dreck gegen das Fenster. Ich war ziemlich verzweifelt. Ich hatte das Gefühl: Wir kommen nicht weiter. Wir stehen. Die anderen fahren. Ich werde es nie verstehen, warum die Deutschen auf ihren Autobahnen in brenzligen Situationen so mörderisch rasen. Alle überholten uns. Ob es mit Bayreuth zusammenhängt, der Tristan-Musik, der deutschen Lust am Untergang? Mir ist solche Sympathie mit dem Abgrund ganz fern. Mein Fall ist sie nicht. In Bayreuth, bei Tristan-Musik möchte ich schon sterben, aber nicht auf der Autobahn – Blut, vom Schnee überweht. Fahr also noch langsamer! Gib auf! Bleib stehen. So geht es nicht weiter.

Der Spessart holte uns ein – das will ich sagen. Zum erstenmal erlebte ich die dunkle Macht dieser Berge, die man im Sommer leicht übersieht. Ich spürte die Einsamkeit der Wälder hier. Ich sah die Nacht. Es schien mir denkbar, daß hier noch Waldmenschen, Köhler, Räuber hausen. Es schien mir möglich, daß Wölfe schnuppernd aus dem Dunkel hervorbrechen würden, nach Menschenfleisch hungrig. Ich wär' ja kein schlechter Happen. Ach, diese Spukgeschichten aus dem Spessart – sie lebten jetzt.

Der Spessart war jetzt, was er immer gewesen war: die große Trennlinie, die Paßhöhe, die Kulturgrenze, wo Mainz und Würzburg sich trennen, sich finden. Uralte Wetterscheiden: sehr rauh. So, dachte ich, genau so wie jetzt muß man es sich vorstellen, historisch. Das ging früher nicht glatt, wenn die Kaufleute von Würzburg nach Frankfurt zogen. Langwierige Trecks, gefährliche Straßen. Auch die Herren, die nach Frankfurt zur Kaiserkrönung wollten, mögen oft so steckengeblieben sein im Schnee, im Lehm, im Dreck. Ein Achsenbruch zwischen Rohrbrunn und Mespelbrunn – was nun? Schwarze Waldeinsamkeit. Es gibt ein herrliches Prosastück des Schweizer Schriftstellers Paul Nizon. Es heißt ›Stolz‹. Ein Mann, der nicht leben will wie die anderen Schweizer, kommt von Zürich in den Spessart. Er hat es satt. Er hat seinen Stolz. Er legt sich zum Schluß in den Schnee hier. Er ist nicht verzweifelt, nur unendlich müde. Er erstarrt. Er erfriert. Der Wind weht. Der Schnee fegt. Er stirbt in großer Ruhe, zustimmend. Spechtshart soll das heißen: Spessart.

Nein, nein, nichts dergleichen. Ich dachte nur daran. Wir starben nicht. Wir fanden zurück. Es war ein Abenteuer dunkler und zäher Verbissenheit. Es dauerte vier Stunden. Und kaum waren wir aus den Bergen heraus, kurz vor Aschaffenburg, hörte der Schnee auf. Spukgeschichten, jetzt andersherum. Der Himmel klärte sich auf. Reste von Sonnenuntergang waren über Hanau rötlich zu sehen. Plötzlich war die Autobahn trocken. Jetzt Tempo geben, jetzt endlich losfahren. Manche Lkws, die uns gekränkt hatten, überholten wir wieder. Es war plötzlich, als wäre nie etwas gewesen. Und als wir dann schon bei Offenbach herausfuhren und am Mainufer Richtung Sachsenhausen rollten, schien es, als kämen wir aus tiefer Vergangenheit, aus einem Märchenwald. Kommen wir aus Schneewittchenland? War das die Geschichte vom schönen Kind und den sieben Zwergen hinter den Bergen: Spessartgeschichten?

Ich sah die Hochhäuser von Frankfurt, die Bürotürme, all die strahlenden Banken, die City mit ihren Wolkenkratzern. Diese Helligkeit, dieses Licht! Eine überschaubare, trockene Ordnung der Zivilisation, die sicher auch öd ist, geheimnislos. Ich atmete trotzdem auf. Ich spürte Zustimmung. Ich sah dankbar: Du bist wieder zu Hause. Du wirst immer wieder wegfahren, Richtung Würzburg. Du wirst immer wieder zurückkehren. Daran wird sich nichts ändern. Es hat seine Richtigkeit, irgendwie. Ich will sie nicht weiter ergründen.

In solchen Augenblicken der Heimkehr spürt man ganz tief die Thematik. Uralte deutsche Geschichten: wo Bayern beginnt. Es ist kaum zu fassen, denkt man, den Fahstuhl hochfahrend: Hundertzwanzig Kilometer – eine andere Welt, eine andere Zeit, eine andere Region weht dich an. So weit ist das weg? So nahe zusammen? Der Spessart dazwischen. Ich meine, das eben ist deutsche Wirklichkeit heute. Das ist diese Republik, die ich liebe: von Würzburg aus Frankfurt sehen und etwas erschrecken, von Frankfurt aus Würzburg sehen und etwas verzaubert sein. Furcht und Staunen machen den Menschen. Beides zusammen – Deutschland.

Solche Reisen haben nur eine Schattenseite: Plötzlich sind sie zu Ende, zu schnell. Es ist wie ein Filmriß, im Fernsehen zum Beispiel: Plötzlich black out – was nun?

Als ich jedenfalls heute morgen, wieder zu Hause, zur Straße hinaustrat und die Herbstsonne spürte, einen letzten, schon ziemlich gebrechlichen Altweibersommer; als ich vor dem Haus mein Auto sah, noch etwas verwischt und verstaubt vom Löß des Kaiserstuhls gestern, überfiel mich diese verrückte, spleenige Idee: Steig ein, fahr los! Von Frankfurt aus sind es kaum drei Autostunden. Du könntest zum Mittagessen schon wieder in Bickensohl sein, zum Beispiel. Laß alles liegen! Was soll deine Arbeit, Terminkalender mit Funksprüchen und was man so Pflichtübungen nennt am Schreibtisch?

Es ist späte Zeit, Herbstzeit, Oktoberzeit, also Licht auf Abruf. Die Winzer rollen jetzt mit ihren schmalen Motorwägelchen durch die Weinberge. Sie hocken mit ihren hohen Bütten zwischen den Reben, sammeln ein. Die Lese beginnt. Spätlese, Auslese gibt das. Jeder Tag ist jetzt wichtig, jede Sonnenstunde zählt, und du müßtest es miterleben: Oktoberfest, badisch, Bacchus in Baden, könnte man sagen. Ein ernstes, fast frommes Geschäft, nicht ohne Mühsal und Fleiß. Das schöne, späte Stück der Weinlese wird jetzt gespielt. Wer ist sein Dichter?

Aber wie es mit solchen Wallungen meist ist, bei mir: Ich tat es nicht. Ich gönnte mir den Ausbruch nicht. Ich kehrte pflichtbewußt in die Wohnung zurück, zurück an den Schreibtisch, der unaufgeräumt und mir etwas entfremdet war. Ist Schreiben nicht eine Selbstbestrafung? Ich sagte mir: Schreib doch darüber! Versuche zu formulieren, was war. Schreib ganz genau auf, warum du jetzt gern am Kaiserstuhl wärst und was dir hier fehlt in Frankfurt und was du dort alles hättest. Schreiben ist eine Art Wiederkehr. Auch schreibend kannst du die Reise noch einmal machen. Es ist zehn Uhr morgens. Mittags um eins wirst du in Bickensohl sein: schreibend.

Man merkt: Es war nicht irgendeine Reise, die gestern zu Ende ging. Es war eine alte Sehnsucht, lange aufgespart, die plötzlich in Erfüllung gegangen war. Wie lange? Im Grunde hat sie mich fast ein Leben begleitet: badische Sympathie, südbadische, heimliche Liebe. Mein Gott, so lange ist das her? Ich bin Ende Fünfzig – jetzt.

Ich kam damals nach Freiburg zum erstenmal. Ich war ein junger Student aus Berlin, flüchtig vor dem Krieg und den Nazis. Es muß 1940 gewesen sein. Ich kam, um mitten im Krieg Philosophie zu studieren bei Martin Heidegger. Ich ging wie verzaubert durch Freiburgs Gassen. Wie weich und bunt die Welt war für den Berliner! Ich fuhr mit dem Fahrrad ins Glottertal. Ich schob es nach Sankt Peter hinauf. Ich machte in einem alten Gasthaus im Wald Rast. Ich radelte oben merkwürdig beschwingt nach Sankt Märgen weiter. Ich fuhr später zum Belchen hoch, schweißbedeckt, pustend. Ich kam oben an, sah weit ins Land, war etwas betrunken von so viel schöner Erde.

Was macht den Reiz dieser Landschaft? Ja, ihre Täler, die maßvollen Höhen, die Stille des Schwarzwaldes, die es immer noch gibt. Das Grün hier ist dunkler. Die Erde riecht grün. Der Wald ist zu schmecken. Und doch ist hier mehr im Spiel. Es war wie ein Vorgeschmack, eine Ahnung von Süden, die mich im markgräflichen Land oft überfiel. Sind das Phantasien? So zwischen Staufen und Breisach spürte ich in der Ferne Mediterranes aufdämmern, als deutsche Vorahnung. Italiensehnsucht, wenn man will. Merkwürdig genug: In den Kaiserstuhl bin ich damals nie gekommen.

Ich kam erst jetzt. Ich kam also mit großer Verspätung. Der Kaiserstuhl war wie eine Nuß, reif zum Knacken, überreif. Meistens sind solche späten Wunscherfüllungen ja Enttäuschungen – hier nicht. Alles war überraschend. Man fährt in Riegel, also kurz vor Freiburg, von der Autobahn ab. Und wenn man sich dann über Endingen Richtung Badberg langsam in diese blaue Hügellandschaft hineingeschlichen hat, ist man sofort gefangen vom fremdartigen, strengen Reiz der Landschaft. Sie ist anders als die im Breisgau, in der Ortenau oder im Hochschwarzwald, obwohl das alles kaum zwanzig Autominuten entfernt liegt. Mondartiges empfängt. Es gibt keine Wälder, keine Bäume im Kaiserstuhl. Kahle Kulturlandschaft, nackte Bergkuppen, die griechisch anmuten. Gebändigte und zivilisierte Natur. Überall ist die Hand des Menschen zu spüren. Wildwuchs ist unbekannt. Nirgendwo außer in Schloßgärten und Parks sah ich eine so kunstvoll humanisierte Erde. Der Kaiserstuhl heute ist ein Kunstwerk – aus Menschenhand.

Im Zuge der Rebflurbereinigung ist hier im letzten Jahrzehnt ein vollkommen neues, abstraktes Bild der Landschaft entstanden. Grotesk zu sagen: Nichts hier ist natürlich, alles ist Kunst, ein Park für Winzer, ein Garten Eden für Augen. Unsere uralte Mutter Erde wurde gerafft und gestrafft, sozusagen. Sie wurde planiert und dann glattrasiert. Das Ergebnis ist eine strenge Terrassenlandschaft, plan, weitflächig, mit allen technischen Hilfsmitteln jetzt leicht zu bearbeiten für die Weinbauern. Das war das Wichtigste, ökonomisch gesehen. Nur so konnte die heruntergekommene Weinbaukultur wieder konkurrenzfähig, ja führend mit ihren Spitzenprodukten werden. Dies war einmal bis vor zehn Jahren eine arme Gegend. Die Jugend war nicht mehr zu bewegen, auf dem Buckel und mit der Hand zu wässern, zu spritzen, zu pflegen. Sie wanderte nach Freiburg ab. Seitdem die Flurbereinigung vorangeschritten ist, ist Wohlstand wiedereingekehrt, Anbau und Pflege wertvollster Weinsorten haben sich ausgezahlt. Es sind wieder freundliche, schmucke Dörfer geworden. Ihr Mittelpunkt ist nicht so sehr die Kirche, das Rathaus. Es ist die Winzergenossenschaft. Darüber später.

Was ist es, das diese Landschaft reizvoll macht? Ihre mathematische Klarheit, Schönheit der Geometrie. Ich liebe das Rationale. Darunter aber spürt man noch immer den Lößboden und darunter Vulkangestein, die heiße Kraft der Erde. Die Sonne strahlt kräftiger, wärmer ein. Siebzig Grad wird hier manchmal am Fuß der Rebstauden gemessen. Noch jetzt im Oktober gibt es Mittage von brütender Hitze. Jede Sonnenstunde bringt den Trauben etwas mehr Süße, auch Öchsle genannt. Es liegt ein Licht über dem Kaiserstuhl, das südlich, also verschwenderisch, fast ausschweifend wirkt. Es liegt ein leichter Geruch von Obstgärten in der Luft. Etwas von Komposthaufen und späten Dahlien mischt sich ein. Man riecht einfach die Fülle, die Reife und wie das dann übergeht in feinste Edelfäule, also Kultur.

Und natürlich riecht man auch Frankreich, das hier randscharf am Rhein beginnt: seine schöne Verrottetheit, die von den Vogesen und von der Burgundischen Pforte hereinweht. Und die Schweiz ist zu spüren: ihr Wohlstand, ihre Bravheit, ihre leicht analen Pedanterien. Drei Münster stehen um den Kaiserstuhl – Straßburg, Freiburg, Basel. Dies hier ist Herz und Mitte Europas. Dies ist, ich sag' es ganz ohne bigotten Augenaufschlag, eine abendländische Landschaft. Der Kaiserstuhl ist heute hochmodern und wirkt doch wie von alten Meistern gemalt. Und natürlich ist es ein Plan purer Unvernunft, gerade hier Kernkraftwerke bauen zu wollen. Das Wort Wyhl sagt alles. Ich bin kein grundsätzlicher Feind der Kernenergie, aber hier muß man sie bekämpfen: staatliche Barbarei.

Tiefe, lange Schatten der Geschichte fallen über das ehrwürdige Land. Das Erholsame ist, daß sie sich nicht aufdrängen. Die Geschichte ist da, aber droht und protzt nicht wie etwa in Bamberg oder Wien. Sie bleibt diskret im Hintergrund. Jede Anmaßung von Größe fehlt. Es ist eine kleine, bescheidene Welt, in die man gerät. Ein Paradiesgärtchen für Feinschmekker, Einzelgänger, nicht für jedermann. Der große Tourismus ist nicht eingedrungen, gottlob. Man bekommt kaum Ansichtskarten vom Kaiserstuhl im Kaiserstuhl – ein gutes Zeichen. Zeitungen sind Mangelware. Die meisten Gasthöfe sind nur von mittlerer, rustikaler Güte. Es lohnt sich gleichwohl, zu bleiben. Die Küche ist voller Köstlichkeiten: badisch, elsässisch, schweizerisch-alemannisch. Jedes Essen hier will seine Zeit und gerät ungewollt wie in Frankreich zu einer ausschweifenden Gaumenorgie. Dem Gott der Kalorien sei es geklagt.

Jetzt im Oktober herrscht Wild vor: Fasanen, Hasen, Hirsch, dazu Trauben, Preiselbeeren, auch Nüsse. Und natürlich geht das Essen, mindestens abends dann, in ein langes, sanftes Besäufnis über. Viele Gespräche am Tisch: die badische Nachdenklichkeit, die es nicht leicht hat im Formulieren. Am Nachbartisch manchmal ein französischer Laut, ein Schweizer Satz. Es sind zu viele Weinsorten, die jetzt geschmeckt, probiert, begutachtet sein wollen. Ohne den gewissen Glanz in den Augen, die sanfte Schwere der Beine geht das nicht ab. Der Schoppen vor einem schimmert hellgelb, zartrosa. Er ist von samtigem Dunkelrot, dann wieder von strahlendem Gold – die Farben alter Kultur am Rhein. Die Wirtin trägt selbst auf. Sie setzt sich dazu, beginnt zu erzählen: hajo und hano. Der Geist Hebels und Hansjakobs geht um. Eine kleine, überschaubare Welt. Alemannische Gemütlichkeit ist in den Winzerstuben zu Haus.

Pinsle ich eine biedere Landidylle? Ach Gott, von romantischer Verklärung kann überhaupt nicht die Rede sein. Die Leute hier sind sehr wach, schlau, auf Gewinn, Zuwachs und gute Geschäfte aus, wenn auch auf ihre bedächtigere Art. Der Kaiserstuhl ist eine konservative Landschaft, das schon. Aber echter, lebendiger Konservatismus heißt stets, sich dem Neuen, das erprobt und bewährt ist, zu öffnen. Es heißt den Kopf dauernd voller vernünftiger und gewinnbringender Reformen haben. Dies ist kein CDU-Land. Hier ist eher FDP zu Hause, das badische Kleinunternehmertum. Das Wort »vermarkten« hat bei den Winzern einen sehr viel besseren Klang als bei unseren Literaten. Das Wort »verändern« geht dauernd um. Die ganze Agrarstruktur dieser Region wurde total verändert. Eine stille Revolution fand statt. Besitzverhältnisse wurden neu reguliert. Wer weiß das in Deutschland?

Breisach zum Beispiel. Für mich war es immer die Stadt des Simplicius von Grimmelshausen. Die Schrecken des Dreißigjährigen Krieges und was dann später alles noch kam: an Heimsuchungen, Schlachten, Pestilenzen. Eine geschundene und narbenbedeckte Stadt, die heute von ihrer großen Vergangenheit zehrt: Tourismusanmut. Aber hier steht auch die Zentralkellerei der Badischen Winzergenossenschaften. Sie gehört nicht irgendwelchen Monopolen. Sie gehört den Bauern zusammen. Ich sah eine riesige, moderne Fabrik, die dionysische Rauschmittel produziert, hoch industrialisiert. Es riecht in den Kellern nicht mehr nach Fässern und Rotwein. Der süße Duft ist verweht. Es ist so rationalisiert wie bei Mannesmann oder Krupp in Essen. Ich sah gigantische Vorratstanks, die mehr als eine Million Liter Wein fassen. Die Kellermeister tragen immer noch lange braune Lederschürzen. Aber meistens sitzen sie nur vor Datenbanken. Sie steuern vollelektronisch den Reifungsvorgang. Automation reguliert die sensiblen Gärungsprozesse. Als ich das sah, ging es mir durch den Kopf: Bacchus in Breisach, computergesteuert.

Wie das vor sich geht, genauer? Die Leute hocken jetzt in ihren neuen, weiten Rebenterrassen. Sie pflücken, sie lesen, sie heimsen ein. Sie fahren das kostbare Gut ratternd durch die Straßen. Tag und Nacht geht das jetzt: Erntezeit, Oktoberduft. Sie stehen mit ihren Lastzügen in langen Schlangen vor ihrer Genossenschaft; fast jedes Dorf hat neben der Breisacher Zentralkellerei noch seine lokale Kellerei. Sie rücken sehr langsam vor. Ein Kran wird dann ihre Kübel ergreifen. Der Kübel schwankt in der Luft, kippt langsam und leert alles aus: große Rebenausschüttung, massenhaft. Das purzelt und fällt massenhaft und erzeugt einen Augenblick über sich eine merkwürdige, feuchte Staubwolke, die schon nach Most riecht. Dann wird alles gepreßt, bis auch der letzte Tropfen entwichen ist. Treber als Rest.

Die Weinbauern stehen daneben. Sie gucken zu. Sie gehen an das Bürofenster, wo so ein Computergehirn sitzt. Eine Karteikarte wird hinausgereicht. Schon hat der Computer das angelieferte Rebgut berechnet, qualifiziert und seinen Geldwert austaxiert und dem Ablieferer gutgeschrieben. Schon kommt der Nächste dran. Genossenschaft heißt das. Gemeinschaftsarbeit ist das. Ein ernstes Unternehmen, ein strenges Geschäft. Keiner darf aus der Reihe tanzen. Keiner darf nach privatem Gutdünken pflanzen und lesen. Wer es trotzdem versucht, wird mit hohen Strafen belegt. Die höchste wäre der Ausschluß aus der Genossenschaft. Aber alle profitieren von so viel Disziplin. Das Beste am rentabelsten produzieren, heißt die Devise. Dies ist ein neues Wirtschaftsmodell, das jenseits von altem Privatkapitalismus und neuem DDR-Kollektivismus sinnvoll und human hier heranwuchs. Freiheit und Bindung – ich sah den Mechanismus funktionieren.

Wer das gesehen hat, wird es so schnell nicht vergessen. Er wird auch an Farben denken, jetzt im Oktober. Das dunkle Grün der Walnußbäume, das schon ins Gelbliche, ja Bräunliche übergeht. Er wird an zartes Blau denken, an blauweiße Nebel, die sich erst im Laufe des Vormittags langsam lösen und letzte Wärme freigeben. Die Trauben sollen süß werden. Das Leben auch. Er wird Kastanien reif aufspringen und fallen hören.

Wer das gesehen hat, wird eine Art Treue zur Erde bewahren, in die Liebe und Neugier gemischt sind. Wie ist das dort? Was geschieht jetzt in Bötzingen, in Ihringen, in Oberbergen? Ob heute mittag gute Sicht ist von den Paßhöhen des Vogelsangs?

Er wird vor allem an Burkheim denken. Burkheim, dieses uralte, verrottete Nest zwischen wilden Vulkan- und Lößbergen. Vom stillen Malerwinkel ganz oben in Burkheim geht der Blick über den Rhein weit ins Elsaß hinein. Hier sollte man leben, meditieren, etwas spinnen, über Gott und die Welt nachdenken. Es liegt wie eine versunkende Perle im Staub. Es blinkt und fragt und lockt: Wann kommst du wieder? Letzte Orte suche ich. Immer suche ich Orte zum Schluß.

Dem Heimkehrer, dies alles nun niedergeschrieben habend, bleibt im Augenblick nichts als der Griff zur Flasche. Trost aller Trostlosen und wahrhaft Verlassenen – vom Kaiserstuhl. Ich werde also eine Flasche Bischoffinger öffnen: Steinbuch, Ruländer, Spätlese – schöne Mitbringsel von gestern. Ich werde den Kaiserstuhl auf der Zunge haben. Ich werde die Oktoberreise noch einmal schmecken, in vielen kleinen Schlucken der Nachdenklichkeit.

Die Frühlingsreise
Sieben Wetterbriefe aus Europa

Licht über Portugal

Évora, den 21. März

Meine Liebe! Sie müssen einräumen, daß ich verläßlich bin. Sie wissen doch: Ich bin ein Preuße. Ich halte mein Wort. Ich schreibe Ihnen jetzt diesen Brief, den ich damals ankündigte. So ganz haben Sie daran nicht geglaubt, nicht wahr? Um ehrlich zu sein: Ich auch nicht. Wir staksten damals gemeinsam durch den Grunewald. Es war Anfang November – ach, Berliner Novembertage! Es war kalt. Es war feucht, ziemlich diesig, einer jener grauen Sonntagnachmittage, an denen die Berliner immer mit so großer Entschlossenheit durch den Grunewald traben, tief einatmend, tief ausatmend, gesundheitshalber; fast schnaubend wie Pferde traben sie.

Und während wir beide etwas ratlos vom Grunewaldturm den Fußweg nach Hundekehle suchten, begann ich wie nebenher von diesem Projekt zu erzählen. Sie erinnern sich? Ich sprach von der Frühlingsreise, die ich durch Europa plante. Sie als kluge und kenntnisreiche Kollegin schüttelten damals den Kopf. Sie sahen mich etwas mißtrauisch und schief von der Seite an. »Was für eine verrückte Idee!« sagten Sie, und ich stimmte zu: »Bei Gott, ziemlich verrückt!« Später aber, als wir uns dann in Hundekehle verabschiedeten, Sie standen schon im Bus, der eben abfahren wollte, riefen Sie mir nach: »Eine entzückende Idee, bezaubernd! Genau das richtige Thema für Sie. Adieu!«

Liebe Sibylle! Bezaubernd? Ich bin nicht mehr so sicher. Wie unsere Träume zerrinnen, vor Ort. Ich schreibe Ihnen diesen Brief aus Évora, Südportugal. 34 000 Einwohner, 140 Kilometer östlich von Lissabon, eine skurrile, uralte Kunststadt, nicht weit von Beja, dem NATO-Stützpunkt, auf dem unsere Bundesluftwaffe immer noch übt. Es ist der 21. März: Frühlingsanfang. Ich sitze in einer vorzüglichen Fürstensuite, die man uns trotz sozialistischer Erhebung hierzulande in der exzellenten Pousada dos Lóios sehr großzügig einräumte. Ich bin von Barockmöbeln, von Lampen und etwas wackligen Marmortischen umgeben. Ein gewaltiges Fürstenbett mit Baldachin lädt zu feudaler

Ruhe ein. Ich denke an Sie, ich denke an Berlin. Ob es bei Ihnen jetzt regnet? Hier scheint die Sonne.

Das Dinner im römisch-antiken Speisesaal vorhin hatte etwas von einem Staatsbankett: ein festliches Solo für zwei sehr Fremde. Das Essen war delikat. Das Schweigen überwältigend. Wir sind die einzigen Gäste hier. Ach, diese großen und schönen Gebärden der Portugiesen. Wenn sie eine Silberschale mit Fischen servieren, so tun sie es mit der Eleganz und dem Aufwand sehr alter Kulturvölker. Sie sind weicher, freundlicher als die Spanier. Sie sind fast wie Kinder. Ein Volk, das jahrhundertelang seine Träume draußen auf dem Meer treiben ließ. Jetzt, nach der Revolution, träumen sie alle von einem Reich der Freiheit, das nichts kostet, nur bringt. Sie werden noch sehr viel lernen müssen. Die deutsche Sozialdemokratie hat sich hier mit Recht engagiert. Portugal ist Europas Armenhaus. Hoffentlich merken es auch die Amerikaner. Dies arme Land braucht zunächst einmal – Geld.

Sie, meine Liebe, merken auch was? Ich sollte Ihnen vom Frühling in Portugal erzählen, vom Einzug dieses milden, zarten, betörenden Wundertäters in Europa. Und was tue ich? Ich rede politisch. Ich ziehe Leitartikel ab. Ich klopfe Sprüche, politisch. Soll ich die Revolution hier den portugiesischen Frühling nennen? Einerseits schon, andererseits klingt es mir etwas zu blumig. Der Weg der Unterdrückten in die Freiheit geht ja meist nicht über Rosenrabatten, eher über Schotterstraßen. Die rote Nelke im Gewehrlauf ist auch längst verwelkt. Immerhin, hier ist eine Eiszeit zu Ende gegangen, hier ist etwas geschmolzen, etwas Neues bricht auf. Nennen wir das junge, zarte Pflänzchen: Demokratie. Man kann es in jedem Caféhaus in Portugal jetzt wachsen sehen: Sieben Männer hinter sieben Marmortischen – sie halten sieben verschiedene Zeitungen in der Hand, von Mitte rechts bis radikal links. Mich erinnert es an die Weimarer Republik. Der Frühling ist ein Zeitungsfrühling, hier.

Wir sind zunächst nach Albufeira gefahren, dem Badeort in Algarve. Es war etwas mühsam am Anfang: die leeren Hotels, die ziemlich kalt, ungeheizt sind jetzt im März. Die Angola-Flüchtlinge, die immer noch herumsitzen wie abgesetzte schwarze Stammesfürsten, die nur beleidigt sind. Die Schwierigkeiten mit der Sprache, die Trägheit des Personals, das, befreit, noch nicht recht weiß, was Arbeit heißt. Die unverschämt hohen Preise für Superbenzin. Albufeira wirkt wie ein altes

eeräubernest, über das die siebziger Jahre etwas zu hastig die
Klarsichtfolie eines westlichen Hochglanztourismus gezogen
haben. Mondäne Fischerkaten: Engländer, Deutsche, Amerikaner hocken herum: Winterflüchtlinge, Globetrotter, Nichtstu-
r, Aufschneider, Luxus-Gesindel – kein Volk für mich.

Frühlingsrauschen, der sanfte Flügelschlag des Lenz? Mein
Gott: Hier ist immer Frühling. Hier blühen schon im Januar
die Mandelbäume. Hier reifen jetzt die Orangen an den Bäu-
nen. Hier gibt es nur Kakteen, Oleander, Ölbäume, Korkei-
hen, Palmen. Immer blüht es hier in Algarve. Immer reift etwas. Immer rauscht hier das Meer erhaben und sehr blau. Und
ast immer scheint hier die Sonne. Ist das nun das Paradies? Ich
chrieb Ihnen schon: Ich bin nicht so sicher. Ich bin doch ein
Deutscher. Es fehlt mir das herrliche Auf und Ab der Natur,
der Rhythmus der Erde, das große Drama von Stirb und Werde, das wir im Norden, im Osten im Wechsel der Jahreszeiten
erleben. Faust war kein Portugiese. Der ewige Frühling kommt
mir wie ein Traum von Friseuren vor – zu schön.

Immerhin, wir sind von Albufeira dann nach Cabo São Vicente gefahren. Weiter geht es wirklich nicht mehr. Europa ist
hier zu Ende. Oder richtiger gesagt: Genau hier fängt es an. Sie
sollten den Namen sich merken: Cabo São Vicente; ein Felsen,
ein Leuchtturm und Möwen im Wind, ein endloser Himmel,
der blau ins Meer fällt. Es ist ein Erlebnis besonderer Art. An
dieser braunen, verkarsteten Steilküste beginnt unser Kontinent, dieses alte, ehrwürdige Europa, das in dreitausend Jahren
Geschichte alles hervorbrachte, was heute die Welt bestimmt,
auch uns beide. Ich werde nicht aufhören, es zu lieben, obwohl
das Urteil der Welt, in der UNO etwa, heute oft anders ausfällt.
Europa beginnt hier herb und heroisch in einer grünen Einsamkeit, die mich an Irland erinnert. Es ist ganz am Anfang nur ein
stolzer Felsen, sechzig Meter hoch. Ein flirrendes Licht, Reißwinde, Salzgeschmack in der Luft. Überall der Atlantik, der
ganz in der Tiefe schlägt und brandet und manchmal weiß-
schäumend hochgischtet.

Ich will das Licht von Cabo São Vicente loben. Es ist ein
Licht, das nur über Portugal liegt, jedenfalls jetzt im März. Es
ist anders als unser Licht. Es ist auch nicht das harte, gleißende
Licht des Mittelmeers, das wir aus Griechenland oder Italien
kennen. Das portugiesische Licht ist zart, ist seidig, mattglän-
zend. Es fällt vom Atlantik her wie durch bläuliche Schleier
sanft gefiltert in hellen Pastelltönen über die harte Erde. Darf

ich sagen: ein zärtliches, also ein weibliches Licht? Licht, das zum Träumen verführt? Hier sind die Seefahrer und Weltentdecker Portugals aufgebrochen. Portugal ist nicht Süden. Es ist auch nicht Norden. Es ist der schmale, kleine Glücksfall dazwischen: nichts als tiefer Westen. Wenn man durch dieses endlose Blau hindurchblicken könnte, müßte man ganz in der Ferne Amerika sehen können, die Wolkenkratzer von Manhattan. Der Gedanke hat etwas Erheiterndes, auch Bestürzendes, nicht wahr?

Ja, das wäre es eigentlich, liebe Sibylle. Das wäre mein erster Wetterbericht West. Wie heißt es doch immer im Schweizer Radio: »Alpensüdseite und Engadin: sonnig.« Mehr ist im Grunde auch vom portugiesischen Frühling nicht zu vermelden. Es liegt jetzt viel Licht, ein schmerzhaftes Erwachen hier über dem alten Land. Wohin fällt die Saat? Möge es ernten, was jetzt beginnt. Ich grüße Sie und Berlin.

Die Blumen Andalusiens

Córdoba, den 31. März
Lieber Herr Doktor! Ich bin wieder gesund. Ich melde Ihnen dies mit Befriedigung. Ich grüße Sie herzlich und nicht ohne Dankbarkeit, denn im Grunde gaben Sie mir den Anstoß. Ich war krank. Ich röchelte, ich hustete, ich siechte dahin Ende Januar. Sie erinnern sich? Es war wieder einmal eine jener endlosen Fieberinfektionen, von denen ich mich dann nicht lösen kann. Ein Rest von Kränklichkeit, von Mattigkeit und Unlust bleibt. Sie waren es, der in diese Grauzonen einer unverkennbaren Winterdepression plötzlich hineinsagten: »Fahren Sie ruhig weg! Lassen Sie alle Pillen und Tropfen und Tabletten liegen. Fahren Sie der Sonne, dem Licht, dem Frühling entgegen. Lazarus, steh endlich auf!« Recht hatten Sie, darf ich jetzt, rückblickend, sagen.

In Dijon, unserer ersten Station, bekam ich noch einmal Fieber des Nachts. Ich schwitzte, hatte auch Angst, wie es weiterginge. In Nîmes, unserer zweiten Station, spürte ich abends noch heftiges Kopfweh. In Barcelona, unserer dritten Station, war es in der nächtlichen City so wild, so hektisch und faszinierend, daß ich nicht dazu kam, mich mit mir selbst zu befassen. Die Ramblas von Barcelona sind jetzt die reinsten Porno-Boulevards, die Laufstege der jungen Lust. Spanien, das harte, strenge, düstere Franco-Kloster von einst, atmet Morgenluft. Sind nicht die miesen Sexpostillen überall in der Welt die Vorboten des Völkerfrühlings? Jedenfalls weiß ich, daß ich in Valencia, unserer vierten Station, meine Genesung registrierte. Ich merkte, daß ich gar nichts mehr merkte. Das eben ist ja Gesundheit, wenn ich's als Laie so sagen darf: daß man sich nicht spürt, nur ist.

Wir sind seit einer Woche in Andalusien. Ein hartes und buntes, ein starres und doch blühendes Land, sozusagen ein arabisches Oberbayern. Es ist genauso schön und unaufgeklärt, genauso rückständig und faszinierend für Fremde. Die Leute hier haben einen ungeheuren Rhythmus, eine ewige Tanzwut im Leib. Es genügt, ein paarmal in die Hände zu klatschen, und schon beginnt alles auf der Straße zu wippen, zu stampfen, zu treten. Sie stampfen rasend wie Araberhengste. In Granada ging das Gestampfe und Getanze die ganze Nacht. Ich weiß nicht, warum. Sicher einem Heiligen zu Ehren. In Sevilla bereitete sich Schreckliches vor: Semana Santa, die Karwoche, droht. Obwohl es damit noch zwei Wochen Zeit hat, sind düstere Vorzeichen zu erkennen. Schon schleichen des Nachts hier endlose Bußprozessionen durch die Altstadt. Tausende von alten Frauen ziehen schwarz verhüllt mit Lichtern in der Hand hinter einer Muttergottesstatue her und jammern, beten und murmeln: der reinste Hexensabbat. Die ganze lustvolle Schmerzaufgewühltheit der spanischen Nation feiert hier kurz vor Ostern ihr Gottesdrama: ein finsteres Fest. Es wird klug sein, Andalusien vor Gründonnerstag zu verlassen. Ich fürchte, alle Ausfahrtstraßen der Städte werden von Kruzifixen, von Altären, von Särgen und Prachtkatafalken blockiert sein. Ganz Spanien wird hier auf den Knien liegen. Ich fühle mich bedroht.

Soll ich nun in Einzelheiten gehen? Soll ich von Algeciras, den Lichtern von Tanger, dem Felsen von Gibraltar erzählen? Gibraltar, wußten Sie das, lieber Doktor, lebt genau wie West-Berlin, ist auch eine Insel, ist auch total abgeriegelt vom Umland. Es wird durch britische Flugzeuge versorgt. Die DDR heißt hier Spanien. Soll ich Ihnen von Cádiz erzählen, der alten Hafenstadt tief im Südwesten, und wie wir Juan Carlos dort trafen, den König, in Cádiz? Ein unbeschreibliches Kasperletheater andalusischer Provinzgottheiten war da im Gang. Die Admiräle und Generäle und Provinzgouverneure standen wie Pinguine, stolzierten, schwer dekoriert, mit der steifen Grazie von Papageien auf und ab, den König erwartend.

Lieber Herr Doktor! Ich schreibe Ihnen diesen Brief aus Córdoba. Keine Sorge. Ich werde die herrliche Moschee hier nicht beschreiben. Ich bitte, auf das Datum zu achten. Wir schreiben heute den 31. März. Zehn Tage also nach Frühlingsanfang. Temperatur: 16 Grad. Luftfeuchtigkeit minimal. Das Wetter ist mild, freundlich. Heute morgen allerdings hat es geregnet, nicht lange. Um zwölf brach wieder die Sonne durch. Mittags wird es schon ziemlich warm. Man kann schon im Hemd gehen. Die Blumen hier überall in den andalusischen Höfchen: rotviolett. Sie kennen das von Lorca? Abends wird es sehr frisch. Das Hotel ist gut beheizt. Im Unterschied zu Portugal klappt der Tourismus hier wie gewohnt. Nur mit dem Wein habe ich Schwierigkeiten. Ich bin einfach verdorben durch all unsere köstlichen Kaiserstühler und Frankenweine. Was immer man hier kauft, wo immer man in der Bar ein Gläschen probiert: Er klebt. Es schmeckt alles nach Malaga: zu süß, zu dick. Ich danke.

Wieso eigentlich Córdoba? werden Sie sich zu Hause in Frankfurt fragen, wenn Sie diesen Brief erhalten. Sie werden es Ihre Gattin fragen: Warum ist er von Portugal denn jetzt nach Andalusien gefahren? Verstehst du das, Elise? Lieber Herr Doktor! Ich finde das eine sehr intelligente Frage. Sie führt uns auf grundsätzliche Probleme. Ich irre nicht herum. Ich taumle nicht wie ein Schmetterling durch den Frühling, wenn's auch so scheinen mag, für Uneingeweihte. Wir machen diese Frühlingsreise, wenn ich es so vereinfachend sagen darf, auf wissenschaftlicher Basis, sozusagen in höherer Mission. Ich meine, ich bin doch kein Träumer, der einfach ins Blaue reist. Ich bin also, bevor wir in Frankfurt aufbrachen, zunächst zum Deutschen Wetterdienst nach Offenbach gefahren. Ich wollte das mit dem Einzug des Frühlings in Europa ganz genau wissen. Wir Durchschnittsmenschen von heute meinen immer: Ach, der Frühling? Das ist doch kein Thema der Wissenschaft. Der kommt doch von selbst und meistens mit Brausen, so um Ostern. Frühling läßt sein blaues Band... Das reicht dann bis Pfingsten.

Weit gefehlt, lieber Herr Doktor! Der Frühling ist ein strenges, ernstes Thema. Mindestens das haben die Meteorologen mit den Germanisten gemein: Sie verstehen es, aus den anmutigsten Gebilden todernste Stoffe zu machen. Stoffe für Staatsexamen und Schlimmeres. Ganze Kollektive von Wissenschaftlern sitzen, tief gebeugt und ernst vergrübelt, über diesem heiteren, fröhlichen Burschen, beobachten, sezieren ihn, stellen vorsichtig Diagnosen, wagen sich sogar in das schwierige Feld der Prognosen vor. Um es kurz zu machen: Es gibt diesen nicht hoch genug zu schätzenden ›Bericht des Deutschen Wetterdienstes Nr. 101‹ (Band 14) mit dem Titel ›Beiträge zur Phänologie Europas I. 5 Mittelwertskarten, Erstfrühling bis Herbst‹ von dem zu Unrecht nicht berühmten Dr. Fritz Schnelle, Offenbach am Main, 1965. Nämlicher weist auf Karte 2 für ganz Europa den mittleren Beginn der Apfelblüte aus. Von den Meteorologen wird nämlich Frühling nicht nach dem Kalender, sondern nach dem Stand der Apfelblüte festgelegt. Gell, da staunen Sie? Ich tat es auch, damals in Offenbach. Diese Karte ist unser Reiseführer. Es kann uns gar nichts passieren. Wir reisen wissenschaftlich abgesichert. Dr. Fritz Schnelle, unser Führer, hat in zehnjährigen Forschungen nachgewiesen, daß der Frühling exakt am 21. März in Algarve beginnt. Er ist ein Wandervogel. Zehn Tage später soll er im Raum Málaga eintreffen. Es soll hier in Andalusien eine herrliche Apfelblüte ausbrechen. Ich frage Sie nur, lieber Doktor: Haben Sie schon einmal einen andalusischen Apfelbaum gesehen? Ich nicht, bisher.

Spaniens grüne Küste

San Sebastián, den 7. April

Liebe Simone! Ist das ein Wetter hier! Es regnet. Es gießt, es rauscht und strömt seit Tagen. Ganz San Sebastián ist ein sprühendes Wasserballett. Das Meer tobt wie eine erzürnte Gottheit. Es schlägt seine Wellen mit ungeheurer Wucht gegen den Strand. Der Fluß vor unserem Hotel, ich glaube, er heißt Río Urumea, drückt seinerseits nicht minder heftig seine Wassermassen ins Meer. Das spritzt und peitscht nur so. Es ist unmöglich auszugehen. Wir sitzen im Hotel. Ich hörte gestern im Radio, bei Euch in Baden-Baden sei köstlicher Frühling. Ihr sollt gestern 27 Grad Wärme gehabt haben, einen Vorsommertag. Beneidenswert. Hier ist es barbarisch kalt geworden: 9 Grad. Wir haben wieder die Mäntel herausgeholt. Hier fegt von England her ein rauhes Nordklima durch die leeren Straßen. Über dem tobenden Atlantik hängt eine stahlblaue Wolkenwand. Spanien, das darf man wohl sagen, hat viele Gesichter.

Ich schreibe Dir diesen Brief nach Baden-Baden als Ostergruß. Die Saison beginnt? Wie schön! Ich stelle mir vor, daß im

Kurpark die Forsythien schon hellgelb blühen. Die blauen Stiefmütterchenbeete, das junge Weidengrün in der Lichtenthaler Allee – ich spüre so etwas wie Heimweh nach dem badischen Land. Du hast recht gehabt damals: San Sebastián erinnert entfernt an Baden-Baden. Ein altmodischer Badeort aus den Gründerjahren mit monströsen Hotelkästen, lauter leere Luxusdampfer einer sterbenden Klasse. Die pompöse Badekultur von gestern zerbröckelt und verschimmelt hier langsam. Wir hausen in dem Palasthotel Reina Cristina ziemlich allein. Das Essen ist beklagenswert. Wir haben es in anderen Häusern versucht. Es ist immer dasselbe. Ich verstehe nicht, warum. Mit einem enormen Aufwand an Personal und Galadiner-Riten wird bei exklusivem Kerzenlicht so gut wie nichts serviert. Noch nie habe ich so kostbares Tafelgeschirr so strahlend leer gesehen. Aber fein geht's schon zu: mit Frack und Sektkübel und so. Vor allem die Steaks hier im Baskenland sind grauenvoll. Ich hoffe, daß sich kein Baske in seinem Nationalstolz getroffen fühlt. Sie haben die Schmackhaftigkeit mürber Schuhsohlen.

Und doch, liebe Simone: Wir sind weitergekommen. Du weißt, daß wir in Sachen Frühling reisen? Wir suchen, wir riechen, wir fühlen und schmecken – wo ist er denn? Wir kamen aus Madrid und Burgos: Er war nicht zu sehen. Man fährt durch eine gewaltige Berglandschaft, und wenn man nach sehr vielen Schleifen die letzten Paßhöhen überwunden hat, ungefähr vierzig Kilometer vor der Küste, während man immer tiefer sinkt, kommt man plötzlich in ein ganz anderes Spanien. Eine herrliche grüne, frische Hügellandschaft, die mit ihren sanften, bläulichen Bergen ans Allgäu erinnert. Schafe, die weiden; Kühe, die saftiges Gras mit sichtbarem Vergnügen fressen. Man könnte auch sagen: Ein Schwaben-Idyll in Spanien. Man ist verwirrt: Wie das? Wo kommt das her? Grüne Heimaterinnerung. Und da geschah es dann auch. Es war vor drei Tagen. Es regnete noch nicht. Es schien eine sanfte, milchige Sonne. Wir fuhren eben in Santillana del Mar ein, dem kleinen Touristendörfchen bei Altamira, dem Höhlenort; da, während ich nach einem Hotel suchte, sahen wir dieses Wunder am Straßenrand. Ich war fasziniert. Ich war hingerissen. Da standen Apfelbäume. Du wirst es nicht glauben: Sie blühten – spanisch.

Ich will nicht sagen, daß wir niedergekniet wären, aber es war doch ein großer Augenblick, ein erster Höhepunkt unserer Europa-Tournee. Endlich! Ich hatte endlich Beweise zur Hand. Du wirst sagen: Woher weißt du denn, wie ein Apfelbaum blüht, du Großstadtpflanze? Du kannst doch nicht einmal die Kirschblüte von einer Birnenblüte unterscheiden! Doch ist das ungerecht. Es gehörte mit zu meinen umfänglichen Vorstudien beim Deutschen Wetterdienst Offenbach, daß ich schon im Februar damals gewisse botanische Grundkenntnisse nachgeholt hatte. Bitte: Die schöne, kräftige Blüte, die uns für September, Oktober den köstlichen Apfel verheißt, ist bei allem strahlenden Weiß durch einen rosaroten Schein zu erkennen, der zunächst bei der Knospe unter dem grünen Deckblatt, später dann aber auch im Blütenkelch zu erkennen ist. Weißrot ist also die Signalfarbe, zunächst. Später verliert sich das dann. Wie gewöhnlich dagegen die fetten, gelblichen Birnenblüten oder die kleinen, luftigen Kirschblüten wirken. Sie sind keines Blickes wert. Wir haben sie immer links liegenlassen auf dieser Reise.

Wir hielten an. Wir stiegen aus. Wir näherten uns nicht ohne dankbares Staunen, sokratisch im Geist. Nun ja, es war nicht gerade ein Blütenmeer, das uns empfing. Es waren nur ein paar Äste, an denen da und dort, halb offen, jene kleinen, grünrötlichen Knospen eher schüchtern prangten. Bist du sicher? Bist du auch ganz gewiß, daß es Äpfel sind? Je länger wir observierten: Die Beweiskraft war überwältigend. Ich zückte den Fotoapparat, legte scharf an, schoß. So muß wohl einem Geheimagenten zumute sein, der seinen Untäter um die halbe Welt verfolgt hat: Plötzlich an der kantabrischen Küste, plötzlich auf diesem uralten Pilgerweg nach Santiago de Compostela, plötzlich – wer hätte das gedacht? – an einem Straßenrand unter einem blühenden Apfelbaum schnappen die Handschellen zu. Der Täter ist überführt. Der Frühling ist dingfest gemacht. Wir haben ihn ertappt. Wir halten ihn, werden ihn nicht mehr hergeben. Wir bleiben ihm jetzt auf der Spur. Ich brach ein Ästchen ab, legte es liebevoll neben das Steuerrad: die erste Reisetrophäe, die uns auswies – als Frühlingssucher.

Es war ein Frühlingserlebnis eigener Art. Nicht das, das wir von zu Hause kennen. Zu Hause? Wir gehen durch den Garten, vielleicht Mitte März. Wir treten auf den Balkon. Wir riechen, wir wittern, wir schnuppern: eine weiche, milde Luft heute, die uns hoffen macht. Du, ich glaube, es wird Frühling. Der Winter ist weg. Seine Macht ist gebrochen. Ich rieche das. So nicht. Unser Frühlingserlebnis war nicht von so kleinbürgerlicher Art. Es atmete eher den strengen Geist der Statistik und der Geometrie. Bitte, sagte ich, unsere alte Erde ist noch intakt. Die Welt stimmt. Gestern in unserem Madrider Hotel, kurz vor dem Einschlafen, habe ich es auf unserer Apfel-Karte noch nachgelesen; da stand neben Bilbao: 10. April. Wie präzis wir doch sind. Es ist heute ja der 7. April. Du kannst das Datum am frühen Stand der Knospen ablesen. In drei Tagen muß der Frühling auch hier eintreffen, bestimmt.

Liebe Simone! Dies soll auch ein Gruß aus dem Baskenland sein zum Schluß. Kein Frühlingsgruß. Auch hier ist eher von Kälte, von Angst, von einem eisigen Schweigen zu berichten. Baskische Untergrundkämpfer kamen uns nicht über den Weg. Man sieht da und dort Mauerparolen; die Schrift an der Wand. Dies hier ist ja im Unterschied zu Andalusien ein hochentwickeltes Land. Eine gewaltige Industrialisierung zieht sich an der Nordküste entlang und verdreckt das grüne Land. Wir sahen von weitem Bilbao. Es ist jenes Bilbao, das unsereiner von Brecht-Songs zu kennen meint. Es war, als wir vorbeifuhren, in eine einzige Wolke von Rauch und Qualm und Industrieschmutz gehüllt. In solchen Ballungsräumen sammelt sich unweigerlich revolutionärer Geist. Das Leben ist vollkommen vergiftet. Wir fuhren weiter. Wir waren auf dem Weg nach Guernica.

Ach, diese großen Namen! Guernica ist eine Chiffre, ein Mythos, nicht anders als Verdun oder Stalingrad. Ein Bild hat diese Stadt weltberühmt gemacht. Guernica wurde 1937 im Spanischen Bürgerkrieg durch einen Bombenangriff der Faschisten fast völlig zerstört. Im Grunde war der Vorgang so weltbewegend nicht, wenn man daran denkt, welch ein Meer, welch ein Orkan von Bomben später über Europa niederging, von Rotterdam bis Dresden. Guernica war nur der erste Fall. Das Vorspiel zum Zweiten Weltkrieg, die Generalprobe, auch für Görings junge Luftwaffe. Picassos herrliches Wandgemälde hat dieses erste Opfer des modernen Luftkrieges für immer unvergeßlich gemacht. Ich habe es im Museum of Modern Art in New York gesehen. Und wenn man mit solchen Erinnerungen im Kopf dann dort einfährt, ist es enttäuschend. Nichts erinnert an das, was war. Die Stadt ist längst wiederaufgebaut. Wir liefen von Straße zu Straße. Es war kalt. Es war naß. Es hatte schon der große Regen von der Biskaya begonnen. Wir sahen überall in die Schaufenster. Man meint, irgendwo müsse doch wenigstens das eine Bild zu sehen sein, die große Erinnerung, die Vision, die alles erklärt. Nichts. In Guernica ist nichts als der berühmte Stumpf der uralten Eiche zu sehen, unter der früher der baskische Landtag zusammentrat. Guernica gilt noch heute als die heilige Stadt der Basken. Mir sagt das nichts. Ich finde so etwas abscheulich: heilige Eichen. Wir gingen zum Bahnhof, ein grauer, trostloser Kasten, halb verfallen. Alles leer und verödet in diesen Kartagen. Ich setzte mich dort auf die Bank unter das Bahnhofsschild. Wanderer, kommst du nach Guernica, dachte ich, sage den anderen: Da ist überhaupt nichts zu sehen.

Die Schönheit der Loire

Chambord, den 20. April
Lieber Freund! Endlich ist es soweit! Endlich kann ich Dir den Brief schreiben, auf den ich lange gehofft habe. Wir sind, wenn ich es recht sehe, jetzt auf dem Höhepunkt unserer Reise. Dies soll also auch ein Brief über Grundsätzlicheres werden: über die Schönheit, die Jugend, den Glanz, den Eros und wie so viel Zauber manchmal auch umkippt in Trauer und frühen Tod. Ist Dir bewußt, daß die Schönheit das Sterbliche ist? Wußtest Du, daß sich im Frühling die meisten Selbstmorde ereignen? Also kein Hymnus, keine strahlende Frühlingstrompete, obwohl im Augenblick hier ein makelloser Frühling ist. Dies sei eher eine kleine Fußnote zu einem herrlichen Vers: »Wer die Schönheit angeschaut mit Augen, / ist dem Tode schon anheim gegeben. / Wird zu keinem Dienst auf Erden taugen, / und doch wird er vor dem Tode beben, / wer die Schönheit angeschaut mit Augen.« Platen, der alte Intimfeind von Heine, hat das geschrieben. Fünf Zeilen, die blieben, fünf Zeilen aus einem Werk, das versunken, vergessen ist. Zu Recht? frage ich.

Es ist heute der 20. April. Wir wohnen in dem kleinen Hotel Saint Michel direkt gegenüber dem Zauberschloß der Loire, Chambord genannt. Hier im Tal der Loire ist jetzt ein Frühling im Gang wie gemalt von den französischen Impressionisten. Es flimmert und glitzert alles im silbrigen Morgenlicht. Es ist angenehm warm. Der Himmel ist blau. Die Loire ist ein sehr breiter, flacher Fluß, mit hellen Sandstränden. Bisweilen kleine Inseln und Sandbänke im Wasser. Mit einem Satz: ein Anglertraum für Franzosen. Weiden bücken sich tief ins Wasser. Pappeln strecken sich hoch ins Licht. Birken stehen im jungen Grün. Und dann unser Reiseziel, unsere Zielgruppe sozusagen: unsere Apfelbäume, die, die wir in Portugal immer suchten, im Wörterbuch vor allem, die, die wir in Andalusien nicht fanden, die, deren Ahnung uns erst bei den Basken zuteil wurde – hier stehen sie rum, massenhaft und in Plantagen. Das wird wohl alles im scharfen Calvadosschnaps enden.

Was machen die Apfelbäume an der Loire am 20. April? Ich als beauftragter Beschauer, als halbamtlicher Phänologe teile Dir verläßlich mit: Sie blühen. Sie blühen ungemein reich, ja verschwenderisch. Ihr Blütenstand ist genau richtig, nicht mehr knospenhaft, aber auch noch nicht zu weit erblüht. Jede Blüte sagt: Jetzt ist Frühling, und ich bestätige das. Es ist ein rauschhaftes Licht. Es flimmert und zittert in den Baumkronen – weiß. Jedesmal wenn man an einen solchen Apfelhain kommt, ist es, als würde man verrückt. Man möchte empor, hinaufsteigen, fliegen. Man möchte wie Euphorion immer höher ins Licht, dem Äther entgegen. Die ganze Natur legt jetzt für wenige Wochen ihr schönstes Kleid an. Sie lockt und wirbt mit allen Reizen der Sinnlichkeit: Sie leuchtet, sie duftet, sie strahlt – hohe Zeit. Hochzeit wird jetzt gemacht. Der Frühling ist ein köstlicher Werbetrick unserer alten Mutter Erde. Ihr Werbemittel heißt: die Schönheit. Ihr Werbeziel: die Zeugung. Die Natur will sich fortpflanzen, das ist es. Im Grunde geht es um die Erhaltung der Art. Aber wie?

Mir fällt es bei der Jugend auf. Früher sprach man von Adoleszenz, heute vom Teenager-Alter. Diese ganz kurze Reifungsphase der Mädchen, der Jungen, sagen wir, zwischen siebzehn und dreiundzwanzig. Sie sind in diesem Augenblick spätpubertären Erwachens von diesem erotischen Reiz der Blühphase bestimmt. Sie sind schlank, zart. Ihr Körper ist jetzt vollkommen. Sie sind oft strohdumm, aber wunderschön für ein paar Jahre. Der ganze Charme des Anfangs, des Aufbruchs liegt noch über ihren Gesichtern. Gerade die Unreife macht ihren Reiz. Eros war ein Knabe. Da ist alles noch offen, nicht festgelegt. Nur Erwartung, nur Hoffnung, nur Frage an das Leben. Was wird es bringen?

Es ist so, denke ich: Man muß nicht. Der Mensch muß keineswegs erwachsen und reif und richtig vernünftig werden. Die Jugend hat ihren eigenen Wert. Ach, diese Gesichter der Erwachsenen, der älteren Menschen, der sogenannten Vernünftigen im Leben. Wie oft habe ich sie gesehen, beobachtet: die, die sich morgens um sieben in der Straßenbahn drängen, die, mit denen wir mittags um zwei in einem Warenhauslift in den fünften Stock fahren, die, die des Abends hinter ihrem Mercedesstern am Steuerrad so rabiat nach Hause drängen – aus ihren

Gesichtern spricht meist Enttäuschung, Verfehlung, mißratener Traum. Das fängt stets leuchtend und hoffnungsfroh an mit siebzehn. Und wenn sie dann vierzig oder fünfzig sind – was blieb? Fast nichts. Der Traum der Jugend ist ausgeträumt. Die scharfen Züge um die Mundwinkel: Verbitterung. Die vielen Falten um den Hals: das Alter. Das Alter steigt über den faltigen Hals ins Gesicht. Das Doppelkinn: Die schöne Kontur ist hin. Der eine ist dick, der andere spindeldürr, der eine ist aschgrau, der andere krebsrot geworden. Man bleicht aus, wird immer weißer. Täglich werden die Haare weniger.

Man sagt: Das Leben. So ist das Leben, mein Bester! Das Leben erfüllt nicht unsere Blütenträume. Leben heißt sich einrichten, sich abfinden. Es finde sich jeder ab in seinem realen, beschränkten Kreis. Schon wahr, sehr richtig. Nur, was ging dabei auch kaputt? Wer spricht von den Verlusten, dem Welken der Menschlichkeit? Das Leben ist ein Unterwerfungsakt, ziemlich grausam. Da wollte einer Dichter werden mit siebzehn. Und sitzt dann mit fünfzig als Oberinspektor im Postamt 2. Er wartet nur noch auf seine Pensionierung, also den Tod. Das Mädchen, das einmal vom Film träumte, sitzt später vierzig Jahre in einem Anwaltsbüro als Sekretärin. Sie ist oft krank. Sie geht dann auf Rente mit sechzig. War das also das Leben, ihr Leben? Ich frage ja nur.

Nein, man muß nicht. Ich wiederhole: Es muß nicht jeder erwachsen, ganz traumlos werden. Die Jugend hat ihren eigenen Reiz. Es gibt diese ganz natürliche Nachbarschaft von Jugend und Tod. Schönheit, die sterben will. Da bricht etwas ab. Da weicht etwas aus. Es will nicht hinein in den kruden Dreck unseres wirklichen Lebens. Es will im Eros des Anfangs, also der Hoffnung, bleiben. Das hat auch seine Würde, seinen Rang, von dem wir doch alle zehren in Wahrheit. Der Trieb, sich auszulöschen, bevor das ganze Theater der Anpassung beginnt, hat seine eigene Humanität. Nur die Toten bleiben jung. Werther mußte sich umbringen, rechtzeitig. Werther, siebzigjährig, wäre lachhaft, eine Spottgestalt auf Liebe und Leidenschaft, den ergriffenen Menschen. Thomas Mann hat diese absurde Idee in seinem Roman ›Lotte in Weimar‹ ja durchgespielt. Und was wäre aus Büchner, aus Kleist, aus Lorca, aus dem jungen Borchert geworden im Greisenalter? Wahrscheinlich ein sabbernder Professor, noch ein Professor mehr, für Literaturgeschichte, Fachbereich Spätexpressionismus. Die, die früh sterben, haben ihre eigene Unsterblichkeit. Sie sind nur jung, nur Hoffnung, nur schöne Verheißung gewesen. Sie zeigen uns, was wir sein könnten, aber nicht sind.

Lieber Freund! Kennst Du die Loire-Schlösser? Ich kann Dir unseren Standort, dieses kleine Hotel Saint-Michel gegenüber Schloß Chambord, für alle Fälle empfehlen. Drei Tage lang haben wir hier die blühende Landschaft und all ihre Schlösser abgefahren. Es ist ja kein Mangel: Amboise, Chenonceaux, Loches, Langeais, Chinon, Azay-le-Rideau, Cheverny, Chaumont und wie diese Zweisternpunkte im Polyglott alle heißen – massenhaft Schlösserglück. Nachdem ich das jetzt gesehen habe, muß ich sagen: So imponierend, so großartig ist das meiste nicht. Viele Schlösser sind nur sehr alte Landsitze, die dahinmodern. Manche sind kaum der Rede wert. Da könnten sich Schloß Büdingen oder Schloß Kranichstein in Hessen genauso touristisch zieren. Ich will vom schönen Frankenland, von der Würzburger Residenz oder Schloß Pommersfelden nicht reden. Das sind Perlen der Kunst, gemessen an manchen Landschabracken, die hier vergammeln.

Nur Schloß Chambord, von wo ich Dir schreibe: Es entschädigt für alles. Ein Traumgebilde der Phantasie, ein Märchen in Stein – hinreißend. Ich meine nicht seine Größe, seine sehr raffinierte Innenarchitektur, obwohl seine 440 Prunkzimmer auch bemerkenswert sind. Ich meine seine Dachkonstruktion. Ich habe so etwas Bizarres und Grotesk-Absurdes noch nie gesehen. Von seiner halben Höhe an wird das Schloß ganz von seiner schwerlastenden Dachkonstruktion bestimmt. Das Dach ist mit unzähligen Türmen, Giebeln, Kaminen und neuen Häusern oben so überladen, daß es dort eine Stadt für sich bildet. Eine komplette Loire-Stadt auf dem Dach, ganz eng zusammengedrückt. Von weitem sieht es aus, als stünden da die Reste eines Gelages, lauter Rotweinflaschen gestapelt. Doch ist der Phantasie freie Bahn gegeben: Man kann darin auch eine festliche Versammlung von Riesengästen oder einen Zauberwald, die glänzenden Rüstungen von vielen Rittern sehen. Im Abendrot ist es, als begänne dort ein Märchen-Theater. Des Nachts wirkt es geisterhaft, auch beängstigend. Das Wort ist ja vollkommen verbraucht und untauglich. Ich will es trotzdem sagen: Verzauberung. Chambord wirkt wie ein Zauberschloß. Was heißt das? Man muß immer hinsehen. Man ist nicht mehr frei. Magie und Bannstrahl hat dich getrofffen. Du bist von der Schönheit geschlagen.

Lieber Freund! Jetzt bin ich noch einmal bei meinem Thema.

So ein Schloß ist natürlich völlig sinnlos vom Standpunkt reifer und praktischer Vernunft. Die Gewerkschaften würden heute seinem Bau nicht zustimmen. Des bin ich sicher. Franz I. hat es 1519 trotzdem gebaut. Es war nie eine Residenz. Es stand meistens leer, nur gelegentlich wurde es zu Jagdausflügen besucht. Auch Ludwig XIV. war in seiner langen Regierungszeit nur neunmal hier. Ludwig XV. hat es schließlich dem Marschall Moritz von Sachsen geschenkt. Der ließ seine zwei sächsischen Reiterregimenter davor exerzieren – lauter Verlegenheiten. Im Etat Frankreichs war Chambord ein glatter Blindgänger, eine Fehlinvestition. Eine herrliche Blüte, die nie etwas trug, nie reif wurde, nie fruchtete. Sie ist vollkommen zwecklos gewesen: nur ein schöner Traum wie die Jugend. Ist das nicht der Frühling? Für ein paar Wochen sind wir wie Eros. Wir blühen. Und dann?

Erwachen am Oberrhein

Oberrotweil am Kaiserstuhl, den 30. April
Sehr geehrter Herr Professor! Ich weiß, ich bin Ihnen längst Rechenschaft schuldig. Sie haben mich Ende Februar in Ihrem Haus beim Deutschen Wetterdienst in Offenbach so ausführlich beraten. Es ist heute der 30. April: zwei Monate später. Es kommt mir viel länger, es kommt mir wie eine Ewigkeit vor, seitdem ich damals im Stande vollkommener Unwissenheit unter Ihre sehr ernsten Augen trat. Ich erinnere mich an Bücher, Karten, Statistiken, Mappen und Tabellen mit interessanten Verlaufskurven, von denen Sie umgeben waren. Ihre Wissenschaft, eine Burg, die ich nie nehmen würde; mir war das sofort klar. Sie waren sehr zurückhaltend, eher skeptisch, als ich mein Anliegen vortrug. Sie meinten stirnrunzelnd, dies sei eine heikle und komplexe Mission, die ich übernommen hätte. Ob ich denn nicht einen Meteorologen mit auf die Reise nähme? Wie ich das alles schaffen wolle ohne wissenschaftliches Team und Gerät? Welche Meßgeräte ich denn schon besäße? Ich war sehr verschüchtert.

Sie führten mich damals kursorisch in die Grundlagen der Phänologie ein. Ich erfuhr nicht ohne Staunen, daß es diese hochinteressante Wissenschaft von den Erscheinungen, eben die Phänologie, gibt, die die Wachstumsereignisse und Wachstumsphasen der Pflanzenwelt in Europa heute beobachtet, präzis verarbeitet in sehr eindrucksvollen Landkarten. Die Landwirtschaft des EG-Raums weiß Ihnen zu danken. Ich lernte so markante Entwicklungsphasen wie Blattentfaltung, Blüte, Fruchtreife, Laubverfärbung und Laubfall fein säuberlich unterscheiden. Ich wurde belehrt, wie kritisch dabei Witterungselemente wie Temperatur, Niederschlag, Strahlung, Sonnenschein, Wind, Luftfeuchtigkeit zu berücksichtigen wären. Lauter Banalitäten, dachte ich heimlich aufmüpfig. Nur komisch, daß die Wetterpropheten trotz ihres imponierend wissenschaftlichen Aufwands so kümmerliche Ergebnisse erzielen. Auf ihre Wettervoraussagen im Radio ist im Ernstfall doch kaum Verlaß – oder?

Der Frühling: Sie belehrten mich, daß er ein Wandervogel sei. Ich hatte es geahnt. Ich fand das lustig: ein liebenswerter, leichtfüßiger Geselle, ziemlich unzuverlässig, ein Luftikus – fast wie ich. Ich meine, wie alle Literaten, gemessen an Ihrer strengen Zunft. Ein Wanderbursche, der irgendwo aus dem Süden kommt, pfeifend und singend zuweilen. Ich dachte an Bozen, Meran, Florenz, vielleicht auch an Sizilien. Weit gefehlt! Sie, Herr Professor, führten mich mit Ihrem großen Zeigestock an diese Karte 2 des zu Unrecht nicht berühmten Dr. Fritz Schnelle: ›Beiträge zur Phänologie Europas. Mittlerer Beginn der Apfelblüte‹. Sie ist mir inzwischen so lieb und teuer geworden, Sie ist fast zerfleddert. Damals erfuhr ich zum erstenmal, was ich mir inzwischen längst an den Hacken abgelaufen habe. Ich erfuhr, daß ich all meine kindlichen Vorstellungen von Maiglöckchen, Tulpen und Forsythienblüten begraben müsse. Dies eben sei nicht der Frühling. Es wurde mir beschieden, daß der Deutsche Wetterdienst in Offenbach sich mit allen Gelehrten der Welt dahingehend geeinigt hat, daß allein die Tage des mittleren Beginns der Apfelblüte maßgeblich sind. Das war wie ein Bundesgerichtshof-Urteil für mich: höchstrichterlich. Man muß sich da unterwerfen.

Man müßte nun natürlich, um Ihrer Präzision zu entsprechen, Herr Professsor, noch die einzelnen Apfelsorten in sich unterscheiden. Es gibt Frühblüher und Spätblüher wie in der Literatur. Es gibt rote Renetten, graue und goldene Renetten. Es gibt den köstlichen Boskop und sehr viel mehr. Ich lasse das weg. Ich spreche, gröblich vereinfachend, vom Apfel schlechthin: dem, den schon Eva dem Adam reichte, dem Paradiesapfel, sozusagen. Der Apfel ist ja im Volksglauben immer ein Zeichen für Liebe, Fruchtbarkeit, Jugend und Schönheit gewesen. Ich verweise aber auch auf die Sündhaftigkeit des Apfels, eben im Christentum. Jener, so zeigten Sie mir an Ihrer Karte, beginne in Europa am 21. März in Algarve zu blühen. Das hinge mit dem Atlantik, also dem milden Golfstrom, zusammen. Er eile nicht. Er rase nicht. Er brause auch nicht, wie unsere Dichter früher meinten. Er ziehe von dieser Westküste Europas fast genüßlich im Wanderschritt los. Er braucht gut neunzig Tage, bis er endlich oben in Lappland ist. Pro Tag legt der Frühling nur dreißig Kilometer auf seinem Einzugsweg von Südwesten nach Nordosten zurück. Ein humanes Tempo. Man könnte ihn bequem mit dem Fahrrad begleiten, zur Not gar zu Fuß. Wir machten es mit dem Auto.

Seine Einzugswege: Auch hier wurde ich belehrt und überrascht. Man kann zwei Routen wählen. Er zieht einmal, von Portugal kommend, an der Südküste Spaniens entlang, klettert über Alicante, Valencia, Barcelona über Südfrankreich zur Riviera hoch. Dort ist er nach Dr. Fritz Schnelle am 10. April. Er wandert dann durch das liebliche Rhônetal hoch zur Burgundischen Pforte. Das ist sein volkstümlicher, sozusagen gewöhnlicher Weg. Man kann ihm aber auch, wie wir es taten, auf seinem etwas verzwickteren, delikateren Weg quer durch die Höhen und Tiefen Spaniens bis an die Biskaya folgen. Er wandert über Bordeaux und Nantes dann ins Tal der Loire, küßt die Schlösser dort wach und trifft sich mit dem anderen, dem gewöhnlicheren Frühling genau am heutigen Tag, da ich Ihnen dies schreibe, an der Burgundischen Pforte unweit von Basel. Er bricht dann über den Rheingraben mit großer Entschlossenheit nach Deutschland ein, zieht sich über den Kaiserstuhl, die Bergstraße bis Frankfurt hin. Von dort an ist sozusagen kein Halten mehr. Er ergießt sich in Windeseile über den Rest. Ganz Deutschland, das kapitalistische und das kommunistische, blüht gemeinsam, als hätte es nie eine deutsche Teilung gegeben, exakt am 10. Mai. Merkwürdig, daß die DDR nie dagegen protestiert hat. Die haben doch auch Meteorologen, oder? Er wandert dann gemessenen Schritts weiter. Die Eile verzögert sich wieder im hohen Norden. Es dauert noch einmal fast sechs Wochen. Erst am 19. Juni, wenn tief im Süden schon die erste Ernte beginnt, kommt er in der nördlichsten Hafenstadt Schwedens an. Es handelt sich um jenes sagenhafte Haparanda, das ich nie kennenlernen werde, wie Vineta. Es ist mir zu kalt und zu kahl da oben. Ich weiß dies nur dank Dr. Fritz Schnelle und Ihrer präzisen Belehrung.

Sehr geehrter Herr Professor! Wird es Sie nun verstimmen? Wird es mich um den Rest meiner Seriosität bei Ihnen bringen, wenn ich jetzt, langsam rückkehrend, vorsichtig bilanzierend, sage: Schön ist Ihre Theorie. Sie ist nicht grau, wie Goethe meinte. Sie ist strahlend schön. Nur, meine Praxis war oft ganz anders. Es ist kein Verlaß auf das Wetter mehr, das möchte ich zunächst sagen. Ach, wenn ich jetzt zurückdenke: all die Hotelabende, da ich, gebeugt über Ihre Apfelkarte, brütete und, statt ins Café zu gehen, tiefsinnig darüber nachsann, wo wir dann morgen hinfahren müßten, um nur den Frühling nicht zu verfehlen. Sie hatten recht: Einen Seismographen hätte ich schon gebraucht. Ich wäre so gern in Madrid in den Prado gegangen und am Sonntag zur Corrida. Ich hätte so gern in Córdoba die schöne Moschee besichtigt. Ich hätte so gern in Pamplona das berühmte Stiertreiben beobachtet, in Altamira die Höhlen, na, und so weiter. Ihr Dr. Fritz Schnelle hat mir das alles vergällt. Ich bin immer getreulich dem Frühling gefolgt, habe mir vieles versagt. Leidvolle Stunden waren dabei. Stunden tiefer Enttäuschung. Ich war wie ein Liebhaber: bestellt, aber nicht abgeholt. Ich fand ihn oft nicht. Wo ist er denn, der schöne Vogel? Ist er schon wieder weg? Wie? Wo? Wo ist er geblieben, der Bursche, etwa auf der Plaza Mayor in Madrid, wo sich die Madrider zum Rendezvous treffen? Ich fühlte mich so verloren. Er war nicht gekommen, der Lümmel. Ich fror. Es war kalt.

Wissen Sie, Herr Professor, in der Praxis sieht solche Expedition oft ganz anders aus. Wenn ich jetzt zurückdenke: der Gestank, der Dreck in der City von Sevilla zum Beispiel, wenn man da abends um sechs, müde und vollkommen erschöpft, in diesen endlosen, giftigen Autokolonnen steht und nicht weiterkommt. Man muß jetzt ein Zimmer suchen und findet es nicht. Da vergeht einem der Zauber. Die Fahrt an der Costa del Sol, die Stunden in Benidorm, wo Tausende von Touristen, sehr viele Deutsche, in riesigen Wohnmaschinen, in gigantischen Wolkenkratzern wie Ameisen hausen und bräunen. Eine Beton- und Zementlandschaft. Abscheulich, wie da die Küste verbaut und zersiedelt wird. Die Frankfurter Hauptwache ist, daran gemessen, ein reines Naturidyll. Ich bin kein Marxist, aber hier unten kann man statt Frühling eher den Raubbau eines wüsten Kapitalismus studieren. Natur- und menschenfeindlich zugleich. Und ich zwischen diesen Betonklötzen mit meinem Schmetterlingsnetz, nach dem Frühling haschend – ein Bild absurder Entfremdung, nicht wahr? Es geht zu vieles kaputt, auch noch in Frankreich: gräßliche Steinwüsten rund um die Städte. Kein Umweltbewußtsein bis rauf nach Belfort. Das sah ich. Das scheint mir auch meldenswert, als Phänologem.

Sie werden sagen: Der Phänologe sucht fern von den großen Straßen. Er sucht in den Dörfern. Er schnuppert auf Feldern. Er prüft hinter einem Hühnerhof die Bäume. Ich erwidere: Wohl wahr. So tat ich es ab Frankreich und später. Aber tief unten? Wir konnten den berühmten Schritt vom Weg nicht machen. Wir haben es immer wieder versucht. Man versinkt dreißig Kilometer hinter Málaga sofort in Schlamm, Geschotter und eben in Dreck. Alles Achsenbruch-Straßen, jenseits der großen Touristenwege. Wer runtergeht von der Piste, ist verloren. Er wird sich vom ADAC abschleppen lassen müssen, als Wrack.

Weiter: die Richtung Portugal und Südspanien, die Sie mir mit Dr. Schnelle wiesen – schön und gut. Ich war angetan. Wer sagt denn da nein? Nur muß ich rückblickend sagen: Lohnt sich das? Wo ist denn da Frühling in unserem Sinn? Da ist immer Frühling. Ölbaumhaine, Korkeichen, Palmenhaine, Kakteen – sehr schön. Nur, was soll's? Erst wenn man an der Biskaya ins Grüne kommt, erst wenn man sieht, wie das Gras dort saftig und frisch neu ersteht, wie die Sträucher und Bäume junges Grün treiben – erst dann ist man dem Frühling auf der Spur. Darf ich etwas ganz Falsches, ja Frevlerisches sagen? Ich weiß, wie unwissenschaftlich es ist. Ich bleibe trotzdem dabei. Frisches Grün war mir lieb. Die Region der Mischlaubwälder, wo es neu beginnt. Nur wer stirbt, kann geboren werden. So etwas, natürlich, geht Sie nichts an.

Wir sitzen jetzt am Kaiserstuhl. Ich schreibe Ihnen aus Oberrotweil, dem Weindorf, das ich dankbar schmecke in jedem Schluck. Es ist, obwohl 30. April, heute ziemlich kühl. Es regnet. Es gießt und strömt nicht wie in San Sebastián. Es ist dieser ruhige, deutsche Landregen, bei dem man sicher sein kann: Das geht jetzt so weiter, wochenlang. Frieden geht davon aus. Ihre Apfel-Karte hat wieder recht: Tatsächlich blühen hier jetzt die Bäume. Sie stehen sehr ruhig und traurig und naß im Regen. Ich bin trotzdem glücklich. Ich liebe unser maßvolles, ausgeglichenes Klima. Es ist immer das gleiche auf Reisen. Man fährt mit so viel Erwartung und Hoffnung in den Süden. Es ist auch sehr schön und exotisch dort. Ich will es nicht tadeln. Und doch: Wenn man dann über Lyon, Dijon so langsam nach Colmar zurückkommt – ich atme immer auf. Ich fahre gern weg. Ich komme noch lieber zurück.

Ich bin eben ein Deutscher, ein hoffnungsloser Germane. Ich meine: Im Grunde geht nichts über den Wechsel der Jahreszeiten bei uns, der oft voller Tücken ist mit Glatteis im Februar und meiner Wintergrippe. Ich fühle wie Faust. Ich liebe den großen Rhythmus der Erde, dieses Stirb und Werde, wie man sagt. Es klingt vielleicht etwas großartig, aber ist doch – in uns. Verwandlung und Wechsel ist das Geheimnis des Lebens. Ich schrieb es schon einmal aus Portugal: Die ewige Sonne ist doch ein Traum für Friseure – zu schön für uns Menschenkinder.

Es ist gut, wenn es im Sommer heiß ist und brennt. Es ist gut, wenn das alles im Herbst dann noch einmal aufleuchtet, noch einmal zum rotgelben Lodern kommt und dann sanft zerfällt. Novembertristesse. Auch das Dunkel ist Leben. Das Leben kommt aus der Nacht. Wir alle kommen aus dem dunklen Mutterschoß gekrochen. Es ist gut, wenn dann der Winter mit viel Schnee und klirrender Kälte kommt. Und nur wer im Eis, im Frost, in kahler Winterlandschaft wirklich fror, kann dann den Frühling, warum soll ich es jetzt nicht sagen: das Wunder der Auferstehung erleben. Vom Eise befreit, na, und so weiter: Faust-Motive, Ostergefühle. Was ist das? Das Leben erwacht. Du siehst ja, das Leben, das weg war, kommt jetzt zurück. Du bist nicht tot. Du wirst leben. Es geht weiter mit dir und der Welt. Das ist für mich Frühling. Darf ich es so schlicht und unwissenschaftlich sagen, sehr geehrter Herr Professor? Ein Gruß aus dem kalten und nassen Kaiserstuhl nach Offenbach.

Preußischer Frühling

Potsdam, den 10. Mai
An das NEUE DEUTSCHLAND/Chefredaktion
Sehr geehrte Herren!
Ungern schreibe ich diese Anrede. Ich habe lange geschwankt. Ich hätte gern »Liebe Kollegen, werte Freunde vom anderen Teil Germanys« geschrieben. Doch lasse ich das. Man kann nie wissen. Sie könnten darin eine Einmischung in Ihre inneren Angelegenheiten, eine Anbiederung der Bourgeoisie, also eine Provokation sehen. Das will ich nicht. Ich bin auch für Abgrenzung. Man muß jetzt die beiden Deutschlands sehr klar auseinanderhalten.

Sehr geehrte Herren! schreibe ich also brav-bürgerlich und etwas zu preußisch-steif. Ich möchte Ihnen mit diesen Zeilen danken, daß Sie mir Eingang und Zutritt zu Ihrer Republik gewährten. Ich meine: Ich bin doch nicht Biermann. Mich können Sie ruhig reinlassen. Von mir brauchen Sie nichts zu befürchten. Ich werde in der Deutschen Demokratischen Republik keine Revolution anzetteln. Ich denke nicht im Traum daran. Ich wollte nur mal in Werder die Baumblüte sehen. Es hängt da so vieles dran für mich: Kindheit und das. Ich bin ein Berliner. Ich will Ihnen auch nicht mit den Erkenntnissen des Deutschen Wetterdienstes in Offenbach kommen. Das alles ist zu verzwickt und muß in seiner lächerlichen Aufwendigkeit Ihnen eher verdächtig vorkommen. Das kann doch wohl nur eine Intrige des Imperialismus sein. Da fährt einer nach Portugal und nach Spanien, ausgerechnet jetzt nach Spanien – nur um dort Apfelblüten zu betrachten. Das gibt's doch wohl nicht, im Kopf. Welche Fluchthelferorganisation hat ihn beauftragt? Ist er ein Agent?

Ich weiß, sehr geehrte Herren, das werden Sie nie verstehen. Das ist zu subtil. Das fällt durch das grobmaschige Netz des Marxismus-Leninismus glatt durch. Es ist ganz unsoziologisch und unpolitisch, was ich auf dieser Reise betreibe. Sie werden das natürlich abstreiten, abstreiten müssen aus Ihrer Ideologie. Ich aber sage Ihnen: Es gibt Themen bei uns im Westen, da ist trotz äußersten Mißtrauens kein Klasseninteresse dahinter auszumachen. So etwas gibt es, glauben Sie mir, bitte. Bei aller Einsicht in die Erkenntniskraft des Marxismus-Leninismus werden Sie einräumen: Der Frühling ist seiner ganzen Natur nach kein Klassenphänomen. Gott oder das Universum oder die Feuerbachsche Materie, was immer Sie wollen, philosophisch, läßt tatsächlich die Sonne ganz gleichmäßig scheinen über Kapitalisten und Kommunisten. Das mag ungerecht sein. Ich räume das ein. Ich bin mit Ihnen der Meinung, daß die Arbeiterklasse mehr Sonne braucht als die Kapitalisten, viel mehr. Nur ist es nicht so. Unsere alte Mutter Erde ist nicht in den Klassenkampf verwickelt. Die will nicht. Die macht noch wie früher, wie immer weiter.

Sie werden zustimmen: Es gibt keine Apfelblüte, die man als fortschrittlich oder als reaktionär einordnen könnte. Oder sehe ich das falsch? Die Äpfel selber später sind natürlich ein klares Klassenproblem: ob sie dem Volk oder den Monopolen munden. Das sehe ich. Ich aber bin wirklich nur nach Potsdam gekommen, um das Blühen der Blüten in der Deutschen Demokratischen Republik zu betrachten. Wie blühen sie? Die Baumblüte in Werder war immer mein Traum. Wir hatten da früher von unserem Berliner Gymnasium aus ein Landschulheim. Ich habe es gesucht, nicht mehr gefunden. Wir haben dort in den dreißiger Jahren als Burschen oft nach dem Rudern getafelt: den fad-köstlichen Obstwein aus Werder. Wie schmeckt er denn?

Ich hoffe, es kränkt Sie nicht, Sie nehmen es nicht als Provokation. Wir wohnen seit vier Tagen hier in Potsdam im Cecilienhof. Kost und Logis sind gut. Mir geschieht das öfters auf Reisen. Es ist selten, daß Träume auch halten, was sie uns vorgaukeln. Wir sind von Potsdam aus dreimal nach Werder gefahren. Das Wetter war schön. Es schien auch die Sonne. Es war schon sehr warm. Der Eindruck war trotzdem nicht überwältigend, eher mäßig. Das, was hinter den Zäunen der LPGn an Blütenwäldern zu sehen war, wirkte, phänologisch gesehen, befriedigend, aber nicht großartig. Es leuchtete nicht der Frühling. Er blühte nur hinreichend.

Ich würde mir widersprechen, wenn ich jetzt sagte: Das eben kommt vom Sowjetsystem. Ich stelle ja fest: Wenigstens das Blühen der Blüten ist selbst unter strengster Berücksichtigung marxistischer Kategorien kein Klassenphänomen. Natürlich blühen bei Ihnen die Bäume nicht anders als anderswo. Es hängt, meine ich, mit der Landschaft, dem Geist der Region zusammen. Unsere liebe alte Mark Brandenburg, Preußens strammes Herz, ist halt etwas spröde und kärglich.

Es mag unsere Vorgeschichte hinzukommen. Wissen Sie, wenn man so tief aus dem Süden kommt wie wir, vom Mittelmeer und vom Atlantik, kann Werders Licht den Reisenden nicht eben blenden. Die Sonne hält sich in Grenzen wie die ganze Republik. Der wild-zärtliche Geist des Eros, das lodernde Sichverströmen, Pans Stab und Stunde waren ja niemals die Stärke der Preußen. Der Stab im Tornister war's eher, obwohl ich wohl weiß, daß manche preußischen Prinzen dem Geist der Antike huldigten. Reste von preußischem Klassizismus zeugen noch heute davon. Auch Kleist war ja eigentlich ein Dichter aus Frankfurt/Oder und Hellas zugleich. Immerhin, wir konnten uns überzeugen, daß die Apfelbäume in Werder sehr ordentlich, beinah stramm stehen und tun, was sich laut Wetterdienst jetzt am 10. Mai für sie schickt: Sie blühen. Sie werden den LPGn ihre Früchte planmäßig erbringen, so hoffe ich.

Und sonst? Wieder fühle ich mich gehemmt. Darf ich es trotzdem sagen? Dieses schöne alte Haveldorfer Werder schien mir ziemlich heruntergekommen. Ich hatte es ganz anders in Erinnerung, im Kopf. Es war schwierig, ein ordentliches Restaurant zu finden. Ich weiß, es gibt sie. Nur haben sie immer geschlossen oder Ruhetag heute oder sind überfüllt, oder man muß mit der Bedienung so lange warten, bis man von selber wieder geht. Wir liefen über die Insel. Es gibt fast nichts, was in diesem alten Ausflugsort wirklich einlädt zu bleiben. Die alte Frau vor der Kirche, die wir schließlich fragten, wo man sich hier nun erquicken könne, im Geist und im Magen, und die, etwas klapprig und kopfschüttelnd, zu uns sagte: »Wirklich, man muß sich ja schämen. Hier zerfällt alles und war doch früher so schön!« Sicher hat sie unrecht, sehr geehrte Herren. Sicher sieht sie das Ganze vom falschen Klassenstandpunkt aus. Ich erwähne es nur.

Vielleicht war es auch unser Fehler. Im Leben ist ja fast alles eine Beleuchtungsfrage. Die DDR, darf ich es so vereinfachend zusammenfassen, ist eigentlich kein Frühlingsthema, obwohl ich wohl weiß, wie sehr die junge Saat des Sozialismus bei Ihnen jetzt sprießt. Ich bin am liebsten im Spätherbst in Ihrer Republik: Novemberlicht, das alles diesig verwischt, auch mit zarten Nebeln verklärt. Spätes Laub, das am Boden liegt und irgendwie süßlicher riecht, schöner verwest als bei uns, in mehr sozialistischer Ausgeruhtheit, wenn Sie wollen. Natürlich ist das meine ganz private Optik. Sie spiegelt den Verfallsstand und Fäulnis-Charakter der imperialistischen BRD und ihrer Bourgeoisie wider – was sonst? Ich rieche diese Fäulnis, ich suche sie. Ich liebe sie. Nur aus Verwesung kann Leben entstehen; doch lassen wir das.

Nehmen Sie es mit Fassung hin, sehr geehrte Herren. Ich will es Ihnen ganz preußisch direkt und ungeschminkt sagen: Gerade im Frühling spürt unsereiner, von draußen kommend, die Enge und steife Verklemmtheit Ihrer Republik zu massiv. Sicher ist es so stickig gar nicht. Aber Frühling, wissen Sie, der, den ich jetzt begleitet habe sechs Wochen lang von Portugal an, er hat etwas von luftiger Weite, von Bewegung, von dauerndem Unterwegssein an sich. Er ist ein Wandervogel, der die Freiheit liebt. Im Mai merkt man in Potsdam einfach zu sehr die Wucht Ihrer Staatsgrenzen. So etwas Bösartiges mag der Frühling nicht. Er ist gewöhnt, sich frei zu bewegen. Er ist ein Tänzer. Man riecht zu viel Enge und Kleinkariertheit im Mai bei Ihnen. Provinzgeruch liegt immer noch über der Republik, rot-preußischer Beamtenmief. Wer wird hier die Fenster öffnen?

Der Geist von Helsinki

Helsinki, den 2. Juni
Liebe Sibylle! Es wird Sie überraschen, von mir noch einmal
einen Gruß zu bekommen. Ich schrieb Ihnen aus Portugal, aus
Évora den ersten Gruß, am 21. März. Ob er Sie je erreicht hat?
Sie sollen jetzt auch meinen letzten Frühlingsgruß bekommen,
mein Abschiedswort. Dies freilich soll kein Brief mehr sein, nur
eine Ansichtskarte, ein letztes Lebenszeichen des sehr erschöpf-
ten Frühlingssuchers. Ich bin ermattet. Ich kann nicht mehr.
Ich will auch nicht mehr. Werden Sie es mir glauben? Wir sind
zwölftausend Kilometer mit dem Auto gefahren. Wir sind sieben Wochen unterwegs gewesen. Ich kenne das jetzt: Heimat-
losigkeit. Fahren, fahren, weiter, immer weiter! Die Koffer rein,
die Koffer raus, die Treppen hoch, die Treppen runter, das
Zimmer schön, dann manchmal mies. All die Frühstücke, auf
die wir warten mußten, all die Kirchen, die mittags gottlob
geschlossen waren. All die Tankstellen, die Kassen an Auto-
bahnteilstücken und all die Hände, die sich zum Schluß in Hotels immer zum Trinkgeld öffnen. Mir ist es so ergangen.

Sie sagten damals: »Eine entzückende Idee, bezaubernd! Genau das richtige Thema für Sie.« Ich weiß nicht. Ich finde, man
kann das Thema viel einfacher haben: zu Hause. Bleib doch zu
Hause, wie Sie und all die anderen. Der Frühling wird kommen,
bestimmt. Es wird kalt sein und grau in unseren Regionen. Es
wird lichtlos und fad sein. Aber dann Ende Februar wird es
heller, die Sonne steigt. Bläulicher Ton in der Morgenluft
manchmal. Es knackt im Eis. Es rührt sich in der Erde. So Mitte
März liegt plötzlich ein linder, weicher Geschmack in der Luft.
Die Wiesen, die Felder, die Sträucher, alles reckt sich, wird
langsam grün und beginnt dann zu blühen. Wenn einmal die
Forsythien in unseren Vorgärten gelb blühen, dann ist die
Macht des Winters gebrochen. Der Frühling ist da. Man muß
nicht wie wir. Man kann ihn in aller Ruhe auf sich zukommen
lassen.

Zur Sache: Diese Station hier im Norden war nicht mehr
geplant. Sie ergab sich zufällig. Als ich nämlich Anfang Mai auf
unserer großen Europa-Tournee auch in Frankfurt am Main
vorbeikam, schnuppernd und suchend, und nebenher bei mir
selber zu Besuch war, fand ich zu Hause einen Brief aus Finn-
land vor, der mich entfernt an Arbeit erinnerte. Ich hatte mich
nämlich schon Anfang des Jahres verpflichtet, vor Finnlands

vereinigten Germanisten aus meinen Büchern zu lesen, über Deutschland zu diskutieren. Sie kennen mein Problem? Was immer ich tue, worüber immer ich schreibe: Zum Schluß kommt immer ein Selbstporträt mit deutschen Girlanden heraus – Bilder aus meinem Vaterland. Die Finnen wollten sie sehen.

Ich bin also gestern mit der Finnair nach Helsinki geflogen. Und als die Maschine zur Landung ansetzte, die Dächer der Stadt beinah streifte – was sah ich, einschwebend in diese friedliche und menschenfreundliche Stadt? Es standen Apfelbäume im Vorfeld des Flughafens. Wir schreiben heute den 2. Juni. Sie wissen, was das bedeutet? Es ist Frühling! Es wird jetzt licht und bunt hier im hohen Norden. Skandinavien erwacht. Der Tod ist auch hier besiegt. Europa wird leben. Ich grüße Sie und Berlin, im Geist von Helsinki, wenn ich's so sagen darf. Möge wenigstens er nicht welken!

El Escorial
Spaniens dunkler Traum

I

Hochkastilien – ich bin hier gewesen. Ich habe versucht, mit der Landschaft vertraut zu werden. Es ist nicht gelungen. Es ist eine fremde, harte Natur von strenger und starrer Schönheit. Kastiliens Wälder sind Lanzenwälder. Das Guadarrama-Gebirge, ein Eisenmassiv, und was von weitem wie einladende Wiesen aussieht, ist eher ein Marterbrett: Immer noch wächst der Fels unterm Gras spitz aus der Erde.

Wenn man von Ávila, der Stadt der strengen Mystikerin, dem Kloster der heiligen Theresia kommt, fühlt man sich inmitten der gewaltigen Bergmassen, die man in großen Schleifen umfährt, verloren. Natur ist hier nicht maßvoll und sanft wie bei uns. Sie ist hart, ist Urgewalt, archaische Kraft. Sie sagt: So ist es immer gewesen. So wird es immer sein: Stein, Fels, Eisen, Granitschotter, Eichen, Ölbäume. Was ist der Mensch? In dieser gewaltigen und gewalttätigen Landschaft ist er fast nichts: eine erbarmungswürdige Seele, hilflose Kreatur. Dies hier ist, wenn man so will, bis heute eine magische, also mittelalterliche Landschaft geblieben. Dies ist eine schwermütige Natur, die nach Erlösung schreit. Kastilien – das ist Spaniens hohe Mitte.

Und doch lebt diese Natur, kraftvoll und wild. Kastanienwälder und Steineichen treiben jedes Frühjahr ihr frisches Grün in die grauen Lanzenwälder. Im Sommer kriecht ein buntleuchtender Blütensaum über die verkarstete Erde: Mimosen, Flechten, Farne, Oleanderbüsche und Ginster. Disteln und Zwergpalmen stechen. Überall Granit, der lodernd zu blühen scheint. Mit theatralischer Gebärde wechselt die Wetterszene. Der hohe, blaue Himmel Spaniens, vier Tage lang. Dann kommen Wolkenberge: schneeweiß, grau, stahlblau. Reißwinde, ein Sturm zieht auf, zuckende Blitze. Ein Gewitter geht nieder. Dies geschieht hier nicht ohne majestätische Großartigkeit. Es regnet nicht. Es prasselt und schüttet mit ungeheurer Gewalt. Ein Wasserorkan, der vom Himmel fällt. In den Bergen hört man Steinmassen rollen. Man hört Hunde heulen. Ein Pferd wiehert angstvoll. Die Kreatur seufzt. Es ist auch die Landschaft des Cervantes, Don Quichottes Welt. Es ist wie ein Narrenstück, denn am nächsten Morgen ist der Spuk weg. Es ist, als wäre nie etwas gewesen. Ein blanker, strahlender Himmel, Velázquez-Blau. Eine scharfe, gleißende Sonne. Schon morgens um zehn stechen ihre Strahlen spitz wie sehr feine Nadeln.

Also, kommt man von Ávila – nicht von Madrid, wie heute die meisten Autotouristen –, dann ist der erste, ferne Anblick ein Augenzauber. Wie schön, sagt man, sieh nur, wie schön es liegt! Tatsächlich wirkt der Escorial ganz von weitem wie eine märchenhafte Verlockung. Man fühlt sich an eine Feenburg, an Kinderträume, an Phantasieschlösser erinnert. Spaniens tiefer Traum in Stein. Etwas näher gekommen, korrigiert man. Man denkt jetzt an das Schloß von Versailles oder Kloster Melk in Österreich, jedenfalls an menschenfreundliche Einladung. Ein Abenteuer der Phantasie lockt, nur muß man seine Vermutung noch einmal korrigieren. Je näher man kommt, um so mehr zerfällt der schöne Traum; der Augenzauber erlischt. Der Escorial ist anders. Er ist ganz anders. Er ist Fels vom Felsen hier. Er ist Stein vom Stein des Guadarrama-Massivs. Doch das merkt man erst, wenn man da ist. Steht man plötzlich vor dem gewaltigen Bau, spürt man wieder Kastiliens eiserne Kraft: also Majestät, Kälte, Wucht. Man spürt nur Abweisung, die niederwirft. Sprachlos und kalt die Mauern. Was ist?

Ja, was ist eigentlich der Escorial? Ist er schön? Ist er nicht vielmehr von überwältigender Häßlichkeit? Der erste Eindruck ist Ratlosigkeit. Was soll das? Man hat den Escorial das achte Weltwunder genannt. Man hat ihn mit den Pyramiden der Pharaonen, mit den Tempeln Salomons, mit der Akropolis in Athen verglichen. Mir scheint das übertrieben. Aber sicher ist: Dies ist eines der seltsamsten und denkwürdigsten Bauwerke unserer europäischen Geschichte. Wie ein Dinosaurier ragt es aus einer versunkenen Epoche in die unsere. Ein gewaltiges Fabelwesen, das von vergangener Herrschaft, von einem versunkenen Reich erzählt. Was?

Man kann dieses stolze Monstrum auch nicht unterbringen, kunstgeschichtlich, stilästhetisch. Der Fremde, der sich etwas auskennt im Land, denkt zunächst an den Prado in Madrid, an die altspanischen Alkazare, an Wehrburgen und Festungen, diese Fluchtburgen der spanischen Seele; den Alkazar in Toledo zum Beispiel. Die gleiche, kantige, quadratische Form mit vier wuchtigen Ecktürmen. Doch wirkt der Bau moderner, gegliederter: ein Renaissancebau. Bei aller Wucht merkwürdig rational, vom Geist der Geometrie geplant und gegliedert. Zunächst spürt man nur: Dieses Bauwerk ist nicht Natur, sondern Geist. Es ist nicht gewachsen, sondern gewollt. In Granit hat sich hier ein fremder Wille, ein ferner Geist ausgedrückt und für immer verewigt. Wer hat hier was gewollt?

Ich habe hier eine Weile gewohnt, neben dem Escorial. Ich habe versucht, mit ihm vertraut zu werden. Auch dies ist nicht gelungen. Es geht nichts als stolze Abweisung von diesem Bauwerk aus. Jeder Stein scheint zu sagen: Bleib mir vom Leib! Jeder Turm: Halt dich da raus! Jede Mauer: Du kannst mein Schweigen nicht lösen. Trotzdem, wenn man nicht wie die Touristen mit ihren Bussen nur für ein paar Stunden kommt, wenn man bleibt, stellt sich nach einiger Zeit ein Verhältnis her. So etwas wie Respekt, wie Staunen, wie kalte Faszination stellt sich ein. Die endlosen Fronten, die kahlen Fensterreihen, die großen, leeren Plätze, wären sie nicht von so strenger Geometrie, von so kunstvoller Kahlheit, man würde an eine Militärkaserne, an einen gewaltigen Exerzierplatz denken. Und tatsächlich ist dieser Gedanke so ganz falsch nicht. Der Escorial ist kein Haus der Menschen. Er ist eine theologische Idee, imperial in Stein geschlagen. Er hat wenig mit Kunst, er hat viel mit Politik zu tun.

Es war jeden Morgen dasselbe: die Autos, die Busse, die Besuchermassen, ein nicht abreißender Touristenstrom. Sie sind so bescheiden, so neugierig, so anspruchslos. Sie kommen mit Fotoapparaten und Freundin, warten geduldig, staunen geduldig, finden alles wunderschön, kauen dabei an Mandeln herum, die die Verkäufer vor dem Escorial feilbieten, lutschen an Bonbons oder Eis, nehmen sich tiefbefriedigt ein paar Postkarten, Souvenirs, Farbdias mit. Es ist ein ungeheures Mißverständnis, das hier jeden Tag von blau uniformierten Führern neu zelebriert wird, aber niemand merkt es eigentlich. Jeder ist auf seine Weise zufrieden. Denn ebendas, was die Leute erwarten, ist der Escorial nicht.

Er hat überhaupt nichts mit den prächtigen Schlössern, Palästen zu tun, die uns die Geschichte massenhaft, mehr oder minder prunkvoll, mehr oder minder romantisch verklärt, hinterließ. Man hat von diesem Bauwerk schon etwas verstanden, wenn man diese Hoffnung begräbt: Hoffnung auf den Glanz feudaler Wohnkultur. Es gibt auch solche Prachträume hier. Sie stammen aus späterer Zeit, Zutaten aus dem 18. und dem 19. Jahrhundert. Sie sind belanglos, wären der Rede nicht wert. Denn der Escorial ist in seiner geschichtlichen Wahrheit das ganz andere, das, was quer zur feudalen Tradition steht. Es ist zunächst nur ein eiserner Wille, eine imperiale Idee, die steinerne Gebärde der Macht zu spüren. Sagen wir es im voraus: Hier hat sich das spanische Mittelalter sein vollkommenstes Denkmal gesetzt. Es ist der uralte Traum vom Königreich Gottes auf Erden.

Merkwürdig, hier am Ort zu erleben, wie so Vergangenes gleichwohl noch lebt. Es fällt von der Sierra ein magisches Licht über den Bau, das sich fast stündlich ändert. Morgens ist es hellgelb, mittags fast kalkweiß. Des Abends verfärbt sich der Himmel langsam ins Rötliche. Blauvioletter Widerschein in der Dämmerung. Die Wände sind jetzt wie eine riesige Filmleinwand, die die Farben sanft zurückwirft, den ganzen Ort ins Rötliche bis Braune verfärbt. Des Nachts wirft der Mond ein geisterhaftes Licht. Der Escorial nimmt wieder jene märchenhaften Züge der Ferne an, jetzt aber ernster, bedrohlicher. Er steht in finsterer Schönheit da wie ein orientalisches Zauberschloß. Majestätisch leuchten seine schweren Türme. Schweigend wehren seine hohen Mauern die Welt ab. Sie behüten, verbergen ein Geheimnis. Welches? Versunkene Welt, verschlossenes Reich, verborgener Traum. Wie ihn erinnern – hier?

Äußere Daten: Der Bau bildet in seinem Grundriß ein Rechteck. Es ist 206 Meter breit, 161 Meter lang, mit den vier Ecktürmen 56 Meter hoch. An der Ostseite, die nach Madrid und Toledo blickt, springt ein quadratischer Vorbau heraus, der den königlichen Wohntrakt, den eigentlichen Palast bildet. Bei einiger Phantasie, an der ja in Spanien kein Mangel ist, könnte man im Grundriß – Rechteck mit östlichem Vorbau – die Form eines Rostes, eines Grills, wie wir heute sagen, erkennen. Dieses für uns eher nebensächliche Motiv hat einen historischen Sinn. Der Escorial ist dem heiligen Laurentius geweiht, dem Märtyrer mit dem Rost, von dem die Legende erzählt, er habe schon im 3. Jahrhundert sich auf dem Rost verbrennen lassen, als Glaubenszeuge. Diese Sinnstruktur ist heute historisch umstritten. Sie gibt aber auf jeden Fall einen ersten Eindruck vom Geist dieses Baus. Schwermut, Todesverfallenheit wird spürbar.

Die Hauptfassade im Westen: Überwältigende Einfachheit und asketische Strenge beherrschen den riesigen, leeren Vorplatz. Die Fenster ohne Schmuck, ohne Balkone ziehen sich in fünf Etagen über die kahle Front. Das Hauptportal zu ebener Erde, ohne einladende Treppe, ohne schmückenden Vorbau, ist nur durch acht glatte Säulen herausgehoben. Darüber eine

Dachetage, mit vier weiteren Säulen. Dazwischen das Königswappen, darüber eine einzige Gestalt: Laurentius, der Märtyrer, mit dem Rost in der Hand. Geht man durch das enge Hauptportal, so steht man schon im Mittelpunkt des Hauses. Man steht im »Hof der Könige«, so genannt nach den sechs großen Statuen der biblischen Propheten und Könige von Juda. Der Hof gehört zu den wenigen Motiven des Escorial, die nicht durch Gewalt und Größe erdrücken. Er vermittelt mit seinen 64 Meter Länge, 38 Meter Breite ein angenehmes, geglücktes Raumerlebnis. Man blickt direkt auf die Basilika: eine kunstvolle, fast italienische Renaissancefront, die entfernt an den Petersdom in Rom erinnert. Als einziges Schmuckmotiv auf den Dächern und Türmen des Escorials immer wieder diese schweren Granit- und Eisenkugeln. Symbole der Geometrie, der in sich beschlossenen, kreisenden Vollkommenheit. Kein schöner, aber ein typischer Schmuck. Er regt die Phantasie nicht an, sondern bedrückt eher. Er befreit nicht, sondern lastet schwer: Drei Zentner schwer lastet jede Kugel auf den Turmspitzen. Blick auf die Seitenfronten: Auf der linken Seite ist das sogenannte Colegio untergebracht, noch heute ein Gymnasium. Auf der rechten Seite das Kloster, das noch heute von Augustinermönchen bewohnt wird.

Wer nun den Escorial im ganzen besichtigen wollte, hätte ein gewaltiges Programm zu absolvieren: Die inneren Räume sind um 16 Innenhöfe herumgebaut, 86 Freitreppen wären zu nehmen, 89 Springbrunnen wären zu bewundern, 1200 Türen müßten sich öffnen, aus 2700 Fenstern könnte man blicken. Allein auf den Korridoren müßte man 16 Kilometer laufen. Dies muß nicht sein, meine ich. Wohl aber ist die Südfront besonderer Aufmerksamkeit wert. Hier wird endlich etwas von Anmut, von Freundlichkeit, ja Schönheit spürbar. Man blickt auf das Kloster mit seinem Krankenhaustrakt, der »Galerie der Genesenden«, hinter deren Säulen man manchmal Mönche wandeln sieht. Eine Zisterne, ein künstlicher See, ein Park, ein Garten, fast an Granada, jedenfalls an maurische Gartenkunst erinnernd. Dies ist die einzige Seite des Escorial, die die Landschaft auf eine großartige Weise miteinbezieht. Hier kann man entspannen. Man fühlt sich befreit. Man blickt weit über die kastilische Hochebene bis nach Madrid. Bei klarem Wetter sind ganz in der Ferne die Mauern von Toledo zu sehen.

Hier im Klostergarten saß vor sechzig Jahren Ortega y Gasset, der spanische Philosoph. Er sah, wie Natur und Bauwerk hier endlich zu einer Einheit werden. Er beschrieb jeden Eindruck elementarer Stimmigkeit, dem man sich auch heute nicht entziehen kann. Er schrieb also: »In der Landschaft des Escorial ist das Kloster nur der größte Stein, und nur die Bestimmtheit und Glätte seiner Kanten hebt es von den umgebenden Felsmassen ab. An Frühlingstagen kommt immer eine Stunde, da die Sonne wie eine Phiole voll Gold an den Zacken der Sierra zerbricht und ein weiches, blaues, veilchenfarbenes und karminrotes Licht über die Hänge ins Tal niederflutet. Dann spottet der behauene Stein der Absicht des Baumeisters und verschmilzt wieder, einem mächtigeren Drang gehorchend, mit den mütterlichen Steinbrüchen.«

2

Auch der Escorial beweist es: Das Bauen muß offenbar ganz in der Tiefe eine imperiale Kunst sein. Die Mächtigen haben sich immer auch als Bauherren, als Architekten ihres Jahrhunderts verstanden. Sie haben sich zu Lebzeiten monumentale Denkmäler gesetzt. Von den ägyptischen Pharaonen bis zu den Diktatoren unseres Jahrhunderts hat sich da prinzipiell nichts geändert. Die Macht will immer den Stein, will sich selbst im Stein ein Stück Ewigkeit setzen.

Spaniens Aufstieg zur Weltmacht vollzog sich im 16. Jahrhundert. Es war eine kurze, aber gewaltige Epoche, die genau ein Jahrhundert dauerte. Ein ungeheures Imperium war von der spanischen Krone erkämpft, erobert, erheiratet, auch erschwindelt worden. Das Zeitalter der Entdecker, Eroberer, der Seefahrer begann sich auszuzahlen. Für ein Jahrhundert ging über dem spanischen Weltreich die Sonne nicht unter. Es wuchs dauernd, von Mexiko bis Peru, von Brasilien bis zu den Azoren. Bis nach Kalkutta, bis Birma, Siam, Sumatra, ja bis an die Grenzen Chinas reichten die neuen Handelswege. Die beiden Mächtigen, die Spanien für ein Jahrhundert so hochrissen, hießen Karl V. und Philipp II. Karl V. wurde 1500 geboren. Sein Sohn Philipp II. starb 1598. Danach zerbrach die Macht. Das Weltreich war nicht zu halten. Geblieben aus dieser stolzen, heroischen, grausamen Stunde Spaniens ist eigentlich nur – der Escorial: Philipps steinerner Traum.

Um 1560 muß bei Philipp II. die Escorial-Idee entstanden sein. Er muß damals, vierzig Jahre vor dem Ende der spanischen Weltmacht, ganz in der Tiefe gespürt haben, daß seine Macht ihren inneren Höhepunkt schon überschritten hatte. Äußerlich stand sein katholisches Universum noch in stolzer Gebärde da. In seinen geistigen Fundamenten aber begann es zu rumoren, mehr noch: zu beben. Martin Luther hatte schon vor vierzig Jahren im fernen Deutschland die Reformation ausgerufen. Zwingli und Calvin standen gegen die römische Kirche auf. Die niederländischen Ketzer begeisterten das Volk. Philipps stolze Armada ging später an den Küsten Englands schmählich zugrunde. Die Niederlande fielen von der spanischen Krone ab. Der Geist des Humanismus, der Aufklärung, des bürgerlichen Zeitalters kündigte sich im Norden wetterleuchtend an. Große politische Ideen, wenn sie geschichtlich reif und fällig geworden sind, haben eine unaufhaltsame innere Dynamik. Sie sind auch nicht mit Blut, auch nicht mit Waffen, schon gar nicht mit Scheiterhaufen aufzuhalten.

Das alles muß Philipp II., als er 1560, dreiundreißigjährig, aus den aufrührerischen Niederlanden nach Spanien zurückkehrte, ganz in der Tiefe gespürt haben. Es entsprach seinem bedächtigen, zaudernden, konservativen Charakter, daß er auf diese Verunsicherung mit Verinnerlichung reagierte. Er riegelte sich ab. Er zog sich auf Spanien zurück. Seine Antwort auf die ferne, neue Bedrohung hieß: El Escorial. Es sollte noch einmal dem alten Glauben eine Burg, ein mächtiges Bauwerk gesetzt werden. Was die Wirklichkeit schon nicht mehr leistete, sollte die Phantasie noch einmal um so großartiger und triumphierender sichtbar machen. So gebiert die Macht manchmal zum Schluß die Kunst. Der Geist wird zu Form. Der Wille wird Stein. Der Escorial ist also in der Tiefe durchaus als ein Protest gegen das Neue, als eine leidenschaftliche Verteidigung des Alten zu verstehen. 1563, im selben Jahr, als das Konzil von Trient zum Abschluß kam, wird der Grundstein zum Escorial gelegt. Beide Daten gehören zusammen, beide stehen im Zeichen der Gegenreformation.

Gewiß gab es auch Anlässe anderer Art. Sechs Jahre zuvor hatten die Spanier am Tag des heiligen Laurentius die Franzosen in der Schlacht von Saint-Quentin besiegt. Aus Dankbarkeit gegenüber dem Heiligen gelobte der Sieger die Errichtung eines Klosters. Gewiß war ein Jahr später Philipps II. Vater Karl V. in seinem kastilischen Kloster Yuste gestorben. Das Testament des Kaisers verfügte, daß der Sohn und Nachfolger für ihn, aber auch für die ganze spanisch-habsburgische Familie eine würdige

Grabstätte zu errichten habe. Philipp, den man sich im Licht der modernen Psychologie, als einen stark vaterfixierten Sonderling mit zwangsneurotischen Zügen vorstellen muß: autoritär, magisch verhaftet, trotz aller vitalen Beziehungen zu Frauen im Innersten einsam und menschenscheu – er hat diesen Auftrag des Vaters mit wahrer Inbrunst erfüllt.

Jedenfalls geht in den Escorial-Gedanken neben dem Siegesmotiv immer stärker das Motiv des Totenmals ein. Schon 1573 läßt Philipp die Gebeine seiner dritten Ehefrau Elisabeth von Valois und seines unglücklichen Sohnes Don Carlos aus Madrid in den halbfertigen Escorial überführen. Ein Jahr später folgen die Gebeine seines Vaters hierher. Jahrelang ziehen jetzt hohe Kommissionen durchs Land, sammeln die sterblichen Überreste der königlichen Familie. Ein Pantheon der Dynastie, eine Gralsburg familiärer Särge, eine historische Grabkammer ohnegleichen. Der Escorial wird schließlich der Ort sein, wo Philipp selber unter allen Toten seinen Tod bewußt und nicht ohne feierliches Zeremoniell erleidet.

Gleichwohl, es wäre falsch, diesen Bau nur unter diesem düsteren Aspekt zu sehen. Schloß und Kloster, Pantheon und Sommerresidenz, die tiefste, tragende Idee des Escorial war dem Leben zugewandt. Dieses Bollwerk des Glaubens sollte noch einmal die ganze Fülle, den geistigen Reichtum der katholisch-mittelalterlichen Kultur zusammenfassen und der Welt sichtbar machen. Philipp schwebte so etwas wie eine katholische Akademie der Wissenschaften vor. Das Weltbild der Scholastik, also das ptolemäische Weltbild, das schon damals von den neuen, kritischen Naturwissenschaftlern widerlegt war, sollte hier noch einmal seine späte, triumphale Rechtfertigung finden. Alles, was der alte Glaube an Welterkenntnis, an Wissenschaft, Literatur und Kunst zutage gefördert hatte, wurde hier versammelt: die Schriften der Griechen und der Römer, der Araber, See- und Landkarten. Die besten Kenner der Antike, der Archäologie, der Alchimie, der Astronomie wurden an den Escorial verpflichtet. Dieser eher pedantische und unmusische Herrscher entwickelte Züge mäzenatischer Großzügigkeit. Überall in Europa wurden Bibliotheken aufgekauft. Die besten Maler wurden großzügig an den Escorial engagiert. Es sollte ein Bauwerk ohne Beispiel werden, ein Haus des Geistes, das die Welt in Erstaunen setzen sollte.

Es sollte. Es gehört zu der wichtigsten Erfahrung eines Escorial-Besuchs, daß man diese gewaltige Anstrengung, diesen eisernen Willen spürt und dann – fast gar nichts findet. Man findet die Bibliothek, die kostbare Handschriften bewahrt. Aber sonst? Es ist eine ganz eigene Erfahrung. Immer wieder macht man sich auf, immer wieder sucht man nach den großen, ehrwürdigen, kostbaren Inhalten. Es gibt sie – fast nicht. Der Escorial ist reine Form. Erst wer das begriffen hat, hat den Escorial begriffen. Gerade in dieser immensen Anstrengung, die ohne Inhalt bleibt, ist er Ausdruck Spaniens, dessen immer wiederkehrender Tragik. Erst wenn man sich das eingesteht, kommt man über die historische Dimension auf das grundsätzliche Problem Spanien, wie es sich bis in unsere Tage darstellt. Es klärt sich etwas die Frage, warum von diesem reichen, kraftvollen, leidenschaftlichen Land nie eine revolutionäre Idee, nie ein Anstoß der Erneuerung ausging. Spanien ist Form. Spaniens Inhalte waren für uns Europäer immer ohne Interesse.

Ortega y Gasset, der Philosoph aus Kastilien, hat es so formuliert: »Wir brachten der Welt kein Wahrheits- und kein Tugendideal. Wir brachten ihr nur die Kraft unseres Begehrens. Nie hat die Größe, nach der wir geizten, für uns bestimmte Gestalt angenommen. Wie Don Juan, der die Liebe liebte und nie dahin kam, eine Frau zu lieben, haben wir das Wollen gewollt, ohne je irgend etwas zu wollen. Wir sind in der Geschichte Europas ein Ausbruch des blinden, gestaltlosen, rasenden Willens. Der düstere Koloß des Klosters von Escorial offenbart unsere Armut an Ideen und zugleich unseren Überfluß an Willenskraft. Man könnte den Escorial also einen Trakt der reinen Anstrengung nennen.«

Das ist es. Wenn man das begriffen hat, ist man eingedrungen in die Burg. Man hat das Geheimnis entschlüsselt. Man versteht die Wucht dieses Hauses und seine Melancholie. Man versteht die unendliche Trauer, die über dem Kloster-Schloß liegt, und warum man immer nur an Wänden, Fassaden, an hohen Mauern vorbeigehen kann. Die Form ist das Ganze. Es ist mit dem Escorial wie mit dem spanischen Stierkampf: Die Form ist das Ganze. Inhaltlich ist der Stierkampf nichts als ein Schlachtfest von Rindvieh. Nur seine Form fasziniert und erschreckt. Es ist eine Anstrengung, die nur die Anstrengung feiert.

Wenn man das begriffen hat, lohnt es sich, noch einmal den Bau zu vergegenwärtigen. Man sieht das Alte plötzlich mit neuen Augen. Man kann die ungeheure, auch physische Anstrengung verstehen, die ein solches Projekt in Bewegung brachte.

Gleich nach seiner Rückkehr aus Flandern, also im Jahr 1560, hatte Philipp II. eine Kommission von Ärzten und Architekten beauftragt, einen Bauplatz zu suchen. Der König machte drei Auflagen: Der Bauplatz sollte nicht allzuweit von seiner neuen Residenzstadt Madrid entfernt sein; er sollte in einem gesunden, kühleren Klima liegen; die Landschaft sollte die heroische Idee des Projekts unterstreichen. Ein Jahr lang irrte die Kommission durch die Provinz. In einer unbesiedelten, wilden und doch großartigen Talsohle des Guadarrama-Massivs wurde schließlich der Ort gefunden. Das armselige Dörfchen dabei hieß El Escorial; zu deutsch: das Schlackengelände. Eisengruben hatten hier früher Eisenschmelze betrieben. Im Frühjahr 1563 wird der Grundstein gelegt. Mit fünfzig Mönchen des Hieronymitenordens gründete man das neue Kloster. Zum Architekten wurde zunächst ein Schüler Michelangelos, Juan Bautista de Toledo, bestellt. Nach seinem Tod übernahm Spaniens damals berühmtester Architekt, Juan de Herrera, die Bauleitung. Sein Baustil, der nach dem wuchernden Chaos der spanischen Gotik den Geist der Renaissance, also die klassische Einfachheit der Fläche, betont, ist als »Herrera-Stil« in die Kunstgeschichte eingegangen.

Die Vorstellung ist erregend, wie ein so gewaltiges Unternehmen unter den technischen Bedingungen des 16. Jahrhunderts überhaupt zu bewerkstelligen war. Reinhold Schneider, der deutsche Dichter, für den der Escorial zu einem leidenschaftlichen religiösen Erweckungserlebnis wurde, hat versucht, diese handwerkliche Seite zu beschreiben: »Aus den Brüchen ziehen sechs oder neun Ochsenpaare die knarrenden Karren heran, auf denen die frischbehauenen Blöcke liegen. Oft genügen zwanzig Ochsen kaum, einige Male müssen vierzig vorgespannt werden. Zwischen dem Gestein flattern die Tücher der Werkstätten und Zelte. Hell klirren die Meißel; dumpf dröhnt das Holz; die Säge knirscht; das Eisen singt in den Schmieden. Von den Schmelzstätten weht der Rauch; Blei, Bronze, Kupferbrocken schlagen in den eisernen Waagschalen auf und lassen die Gewichte springen. Unter Wassergüssen kocht der Kalk; Gips und Stuck werden gemischt. Aus dem Tal keucht ein Wagen mit Glocken herauf; die Knechte brüllen; das Vieh murrt. Von den Steinbrüchen hallt es herüber: Schreie, Befehle und der dumpfe Fall besiegter Blöcke. In den Wäldern von Cuenca und Valsain stürzen die Pinien. Bei Burgo de Osma schlagen italienische Steinbrecher den Jaspis; im Gebirge von Filabres muß der weiße Marmor ans Licht; in den Bergen von Granada schlichten sich die braunen, grünen, die buntgefleckten und von roten Adern durchbluteten Blöcke. Aus Madrid kommt der Altarschmuck, in Zaragoza gelingt der Guß bronzener Rampen für das Dach der Kirche. Florentinische und Mailänder Künstler gießen die Statuen für den Altar und senden sie über Meer und Gebirge. Die großen Armleuchter sind flandrische Arbeit, und auch die Gemälde hat der Norden erweckt. Aus allen Ländern und Städten, aus entlegenen Gebirgen streben die Transportkarren und Wagenzüge zu einem Ort, dessen Namen sich noch niemand merken kann. Über alle Landstraßen in fernste Werkstätten dringt der Wille des Einen. Es wird kein Stück gebracht, das er nicht prüft; kein Künstler arbeitet, den er nicht kennt. Den Escorial betrachtet er ganz als sein eigenes Werk, für dessen geringsten Zug er selbst die Verantwortung übernimmt. Nichts geschieht an diesem Bau ohne Philipps Anteil, seine Zustimmung, seine Instruktion. Sucht er seine Rechtfertigung, die letzte Möglichkeit zu sprechen, im Stein?«

Einundzwanzig Jahre lang ist so mit höchster Anstrengung gebaut worden, in den letzten Jahren in einem Akkordsystem »con toda furia«, wie der Befehl des Königs lautete. Bruder Antonio, ein einfacher Werkmeister, hat über zwei Jahrzehnte eine Art Tagebuch der Baugeschichte geführt. Es weist am Ende auch die Gesamtkosten aus: 3 Millionen Dukaten hat Philipp der Escorial gekostet. Das ist fast so viel, wie ihn der Bau seiner Armada kostete: etwa 35 Millionen Dollar nach heutiger Rechnung. Im Herbst 1584 wird der Schlußstein gesetzt. Zwei Jahre später, in einer warmen, sternklaren Augustnacht, beginnt das Einweihungsfest. Der Escorial wird mit Tausenden von Öllämpchen beleuchtet. Zum erstenmal sieht der König seinen Traum im nächtlichen Zauberlicht. Er weint. Das Werk ist vollbracht.

3

Zwölf Jahre sollten ihm noch bleiben. Zwölf Jahre erfüllter Sehnsucht. Philipp hat dem Escorial bis zu seiner letzten Stunde die Treue gehalten. Der Herrscher über den halben Erdkreis hat nach der Vollendung des Baus keine Reisen mehr gemacht. Der Escorial hielt ihn fest. Er ist nur noch diese fünfundvierzig Kilometer zwischen der Residenz in Madrid und seiner Gralsburg in den Bergen gependelt. Er ist diese Strecke, für die wir heute etwa vierzig Minuten brauchen, in sechs Stunden geritten, solange es seine Gesundheit erlaubte. Er ist in Kutschen gefahren, in Sänften hingetragen worden. Ganz zum Schluß, als er den Tod spürte, hat er sich in einem seltsamen Krankenstuhl aus Holz und Leder, der für den Gichtkranken konstruiert wurde, in einer mühseligen und qualvollen Reise noch einmal zum Escorial tragen lassen. Sechs Tage dauerte die Prozession. Ein todkranker Greis, der gegen den Rat seiner Ärzte hartnäckig darauf bestand. Den Sterbenden verlangte nach dem Pantheon. Es ist, als wäre das Haus auf diese letzte Stunde hin gebaut worden. Der Escorial wurde Philipp zum Sarkophag.

In der Bibliothek das letzte Bild des Königs. Pantoja de la Cruz hat es gemalt. Der Siebzigjährige vor einem dunklen Samtvorhang. Er steht klein, krank und doch energisch, als wollte er gleich in eine Sitzung, zu einem Staatsakt gehen. Seit seinem vierzigsten Lebensjahr ist er immer so einfach, so streng gekleidet gewesen: ganz in Schwarz, die Farbe des Verzichts. Nur die weiße Krause um den Hals, nur den Orden vom Goldenen Vlies auf der Brust. Der schwarze, randlose Hut verdeckt die spärlichen weißen Haare. Eine unendliche Trauer, verletzter Stolz liegen über dem Gesicht. Müdigkeit, Altersresignation, spanische Erstarrung: der Mann mit der eisernen Maske, wie die Welt ihn bis heute kennt. Hat sich die Anstrengung gelohnt? War es nicht ein verlorener Kampf? Es ist im mehrfachen Sinn ein letztes Bild. Es ist, als träte er mit einer stummen Gebärde gleich hinter den schwarzen Vorhang zurück, zurück in das Dunkel der Nacht.

Aber noch ist er der mächtigste Mann der Welt. Er hat Spanien in eine glorreiche und grausame Höhe geführt, die gleich nach ihm zusammenbrechen wird. Er herrscht über riesige Länder, über Kontinente und fremde Völker, die er nie gesehen hat. Er regiert mit pedantischer, strenger Hand – vom Schreibtisch aus. Es kommen Nachrichten aus Peru und Mexiko, aus Südafrika und Indien. Die Molukken und die Philippinen erhalten Briefe, Befehle, Gesetze aus seiner Hand. Philipp II. ist nie eine Siegergestalt gewesen. Er war kein Kriegsherr, kein Held der Schlachtfelder. Als Politiker war er ein Genie der Verwaltung, ein König, der in den letzten zehn Jahren nur noch am Schreibtisch saß, Akten studierte, Briefe diktierte, Handschreiben aufsetzte; ein königlicher Bürokrat, könnte man sagen. Er, der in seiner Jugend Liebschaften in Massen hatte, der vier Ehefrauen überlebte, war jetzt alt und einsam und mißtrauisch geworden, wie alle großen Politker. Menschliche Beziehungen? Nichts mehr; nur der Schatten des Vaters ist nie von ihm gewichen, lastete bis zum Tod auf ihm. Philipp ist nie ganz erwachsen geworden. Er ist immer der Sohn geblieben.

Philipp hat den spanischen Thron um das neue, glanzvolle burgundische Hofzeremoniell bereichert, aber er hat den Hof immer gemieden, ja verachtet. Er mißtraute den Menschen, er glaubte an seine allmächtige Administration. Er unterhielt ein Heer von Spitzeln, die ihm dauernd Nachrichten aus aller Welt zutrugen. Er hat die spanische Inquisition zu ihrem grausamen Feuergericht über die Ketzer ermuntert. Sie lag wie eine Riesenspinne lähmend über dem Reich. Er hat Tausende von Menschen im Namen Gottes verbrennen lassen. Es war ein eisernes Regiment, im Grunde ein verlorener Kampf. Philipps Größe bestand in seinem starren Mut zu sich selbst. Mit jener spanischen Anstrengung, die nur die Anstrengung selber meint, hat er versucht, dem Gang der Geschichte zu trotzen. Seine Herrschaft war ein heroisches Trotzdem. Trotzdem der Geist der Neuzeit unaufhaltbar war, hat er noch einmal der Tradition des katholischen Mittelalters die Treue gelobt. Der König als Schwert Gottes, der Mächtige als Tyrann und Büßer, als Richter und Mönch zugleich.

Zum Schluß ist er nur noch Mönch. Eine für uns Heutige schwer vorstellbare Wandlung. Sie wird glaubhaft, wenn man im Escorial seine Privatgemächer betritt, jene Räume, die an der Ostwand als Griff des Rostes hervorspringen. Sie sind um den Altar der Basilika gruppiert. Eine schmale, steile Treppe führt zu ihnen hinab. Drei winzige Zimmer von mönchischer Strenge und Armut, kaum fünfzig Quadratmeter zusammen: ein kleines Arbeitszimmer, eine Kammer, in der er schläft, eine Kammer, in der er betet. Kahle, weiße Wände, bis zur halben Höhe mit hellblauen Fliesen gekachelt. Ein Schreibtisch, ein Lesepult, ein paar Stühle, ein Schemel, auf den er sein gichtkrankes Bein legt. Ein Bild von Hieronymus Bosch an der Wand: der ›Garten der Lüste‹. Sein Lieblingsbild. Wieviel eigene, verdrängte Qual erkannte er hier? Eine große Flügeltür führt von der Schlafkammer direkt auf den Hochaltar der Basilika. Als er so krank war, daß er das Bett nicht mehr verlassen konnte, verfolgte er das Meßopfer von seinem Bett aus durch die geöffnete Tür.

Diese Privatwohnung des mächtigsten und reichsten Mannes damals kann man auch heute nicht ohne Betroffenheit betrachten. Sie ist die sittliche Mitte des Escorial. Noch heute spürt man den Geist strenger Askese, der so gar nichts gemein hatte mit der selbstherrlichen Pracht seiner Vorgänger, all seiner Nachfahren auf dem Habsburger Thron. Reinhold Schneider hat versucht, die Tage von Philipps später Regentschaft so zu beschreiben: »Eine Stunde vor Sonnenaufgang wachte er auf. Nachdem der Barbier sein Bein massiert hat, erhebt er sich zum Gebet. Bis elf Uhr verharrt er am Schreibtisch. Dann hört er die Messe. Meist speist er allein. Wieder beginnt die Arbeit; abends fährt er aus, aber immer seltener verläßt er sein Zimmer. Er muß die Wand seines Hauses um sich fühlen, die kein Blick durchdringt. Sobald es Nacht wird, setzt er sich wieder an seinen Tisch. Tag um Tag, Jahr um Jahr ändert er nicht das geringste an seiner Zeiteinteilung. Auch die Gerichte sind immer dieselben. Die Kammerdiener wollen beobachtet haben, daß er selbst die gleiche Anzahl Bissen zum Munde führt. Vom Fenster des Oratoriums beobachtet er die Ministranten beim Aufräumen des Altars. Wenn sie einen Leuchter nicht genau an den vorgesehenen Platz stellen, schickt er ihnen seinen Diener, um sie zu ermahnen. Während der Messe wacht der Verteidiger des Christentums auf das schärfste über das Zeremoniell. Später muß es der Abt hören, daß beim Gesang ein Wort ausgelassen wurde. Philipp selbst ist verantwortlich für die Unantastbarkeit der Form. Diese Kammer ist die innerste Zelle seines Staates. Verborgen keimen in ihr die Entschlüsse und Ereignisse der Epoche; sie bleibt der unbetretbare Grund des Schweigens, aus dem alle Taten quellen.«

Am 30. Juni 1598 verläßt Philipp zum letztenmal Madrid. Es ist Sommer. Es ist heiß. Eine glühende Sonne liegt über der Landschaft. Es ist jene letzte Fahrt in den Escorial, von der schon die Rede war. Philipp ist todkrank. Der von der Gicht aufgeschwollene Leib läßt die sechstägige Reise in dem monströsen Krankenstuhl zu einer Marter werden. War es Gicht? Würden wir heute nicht diagnostizieren: Krebs? Endlich am fünften Tag sieht er in der Ferne die Türme, die Kuppel des Escorial. Die Mönche von San Lorenzo kommen ihm entgegen.

Zwei Tage nach seiner Ankunft verlangt er, noch einmal sein Lebenswerk zu sehen. Er läßt sich im Krankenstuhl durch den Escorial tragen. Es geht treppauf und treppab. Er sieht alles noch einmal: die Höfe, den Thronsaal, die Kirche. Diese endlosen Gänge. Er läßt sich zu den Mönchen ins Kloster tragen. Er bleibt lange in der Gruft bei den Särgen. Er küßt die Gebeine und Reliquien, die hier liegen. Er sieht die Gärten. Er bleibt lange in der Bibliothek. Er gibt Anweisungen, dieses und jenes zu ändern. Der Traum ist vollendet. Er kann sterben. Er will sterben. Darf er auch sterben?

Es beginnen jene dreiundfünfzig Tage der Agonie, die etwas Beispielloses haben. Es ist, als habe er jetzt alles zu büßen. Der Herr der Inquisition erleidet das Fegefeuer. Die Schwellungen am Leib brechen auf, bilden nässende, eiternde Wunden, die sich nicht mehr schließen. Wassersucht stellt sich ein. Der Unterleib, die Arme, die Beine schwellen zu unförmigen Fleischmassen an, während die Brust und der Kopf immer mehr zusammenfallen. Der Körper fiebert. Philipp leidet Durst, darf aber nicht trinken. Er darf auch die Hostie des Priesters nicht mehr annehmen. Die nässenden Wunden beginnen zu faulen, also zu riechen, zu stinken. Maden und Insektengewürm kriechen in ihm. Die Zersetzung des Körpers ist unaufhaltsam bei einem Bewußtsein, das nicht getrübt ist. Er darf nicht mehr bewegt werden. Nicht einmal eine Schüssel für die Notdurft kann dem gepeinigten Leib untergeschoben werden. Durchfall stellt sich ein. So schneidet man schließlich ein Loch in das Bett, damit Kot und Urin wenigstens ablaufen können.

Es ist wieder eine spanische Szene: tragisch, grausam, wollüstig, auch nicht ganz ohne metaphysische Theatralik. Der Todkranke läßt seine beiden Kinder kommen. Er läßt seine Tochter, die einunddreißigjährige Infantin Elisabeth Klara Eugenie, rufen, den zwanzigjährigen Thronerben Prinz Philipp. Des Königs Verstand und Wille sind ungebrochen. Er ist sich der Hinfälligkeit und Größe dieses Augenblicks voll bewußt, auch dessen dramatischer Wirkung. Er reißt das Bettlaken weg, zeigt der Tochter, zeigt dem Sohn den verfaulenden Leib. Er sagt: »Ich wollte euch gegenwärtig, damit ihr seht, wie alles endet. So endet der König. So endet die Macht – das ist der Mensch, zuletzt.«

Es gehört weiter zum Zeremoniell, daß am Eingang seiner Kammer der Sarg aufgestellt wird. Er ist innen mit weißem Atlas ausgeschlagen, außen von schwarzem Tuch bedeckt, auf dem ein langes rotes Kreuz befestigt ist. Es wird die Leicheneinkleidung geprobt. In der letzten Stunde taucht noch einmal, alles beherrschend, das alte Vatermotiv auf. Philipp verlangt nach dem Sterbekreuz Karls V. Es ist eine stumme und doch ungeheure Szene letzter Todesanstrengung, wie sie nur das spanische Sterbezeremoniell kennt. Mit blutenden Händen erhebt er sich noch einmal, in der einen Hand das silberne Kreuz des

Vaters, in der anderen die brennende Sterbekerze. Während in der Basilika nebenan eben die Chorknaben die Frühmesse anstimmen, küßt der König noch einmal das Kreuz des Vaters. Der Priester betet die Commendatio animae: »Fahre hin, christliche Seele!« Philipp bricht zusammen. Es ist Sonntag, der 13. September 1598, fünf Uhr morgens. Der König ist tot, das Jahrhundert der spanischen Macht vollendet. Ein Zeitalter, das christliche Mittelalter, ist mit dem König gestorben.

In der Basilika San Lorenzo, rechts und links vom Hochaltar, sind die beiden Mächtigen der spanischen Weltstunde mit ihren Familien noch immer zu sehen. Links Karl V., rechts Philipp II. Sie knien, sie beten, sie sind um das Heiligtum versammelt. Der Traum ist vollendet. Er wird verwehen, vergehen. Sein Inhalt war nicht zu halten. Nur die Form ist geblieben, die reine Anstrengung, El Escorial genannt. Sie ragt fremd und kalt in unsere Epoche. Und doch bezeugt sie die geistigen Ursprünge dieses Landes.

Spanien, das heißt immer: Verspätung bei hohem Stil. Ein hartes, ein schwieriges, ein fremdes Land, das nur unter Qualen wird – bis heute.

Ägypten oder Das Märchen vom Anfang
Eine Rückkehr zu den Ursprüngen

Merkwürdig, wie sich jetzt rückblickend alles glättet und ins Schöne verklärt. Daß uns zum Schluß doch immer nur das Schöne bleibt – im Leben. Welch ein Abenteuer der Fremde, welch ein Wunder der Wüste – könnte ich also beginnen. Ich könnte ganz hoch einsetzen, jubelnd. Ich könnte sagen: Ägypten – das war keine Reise mehr. Es war eine Urerfahrung. Märchen aus ›Tausendundeiner Nacht‹ mögen so sein: Scheherezade-Geschichten. Zauber ganz tiefer Vergangenheit hat mich getroffen, am Nil. Ach Gott, mein Gott, war es so? War es so großartig? Erscheint es so nicht erst hinterher, hier jetzt am Schreibtisch? In Wirklichkeit war doch alles ganz anders. Wie?

Zum Beispiel, als wir in Kairo einfuhren. Ich meine, das erstemal. Später hatte man sich daran gewöhnt, etwas. Es war Mitternacht. Es war schwarze Nacht. Spärliche Glühbirnen nur da und dort. Wir rumpelten in dem alten Bus durch die Straßen, und obwohl wir noch gar nicht im Zentrum waren, hatte man sofort dieses Gefühl: kaputt. Ein ägyptisches Gefühl, würde ich heute sagen. Es hat uns nicht mehr verlassen. Es hat uns getreulich geleitet durchs Land. Nun sieh bloß her: Hier ist alles zerbrochen, zerrissen, zerstört! Wo immer man hinblickt: kaputte Häuser, kaputte Straßen, zerbrochene Bürgersteige, überall Krater und Löcher, um die der Bus nicht kunstlos kurvte. Ist wieder Krieg? Haben die Feinde heute nacht? Erinnerung an Bombenangriffe auf Berlin 44 war nicht zu unterdrücken in mir.

Geborstener Stein, Staub, Sand, Dreck. Überall rinnt grauer Wüstenstaub aus den Ritzen. Aus was für sauberen Städten wir kommen. Und auch in der Rezeption des Hotels President empfingen uns zerbrochene Mauern und dicker Staub. Sie waren eben dabei, in dem ersten Haus einen zweiten Fahrstuhlschacht auszubrechen. Die Ägypter, das muß man anerkennen, machen so etwas, wenn sie überhaupt etwas machen, rabiat. Da fliegt dann der Putz und liegt dann der Dreck, monatelang, jahrelang – de luxe, versteht sich.

Schlafen, vergessen, versinken: Die Nacht ist ein tiefer Grund, überall. Ich bin wieder aufgewacht: vier Uhr morgens. Ich trat ans Fenster. Jetzt dachte ich wirklich: märchenhaft!

Kairo im ersten Morgenlicht. Es war, als ginge die Welt auf: Der erste Tag der Schöpfung brach an. Ich sah eine Zauberwelt; ich sah nur Moscheen, Kuppeln, Kirchen, Zacken, Zinnen, schlanke Minarette. Da lag also die Mutter der arabischen Völker wie der Traum vom Orient vor mir: exotisch, vollkommen fremd. Kairo war jetzt ein Märchenbuch – weit aufgeschlagen. Ich hörte den Muezzin. Sein Ruf begann da und dort, von Tonbändern, versteht sich. Der Ruf sprang von Minarett zu Minarett und lag schließlich, von tausend Moscheen kommend, wie ein sanft ziehender Tonteppich, sehr orientalisch, über der Stadt. Mohammed zog die Bettlaken weg. Steht auf, ihr Wüstenkinder! Der Ruf des Muezzin klingt wie ein sanftes Katergeheul, Katzengejaule. Gelähmte Kraft, aber auch süße Gefangenschaft klingt mit. Die Wüste ruft: Werft euch in den Staub, zunächst, ihr Söhne Mohammeds!

Ich blickte aus dem Fenster hinab; ich sah auf einer niederen Dachterrasse zwei schwarze Ziegenböcke an sehr kurzen Strikken. Federvieh schlief noch kuschlig zu ihren Füßen. Vögel begannen zu zwitschern. Glotzte nicht auch eine Kuh aus dem Fenster vis-à-vis? Seufzte nicht ein Esel still vor sich hin? Es war auf jeden Fall ein paradiesisches Bild in Kairo-City. So hat Gott ja die Welt geschaffen: biblisch. In Ägypten, ich sage es jetzt im voraus, sieht eigentlich alles von weitem fabelhaft aus. Ja, eine Fabelwelt ist zu sehen. Sie verzaubert. Ägypten ist eine immerwährende Verführung für Augen, aber nur ganz von weitem, wiederhole ich.

Was ist eigentlich mit uns? Wir sagen von uns immer: Die informierte Gesellschaft. Wir sagen: Nachrichtenschwemme, Reizüberflutung. Es gibt kein Abenteuer mehr in dieser Epoche elektronischer Informationsmedien. Wir wissen doch alles. Das mag wohl so sein, philosophisch, aber über Kairo zum Beispiel wissen wir überhaupt nichts. Keine Ahnung, keinen Schimmer haben wir, wie der Alltag dort ist, wie das Volk wirklich lebt, wie die Stadt innerlich beschaffen ist. Warum sagt uns das niemand? Ich will es versuchen, zunächst. Es war nicht meine Absicht. Ich wollte mit Ramses II. beginnen, der am Kairoer Hauptbahnhof steht, ziemlich verstaubt. Ich wollte mit Memphis beginnen, der sagenhaften Hauptstadt. Laß fahren, laß sein! Wir kamen nicht ran. Das Kairo von heute lag wie ein gewaltiger Klotz dazwischen. Ich war ratlos. Ich war oft verzweifelt. Ich spürte auch Angst. Also Nachhilfestunden. »Kairo für Anfänger« heißt meine erste Lektion.

Die Stadt ist ein einziges Krebsgeschwür, das wuchert. So viel Wildwuchs, Chaos, Elend sah ich noch nie. Kann man es überhaupt eine Stadt nennen? Kairo muß früher einmal eine blühende Metropole des Islams gewesen sein. Es war immer die größte Stadt Afrikas. Heute ist es nach einer explosionsartigen Aufschwemmung zerbrochen, zerfallen und zerbröselt zu einem amorphen Steinhaufen in einer monströsen Massengesellschaft. Urbane Infrastruktur ist kaum noch zu erkennen. Kairo wuchs in der letzten Generation von zweieinhalb auf achteinhalb Millionen Einwohner an, und es wächst dauernd weiter, planlos, vollkommen unkontrolliert. Landproletariat wandert ein. Ägypten hat einen rasenden Geburtenzuwachs, der die Frommen stolz, die Politiker aber nur ratlos macht. Sie werden immer mehr, und das heißt: immer ärmer. Unterentwickelte Agrargesellschaften: Nur das Elend wächst, massenhaft.

Ja, es gibt natürlich den historischen Kern: das koptische Kairo, das islamische Kairo, die alten Moscheen, Kirchen und Universitäten, die den Touristen vorgeführt werden. Es gibt einen großen Zoo. Afrikas wildeste Tiere gehen lässig spazieren. Es gibt den Kairoturm, eine Palme in Stein am Nil. Es gibt die sechs oder sieben Prunkbauten der westlichen Hotelgiganten. Der Rest ist ein graues, endloses Slum-Territorium. Acht Millionen Orientalen hausen in Löchern, in Ruinen, in zerbrochenen Mietskasernen. Sie drängen, sie schieben durch schmutzige Lehmstraßen. Sie liegen auf der Erde, in graue Tücher gehüllt. Staub wirbelt auf. Die Luft ist verpestet. Kinder schreien, Männer betteln. Frauen mit Kindern an der Hand und Lasten auf dem Kopf balancieren an zerbrochenen Wänden entlang. Man kann so etwas natürlich auch »malerisch« nennen. Man kann sagen: Poetisch ist diese Szene. Mir fehlt es dazu an Poesie. Ich war nur sprachlos die ersten Tage. Ich sah immer nur hin, dachte: So ungefähr habe ich mir Kalkutta vorgestellt. Das ist doch Pakistan hier – oder?

Das Chaos von Kairo: Beim Spazierengehen im Straßengewirr muß man höllisch aufpassen. Kann man es überhaupt Straßen nennen? Es sind eher Wüstenpisten, auf denen kurzfristig Asphalt aufscheint. Auch Bürgersteige gibt es. Nach dreißig oder vierzig Metern hören sie auf, versinken plötzlich im Wüstensand. Felsbrocken liegen, Müllhaufen stinken. Riesige Baulöcher gähnen. Sie sind einmal ausgeschachtet, dann wieder vergessen worden. Paß auf, daß du nicht reinfällst. Warnschilder, Abzäunungen sind unbekannt. Halbfertige Neubauten vergammeln als Bauruinen. Man hatte sie einmal begonnen. Dann sind die Erbauer weggelaufen. Viel Baumaterial, Zementsäcke, Ziegelsteine blieben. Wüstensand deckt alles langsam wieder zu. Die Wüste wächst. Die Stadt wächst dauernd, und indem sie wächst, beginnt sie wieder zu versinken. Die Stadt stirbt an überquellendem Leben. Warum sagt uns das niemand?

Man kann natürlich sagen: Übertreibst du nicht etwas? Mein Gott, du bist im Orient. Du kannst doch Kairo nicht mit Frankfurt oder Düsseldorf vergleichen. Die arabische Welt ist nun mal so: anders. Ich stimme sehr zu. Ich war in Tunesien zweimal. Ich war in Jordanien. Ich kenne auch Tanger. Von Israel will ich nicht reden. Ich war meist entzückt. Ägypten, das ist das Ende meiner ersten Lektion, ist ganz anders. Es ist nicht vergleichbar mit allen anderen arabischen Staaten. Es ist viel älter, zerbrochener. Es ist uralt. Es ist die steinalte Mutter der islamischen Völker. Es hat mehr als viertausend Jahre auf dem Buckel. Es war einmal der strahlende und stolze Anfang unserer Kultur. Das Ägypten vor viertausend Jahren muß von überwältigender Pracht und Schönheit gewesen sein. Das ist es: die Fallhöhe eines uralten Volkes. Erschrecken war meine erste Erfahrung, Verstörung mein erstes Kairo-Erlebnis.

Das Reiseland

Dies ist nur ein erdachter Brief, liebe Lotte! Ich schreibe ihn nicht wirklich. Ich werde mich hüten, meine Eindrücke der Ägyptischen Postzensur preiszugeben. Die sind sehr pinglig. Auch kommen die meisten Briefe aus diesem Land erst an, wenn wir wieder zu Hause sind, also nach zwei oder drei Wochen. Ich tue also nur so, als ob. Bin ich schon ein Ägypter? Alle Ägypter tun immer so, als ob.

Liebe Lotte, schreibe ich also, Du träumst von einer Ägyptenreise? Du willst auch hierher? Du möchtest auf Deine eigene Weise hier durchs Land reisen: einzelgängerisch, ganz privat, wie wir es damals in Amerika machten? Erinnerst Du Dich noch an San Francisco, Las Vegas? Ach, Amerika, das waren noch Zeiten! Ich warne Dich. Es ist für mich ein heiteres Denkrätsel geworden, ein schöner Stoff zum Lachen. Es wäre eine einzige Niederlage für Dich. Du wirst natürlich sagen: Unsere Niederlagen sind doch unsere wahren Siege. Schon wahr. Auch hier?

Ich muß Dir zunächst sagen, daß sich unsere Lage gebessert hat. Wir sind von Kairo-City raus nach Gizeh gezogen ins Mena House. Eine empfehlenswerte Adresse. Jeder Kairo-Kenner weiß sie zu schätzen. Eine Touristenoase des Westens im Schatten der Pyramiden. Schön ist es hier. Die Engländer damals wußten schon, wo sie sich niederließen. Die Balkontür steht offen. Ich sehe viel Grün, Gras, Palmen, einen Swimmingpool, wo ein paar ältere Damen rumplanschen. Ein junger Ägypter verrichtet im Gras Gärtnerarbeiten. Das heißt: Er tut nichts. Er hat, lieb und aufmerksam wie ein Kind, vorhin ein paar Blümchen gepflückt, hat mir das Sträußchen über den Balkon gereicht und steht nun, stumm und bewegungslos wie ein kleiner Ramses, schon seit über einer Stunde hier vor dem Balkon, wartet auf sein Bakschisch. Sanft steht er. Still steht er. Hinter ihm riesig die Cheopspyramide: höher als der Kölner Dom. Die Zeit ist hier außer Kraft gesetzt. Was ist eine Stunde? Was sind viertausend Jahre? Andere Zeitmaße herrschen. Erholsam ist das. Ägypten ist wie eine Mutter. Eine Mutter ist immer da, von Anfang an. Merkst Du, wie der Schock nachzulassen beginnt? Vorsichtige Annäherungen, erste Einsichten sind zu erkennen.

Zur Sache: Das Land ist viermal so groß wie die Bundesrepublik. Aber kaum vier Prozent dieser Fläche sind bewohnt. Der Rest ist Wüste. 96 Prozent von Ägypten sind Sand, Steine, Öde. Da ist überhaupt nichts; eine Mondlandschaft, die immer nur kocht, manchmal auch friert. Die vier Prozent Kulturland ziehen sich am Nil entlang, im Norden, im Nildelta, sehr breit. Von Alexandria bis Port Said, also am Mittelmeer, sind es zweihundertfünfzig Kilometer Luftlinie. Im Süden aber ist es ganz schmal: kaum einen Kilometer breit. Eigentlich müßte es ganz leicht sein, das Land zu bereisen. Stell Dir Deutschland vor, in dem es nur das Rheintal gibt mit fünf Städten. Mehr ist da nicht, von ein paar Oasen abgesehen. Es gibt nur diesen Strom, den man erst rauf-, dann wieder runterfährt. Es gibt neben dem Strom eine schmale Autostraße, Bundesstraße dritter Ordnung. Es gibt neben der Straße ein Eisenbahngleis, auf dem zweimal am Tag ein Zug fährt. Man kann natürlich auch fliegen. Aber das wär's. Es müßte fast ideal sein, für Fremde. Man kann sich in diesem Land nie verirren, etwa als Autofahrer. Wo sind wir? Man braucht immer nur zu suchen: Wo ist jetzt der Nil? Dann ist man richtig. Nilaufwärts, nilabwärts – das ist Ägyptens Legende.

Warum es trotzdem nicht geht? Jetzt kommt mein Stoff zum Lachen: Deine Niederlagen, mein Vergnügen – im Kopf. Ich stelle mir vor, wie Du am Flughafen Kairo ankommst, hoffnungsvoll, ahnungslos. Zoll und Einreiseformalitäten, das geht. Aber schon wenn Du heraustrittst und nur ein Taxi willst, geht es los. Du wirst es nicht mit einem Taxifahrer zu tun haben. Der Orient empfängt. Es werden zwanzig wunderliche Männer in langen Gewändern, die früher weiß waren, über Dich herfallen. Sie rufen, sie schreien, sie schnattern, sie fluchen, sie schmeicheln. Sie reißen Dir Dein Gepäck aus der Hand. Jeder flieht mit einem Gepäckstück woanders hin. Nein, sie wollen Dir gar nichts stehlen. Ägypten ist, gemessen etwa an Italien heute, fast noch ein ehrliches Land. Sie wollen nur diese Fuhre. Wer Dich am rabiatesten zerrt, wird Dich dann haben.

Die Kairoer Taxis sind billig. Die Fuhre vom Flughafen zur Innenstadt wird etwa sechzig Piaster kosten: zwei Mark. Wenn Du dann aber aussteigst, wird der Taxifahrer von Dir fünf Pfund verlangen: zwanzig Mark. Du wirst, obwohl Du die Zahlen in Ägypten nicht lesen kannst, auf den Taxameter verweisen: Sechzig Piaster sind angezeigt. Der Taxifahrer, so verwiesen, wird plötzlich zu schreien anfangen. Er schimpft, er schnauzt, er donnert. Er droht mit den Händen, er blitzt mit den Augen. »Five pounds!« wird er wie ein Feldwebel brüllen. »Taxameter kaputt!« wird er schreien, und Du wirst schließlich klein beigeben. Jetzt hast Du es zum erstenmal erfahren. Ägypten, weil arm, ist eigentlich ein billiges Land. Als hilfloser Fremder aber wirst Du geschröpft und gebeutelt, barbarisch. Du wirst immer das Zehnfache zahlen.

Du kennst meinen alten Reise-Rat? Wanderer, kommst du in eine fremde Stadt, kommst du um Mitternacht an, kennst du keine Maus hier in der Stadt, sage, dich ins Taxi werfend, einfach blind: Hilton. Man liegt damit richtig, zunächst. Auch hier: Cairo Nile Hilton ist eine gute Adresse. Aber das Hilton ist total überfüllt. Es scheint nur amerikanisch. Der Mann an der Rezeption lächelt müde. Er zuckt mit den Schultern. Sie hatten reserviert? Wo denn? Er sucht, er blättert, er findet nichts. Er bedauert. Er wendet sich ab. Er interessiert sich nicht mehr für Dich. Es drängen sich ungeheure Besuchermassen in der Lobby. Halb Kairo, das feine, wogt auf und ab. Die wenigen Hotelzimmer sind tatsächlich ein halbes Jahr vorher ausgebucht. Es geht nicht. Es geht nicht? Ach, Gott, Du wirst es lernen: In diesem Land geht alles, auf Allahs krummen Wegen.

Gesetzt also den Fall, es wäre Dir dieser sehr komplizierte Bakschisch-Mechanismus im Grandhotel gelungen. Man muß haargenau wissen, wem man was gibt. Es stehen immer zwanzig Hände offen. Du wirst es sicher der falschen Hand geben. Gleichwohl: Du hast jetzt Dein Zimmer. Du hast sogar ausgeschlafen. Am nächsten Morgen geht das Theater erst richtig los. Du kommst einfach nicht ran an all die Herrlichkeiten, die wir unter Ägypten verstehen. Wie bitte willst Du denn nun nach Fayum, nach Gizeh, nach Heliopolis kommen? Ich sage Dir: Es geht nicht. Du verstehst die Sprache nicht. Du kannst die arabischen Zeichen nicht lesen. Du denkst: Mit dem Bus? Vergiß es, da hängen wie in Kalkutta Trauben von Menschen dran, außen. Du kommst gar nicht rein. Du meinst: Mit der Bahn? Vergiß es, sage ich Dir! Wir sind zweitausend Kilometer mit der Bahn hier gefahren. Ein großes Erlebnis, ein Abenteuer besonderer Art. Ich werde davon noch sprechen. Es wird Dir nicht einmal der Kauf einer Fahrkarte gelingen. Auch sie gibt es, wenn es sie überhaupt gibt, nur gegen Bakschisch. Ägypten ist eben anders. Ägypten wird immer nur in Gruppen bereist. Gemeinschaftlich, heißt die Devise. Es geht gar nicht anders.

Ich hatte mich schon in Deutschland beim Buchen unserer Reise gewundert: Immer nur Gruppenreisen, immer nur strenges deutsches Geleitzugsystem, und dies ganz rasch, blitzschnell. Immer nur zwei Wochen von Kairo bis Abu Simbel, kaum länger. Ich hatte damals widersprochen. Ich hatte gesagt: Das ist viel zu kurz. Ich will vier Wochen bleiben und ganz privat, bitte! O holder Wahn! Heute verstehe ich das System. Ich lasse auf Neckermann und all die anderen nichts kommen. Sie machen das exzellent und sehr richtig. Es geht im Schweinsgalopp durch etwa fünfzig Tempel und Grabstätten.

Warum diese Hast? Auch dies verstehe ich jetzt; spätestens in der dritten Woche wird man hier nämlich krank. Es beginnen jetzt jene Infektionen, die landesüblich sind. Stell Dir so eine Darminfektion vor, etwa in Assuan. Du schwitzt, Du hast Schüttelfrost. Du wachst auf – drei Uhr nachts. Warum soll ich es nicht sagen? Es läuft alles raus aus Dir – wie Wasser. Du hast das ganze Bett vollgemacht. Später dann der Hautausschlag, die Insektenstiche, die ganz unvermeidliche Halsentzündung. Die Stimme versagt. Du kannst nicht mehr sprechen. Die ägyptischen Plagen holen Dich ein. Du bist so ein Einzelgänger wie ich. Ich sage Dir: Hier lernt man, Gruppendynamik zu schätzen. Nur die Gruppe trägt durch Ägypten.

Dolly und die Pharaonen

Sie war jung, höchstens achtzehn. Sie war klug, kultiviert, recht gebildet. Sie war ein Kind der sehr exklusiven Kairoer Oberklasse. Reste von alter Kultur waren zu spüren. Sie sprach sogar ein Deutsch, das man verstehen konnte; doch das war es nicht. Sie war von jener verwirrenden Schönheit, wie sie nur der Orient hervorbringt, manchmal. Länder, die niederdrücken, bringen ja oft diese kostbaren Kontraste hervor. Da blüht zwischen Abfall und Schottergestein plötzlich eine einsame Rose. Hellgelb, tiefdunkelrot, wunderschön blüht sie.

Dolly war klein und sehr zierlich. Sie hatte einen olivgelben Teint und jene märchenhaft großen, tiefschwarzen Augen, die an Ägypten heute fraglos das Faszinierendste sind. Es lohnt hineinzublicken. Sie schien jeden Morgen, wenn sie uns mit dem weißen Mercedes nebst Fahrer abholte, in einer anderen Farbe zu blühen. Sie bot uns neben Historie zugleich eine Kairoer Modenschau, gratis. Am ersten Tag blühte sie in ihren wehenden Seidengewändern vorwiegend gelb, am zweiten lindgrün, am dritten Tag, als sie mit einer zierlichen Reitpeitsche kam, war sie in Violett gehüllt. Dazu wurden die Wimpern, auch die Augenlidschatten, silbrig im Untergrund, jeweils neu getönt. Schwere Armbänder und Ketten klirrten. Sie sah wie eine kleine ägyptische Göttin aus, war aber lebendig, fast zum Anfassen, ein liebliches Luder, würde ich sagen. Der zu hohe Nasenansatz, der oben in der Stirn beginnt, gibt manchen Frauen des Landes noch heute jenen exotischen Reiz, den wir an Nofretete schätzen. Liebhaber des Phänomens, die Genaueres wissen wollen, verweise ich an Berlin-Charlottenburg, Schloßstraße. Dort im Ägyptischen Museum ist Dolly zu besichtigen.

Dieses Kind also führte uns ein in das dunkle Reich ihrer Vorfahren. Dolly und die Pharaonen, Jugend und so viel Tod, Schönheit und so viel Verfall, Leben und nichts als Gräber. Es war ein verwirrender Anfang. Ich sollte immer die Toten betrachten, fand aber Dolly viel aufregender, zunächst. Dolly führte uns mit zarter Hand und jenen auswendig gelernten Detailkenntnissen, die mich immer ermüden, durch das Ägyptische Museum: eine Rumpelkammer goldener Kostbarkeiten, ein Schatzhaus der Geschichte; unbeschreiblich die Fülle, der Reichtum und wie er verkommt hier. Herrliche Statuen aus Alabaster, gewaltige Götterfiguren, Wandreliefs, die in stolzen, edlen Strichen ganze Lebensgeschichten erzählen, riesige Sargkästen aus purem Gold stehen in diesem alten Haus, lieblos zusammengerückt, ruppig aufeinandergestapelt wie in einem Kellermagazin. Es ist eigentlich nur ein Lagerschuppen, voll mit der Pracht der ältesten Kultur. Man muß sie königlich, also märchenhaft nennen.

Woher kommt der Zauber, dem man nun langsam, fast widerstrebend, trotzdem verfällt? Wir sind zweimal in diesem Schatzhaus gewesen. Dolly führte uns in den Mumiensaal. Wie soll ich das beschreiben? Ägypten ist einfach der Anfang, der blieb. Das Reich ist versunken, die Pracht ist dahin. Wer war Amenophis? Wer war Thutmosis? Wer ist denn Sethos und Ramses, der Erste, der Zweite, der Dritte, gewesen? Es ist alles gestorben, vorbei und vergessen und ist doch da. Es erfaßt einen Schaudern: Die Könige von Theben liegen hier leibhaftig. Ihre Macht ist vergangen – nur sie selbst nicht. Sie selbst, ihre Körper liegen immer noch hier: bräunlich, etwas geschrumpelt, aber doch als Menschen mit eigener Gestalt, mit dem ganz persönlichen Kopf noch deutlich zu erkennen. Die Uhren der Zeit stehen still in Ägypten. Es gibt die Zeit nicht. Vor viertausend Jahren hat die Menschheit hier zum erstenmal zu sich selber, also zu ihrer Kultur gefunden.

Und diese erste Kultur setzt nicht zögernd, unsicher, tastend ein, wie man doch meinen möchte. Sie ist wie ein Wunder sofort in einem starken und strahlenden Akkord da. Sie setzt wie ein Fanfarenstoß ein: sehr streng in der Form, vollkommen sicher im hohen Stil. Sie ist in jedem Werk von vollendeter Schönheit und kennt nur ein einziges Thema, um das alles kreist: den Tod. Nur Liebhaber des Todes sollten nach Ägypten reisen.

Die Kairoer Köstlichkeiten, die wir nun sahen: Wir sind erst in Memphis, dann in Sakkara, dann bei den Pyramiden gewesen. Es ist das gewaltigste Freilichtmuseum der Geschichte. Hellas und Rom sind wenig dagegen. Es war hell, es war heiß, es kochte die Wüste, und Dolly wehte voran, damals hellgelb, wenn ich mich recht erinnere. Memphis war einmal die Hauptstadt des Alten Reiches. Eine prächtige Königsstadt mit Millionen Einwohnern. Alle Götter Ägyptens waren versammelt, alle Völker Kleinasiens schickten hierher ihre Gesandten. Es ist nichts geblieben von Memphis' Macht. Nur der Alabastersphinx liegt noch im Sand. Er liegt breit und schwer und doch merkwürdig graziös. Sein vieldeutiges Lächeln habe ich nicht ausmachen können. Nur der Riesenkoloß von Ramses II. liegt hier, über zehn Meter lang, ein gefällter Gott, hingestreckt, tot und lebendig zugleich. Ein paar Palmen im Sand und Wüste und ein Aasgeier im Wind – das ist geblieben.

Wir sind dann nach Sakkara gefahren. Wir sehen die Stufenpyramide: 2675 vor Christus gebaut. Sakkara ist die Totenstadt, die Nekropole von Memphis. Immer gibt es in Ägypten neben der Stadt der Lebenden die der Toten. Es war glühend heiß, als wir hier im Sand herumstapften. Die Totenstadt ist sieben Kilometer lang, und während Dolly munter und gaziös wie eine junge Gazelle voranschritt, blieb ich zurück. »Dolly«, sagte ich, »ich muß mir zunächst einmal die Schuhe und Strümpfe ausziehen. Es ist alles voll Sand. Ich kann nicht mehr. Ich kriege Blasen.« Tatsächlich kommt man in der Wüste am besten barfuß voran. Die Ägypter haben das 1967 auf Sinai ja auch erkannt.

Ich habe also die Welt der Pyramiden gesehen, erst die von Sakkara, dann die des Cheops, dann die des Chephren. Gewaltige Bauwerke, die noch heute erstaunen, erschrecken machen. Wozu diese barbarischen Quadersysteme, die sich schwarz in den blauen Himmel erstrecken? Was soll's? Was ist geblieben? Erinnerungen an Licht, an bröckelnde Steingebirge, an Kamele und Esel im Sand. Irgendwo wehte immer Dolly dazwischen. Ja, die Mastaba des Ti. Das war ein hoher pharaonischer Beamter, ein Chefarchitekt, so eine Art Albert Speer der Pharaonen, könnte man sagen. Sein Totentempel erzählt an den Wänden genau, wie man damals lebte. Es sind geblieben die großen Grabkammern der Stiere hier, Serapeum genannt. Man wird durch lange Gänge in ein unterirdisches Reich geführt und sieht es dann. Die Stiere hießen Apis-Stiere. Sie waren Götter der Fruchtbarkeit. Gewaltige Steinsärge stehen noch heute offen. Die Stiere wurden wie Könige in feierlichem Prunk beigesetzt. Was soll's? frage ich wieder.

Ich denke dies – dies sagte nicht mehr Dolly, dies sagt einem kein Fremdenführer; dies sage ich jetzt, hinterher –: Es muß damals, als die Menschheit hier zum erstenmal zu sich selber fand, also Kultur produzierte, ein tiefes Erschrecken durch die Seelen gegangen sein. Frühe Urangst und strenge Beschwörungsformeln. Es muß eine Gesellschaft tiefer Zwänge und archaischer Riten gewesen sein, genau jenes unterirdische Drucksystem der Seele, aus dem dann nach Freud Religion entsteht. Religion ist eine Zwangsneurose mit Selbstheilungstendenzen. Ihre Wurzel ist immer die Angst. Kierkegaard hat es beschrieben. Die Angst kam aus der Todeserfahrung. Zum erstenmal schlug der Mensch die Augen auf und sah einfach, was er zuvor nie gesehen hatte, was Tiere und Kinder auch heute nicht wissen: Du wirst sterben; lebend, bist du dem Tod schon verfallen, du wirst untergehen, obwohl du doch leben willst, ewig. Paulus hat es später das Skandalon genannt. Der Tod ist ein Skandal: Er sollte nicht sein und ist doch, gewiß.

Darum muß es gegangen sein hier im alten Ägypten: Der Pharao stirbt – seht ihr es nicht? Er stirbt wie jeder und darf es doch nicht. Väter müssen leben. Sie müssen stark sein und ewig. Der Vater muß unsterblich sein – für kleine Kinder. All die gewaltigen Reste, die hier im Lande herumliegen, sagen doch nur dies: Er darf nicht sterben. Es gibt den Tod nicht. Der Pharao lebt – ihr seht es doch. Wir haben ihm ein großes Haus gebaut, mit goldenen Betten, herrlichen Sesseln, mit Waffen, Wagen, kostbaren Truhen angefüllt. Wir haben ihm Bäder und Speisekammern gebaut. Wir haben Früchte, Brot, Wein, Fleisch dazugegeben. Er braucht das. Er wird weiterleben. Jeder Stein sagt das. Jede Statue widerspricht der Vergänglichkeit, die doch ist. Alle Pyramiden, Tempel und Paläste hier sind nur scheinbare Grabkammern. Es sind Häuser, die dem zweiten Leben ein herrliches Fest bereiten. Ägypten – dies hat uns nicht Dolly gesagt, dies sage ich – Ägypten ist eine einzige heroische Leugnung des Todes. Nur gegen den Tod muß man so gewaltig anbauen. Der Baumeister hieß: die Angst. Er hieß: Du wirst sterben. Er hieß: Der Tod wird nicht sein.

Nilaufwärts – eine Bilderflut

Es hatte uns jemand zum Hauptbahnhof Kairo gebracht. Es hatte uns jemand die Fahrkarte nach Luxor in die Hand gedrückt. Es hatte uns jemand in den Wagen mit Platzkarten geleitet. Ein grauer, finsterer Wüstenzug, ein Orientexpreß aus Dreck und Sand. Nur unser Wagen war Luxusklasse. Die Luxusklasse sah wie ein alter, etwas schäbiger Bundesbahnwagen zweiter Klasse aus. Die Fenster verdreckt und erblindet, gut gepolstert die Sitze. Sogar eine Air-Condition fächerte kühle Luft zu, bisweilen. Ich blickte hinaus. Es wimmelten, es jagten, es krabbelten aufgeregte Massen. Menschen, die an Trittbrettern hingen, auf Puffern hockten, auf Dächern herumturnten. Kairo-Luxor, elf Stunden. Gelobt sei die Klassengesellschaft, sagte ich seufzend, in das Chaos sehend, wenigstens die der Eisenbahn. Leider, sie muß sein. Was steht uns bevor? Wohin geht die Reise? Ich sagte: Nennen wir es einstweilen, ganz improvisiert: die Reise nach Bangladesch. Luxusklasse – jawohl, aus hygienischen Gründen.

Es wurde ein großer Tag. Es war ein tiefes Erlebnis. Ägypten zog an uns vorbei wie ein Kindertraum. Nilaufwärts, dem Süden, der Sonne, dem Sudan entgegen. Es war eine einzige Bilderflut. Sie riß uns herunter in biblische Zeiten. Zunächst fährt man noch fast eine Stunde durch Kairoer Vorstädte, eine endlose Ruinenlandschaft mit Lehmwegen dazwischen. Dann verliert es sich, wird weniger. Man fährt nun den ganzen Tag durch diesen schmalen Grünstreifen am Strom, Ägypten genannt. Man sieht grauen, grünen, fetten Boden. Man sieht Palmengruppen, Zuckerrohrstauden, Reisfelder, Baumwollbüsche, Bewässerungskanäle dazwischen. Das Land, obwohl arm, macht keinen verwahrlosten Eindruck. Die Äcker sind gut bestellt: Zwiebeln, Bohnen, Gerste, Klee, auch Weizen – ein Garten Eden könnte es sein. Er ist es nicht. Überall auf den Feldern sieht man Fellachen, in ihre weißen Galabiyas gehüllt, tief gebückt hocken. Man sieht Bauern, Landarbeiter, die sich im Schatten einer Palme zum Schlaf gelegt haben. Sie rollen sich einfach in ihre endlosen Wäschebündel ein und sind schon, träumend, in Allahs Reich entschwunden. Die uralten Ziehbrunnen, die Ochsengespanne, die dreschen, der Fellache hinter dem Holzpflug. Alles geht hier noch von Hand. Schwer und knarrend die Arbeit. Von Industrialisierung keine Spur. Was hat sich hier geändert seit viertausend Jahren?

Biblische Bilder fluten heran: Afrikas Tiere sind zu sehen. Jetzt kommen Kamele. Ich frage: Wer hat einem Kamel schon einmal genau und kritisch ins Auge geblickt? Ich tat es. Ich tat es immer wieder in Ägypten, erstaunt. Sie blicken von ihren viel zu kleinen Köpfchen so hochmütig, fast hochnäsig auf uns herab. Ganz lässig und irgendwie verächtlich blinzeln sie mit ihren nur halb geöffneten Augen, als wollten sie sagen: Ihr könnt uns doch alle mal, ihr Kamele da unten. Jetzt kommen Esel. Jesus kommt auf seinem Esel geritten, und hinter ihm läuft die Maria, in schwarze Tücher gehüllt. Die Esel Ägyptens scheinen mir kleiner, zierlicher, als ich sie kannte, aus Südeuropa. Ungemein emsig, ja flott trippeln sie, auf rührende Weise bemüht, ihre Last zu tragen. Schamlos werden sie ausgebeutet und laufen doch pausenlos. Liegt nicht ein leichtes Lächeln, ein Hauch von

Menschenfreundlichkeit über ihrem Gesicht? Es sind jedenfalls die fleißigsten Wesen in diesem trägen Land. So viel Ausbeutung bei so kargem Lohn, dachte ich. Das kommt davon, daß sie keine Gewerkschaft haben. Esel sind das.

Jetzt kommt wieder der Nil ganz nahe an die Geleise. Eben war er noch weg. Breit, schwer, träge fließt er. Sein Wasser ist grau, graugrün, etwas verschlammt. Ich sehe Wasserbüffel, halbtief im Nil stehend. Nehmen sie ein Erfrischungsbad? Kolossale Brocken sind das, gewaltige Stiere. Sie stehen schwer und schwarz im grauen Nilwasser und regen sich nicht. Sie stehen von Ewigkeit her. Es sind eigentlich keine Tiere, uns untertan. Es sind mythische Urbilder. Es sind Vaterfiguren. Es sind Hodengötter. Erinnerst du dich an das Serapeum in Sakkara, die Stiergräber? Ich verstehe das jetzt. Der Gott der Fruchtbarkeit. Die Stiere Ägyptens haben noch heute etwas von Fabelwesen, die ehrwürdig sind.

Die Dörfer. Wir halten auf offener Strecke. Wir haben viel Zeit zum Sehen. Die Dörfer beginnen fast immer mit einer Moschee, die man als malerisch, von weitem wenigstens, bezeichnen kann. Der Rest des Dorfes ist ein wirres, graues Geviert von Wänden. Man hält es zunächst für Ställe. Die Fellachen haben sich aus Schlammziegelsteinen vier Mauern hochgezogen: Fertig ist die Laube. Das Mauerquadrat ist nach oben offen. Warum auch ein Dach? Es gibt hier kein Wetter. In Oberägypten hat es noch nie geregnet. Manche Fellachen haben sich oben eine Art Strohmatte darübergelegt, als Sonnenschutz. Tierfelle, Früchte, Reste von Hausrat schmoren da oben. Vögel hocken, Tauben flattern im Licht. Der Ibis schnäbelt am Wasser. So also, ungefähr, muß man sich die Gesellschaft vorstellen, in der Jesus Christus lebte. Aus solcher Tiefe, aus so viel Unerlöstheit kam das, was uns Europäer dann fast zweitausend Jahre beschäftigte. Das Christentum ist eine Erlösungsreligion. Wer will heute noch erlöst werden in Frankfurt oder Hamburg? Ich frage ja nur.

Ich will etwas über Farben sagen. Es muß aufgefallen sein, wie oft ich bisher schon von Grau sprach. Tatsächlich kennt Ägypten keine Farben, wie wir sie kennen: ein saftiges Grün, ein kräftiges, leuchtendes Rot, ein fettes Gelb. Weißleuchtend stehen die Fischerhäuser auf den griechischen Inseln. Hier nicht. Ein sanfter Grauschleier liegt über dem Land. Soll man ihn rauszwingen mit Omo oder Persil? Ein großes Feld wäre das schon für Gabriele Henkel und ihr Haus. Ich warne trotzdem. Es gehört zum Land. Siehst du die alten Segelschiffe, die Feluken, die jetzt eben vorbeiziehen? Ihre Segel haben dieses ganz unverkennbare, ägyptische Grau. Natürlich sind sie schmutzig, aber es stimmt für ein so altes Land. Leuchtweiße Segler wie die an der Kieler Bucht wären undenkbar. Das Grau Ägyptens ist nicht tot und trist. Geschichten aus grauer Vorzeit spielen mit. Es ist die Farbe des Hades, des Schattenreichs. Ich bin also schon wieder im Jenseits? Das Grau Ägyptens, meine ich, schlägt genau den richtigen Farbton an, der sich zwischen Leben und Tod gebührt. Es graut die Nacht, es graut der Tag, sagen wir.

Nilaufwärts, dem Süden, der Sonne, dem Sudan entgegen. Gelobt sei die Eisenbahn! Sie erzählt so hautnahe Geschichten. Einmal, als wir uns der Koffer wegen an der Wagendecke zu schaffen machten, kam mit der Pappdecke oben ein endloser Sandregen auf uns nieder. Die Wüste hat uns getauft. Einmal wurde ein junger Mann neben uns ohnmächtig. Er zuckte, grimassierte. Epileptische Krämpfe holten ihn ein. Alle standen aufgeregt drumrum. Eine ältere Frau, die wie eine strenge Matrone wirkte, strich dem Kranken süßes Parfüm auf die Stirn. Sie sprach Beschwörungsformeln, die deutlich wirkten. Der Anfall hat sich gegeben. Der süße Gestank des Parfüms ist geblieben. Wir haben viel Tee getrunken, elf Stunden lang. Wir haben auch einen Blick in die Küche des Speisewagens gewagt. Der Blick hat uns genügt. Wir waren dann satt für den Rest des Tages.

Und als es dann Abend wurde, als die Sonne merkwürdig milchig und blaß versank im Strom, waren wir ganz plötzlich da. »Luxor!« rief jemand. Kochende Hitze schlug uns draußen entgegen. Ein verrücktes Gejage, Gerenne, Gehetze begann. »Kalesch, Kalesch!« schrie alles. Die Hölle war los. Jemand ergriff die Koffer. Jemand stopfte uns in eine Kutsche, und ehe wir noch eigentlich wußten, was und wie, ging es mit zwei stolzen Gäulen ab, wiehernd wie Lützows wilde, verwegene Jagd. Einmal schläft eben der Orient, einmal lebt er wie toll. Wir jagten über sanfte Kuhlen, Schlaglöcher, Brocken eine abenteuerliche Piste entlang. Staub wirbelte auf. Hunde bellten. Menschen schrien. Der Chamsin, auch etwas Sobaa, war eingebrochen. Ein heißer Wüstenwind aus dem Sudan, ein afrikanischer Föhn, der die Leute wie rasend macht. Der Himmel war voller Sand. Egyptair hatte seine Flüge eingestellt. Gelobt sei die Eisenbahn! sage ich wieder.

Es war, als hetzte der Tod hinter uns. Die Kutsche flog und tanzte bedenklich. Nur mühsam hielt ich mich fest. »Winter Palace?« schrie der Kutscher in barschem Englisch. Und ich schrie zurück in solidestem Deutsch, also beinah Berlinerisch: »Na klar, Mensch – was sonst?« Alle Touristen der Welt wohnen in Luxor im Winter-Palast, seit hundert Jahren – wo sonst?

Luxor oder Die erste Erde

Das alles hat man uns unterschlagen. In der Schule, meine ich. In der Schule begann immer die Welt, wenn sie überhaupt begann, mit Adam und Eva. Dann kamen die Griechen. Danach die Römer. Schön und gut, sage ich. Es ist wichtig zu wissen, wie die Griechen den Menschen sich dachten: Kalos kai agathos, die Lehre des Sokrates – schön und tugendhaft. Es ist gut zu lernen, wie die Lateiner ihren Staat bauten: das römische Recht. Aber etwas fehlt doch? Ich habe es nie gewußt. Ich habe es nur geahnt: das ganz am Anfang, das vor der Schulzeit, als wir noch im Kinderland heimisch waren, in Märchen und Sagen verstrickt, von Ängsten erfüllt, von herrlichen Phantasien tief verzaubert. Das Wunderland, in dem alles nah und vertraut und zum Greifen war. Der Vogel war da und die Blume. Der Hund und die Gans, der Bach und der Fels. Die Sonne war da und der Mond und die Sterne, alles zum Anfassen, zum Greifen nah.

Das war doch einmal, in uns. In Luxor habe ich es endlich gefunden, wiedergefunden draußen. Kann man es so sagen?

In Luxor wird die Kindheitsstufe des Menschen erzählt. All unsere Träume, Ängste sind schwer in Stein gehauen. Infantile Omnipotenzphanatasien wuchern im Wüstensand: Du bist groß, du bist schön, du bist reich, du bist mächtig. Du bist wie ein Gott, allgegenwärtig. Du bist im Wasser, im Gras, im Mond, in den Sternen. Du gehst mit der Sonne unter, du stehst mit ihr wieder auf. Du wirst deine Mutter heiraten, du wirst deine Tochter heiraten. Deine Schwester wird mit dir liegen: Isis und Osiris. Du bist fabelhaft. Du wirst hundert Söhne zeugen. Du bist unsterblich. Es gibt den Tod nicht, du holder Narziß, Pharao, auch »Großes Haus« genannt.

Infantile Omnipotenzphantasien hat das Freud genannt. Eine Reifungsstufe des Kindes im vierten Lebensjahr. Polymorphpervers hat er das Kleinkind genannt. Man hat ihn verlacht, verspottet, den alten Juden. Ob er etwas ahnte: ägyptische

Nachbarschaft aller Juden? Ob er je hier war? Hier hätte er, tiefer noch als beim griechischen Ödipus, die ganz frühen Strebungen des Menschen in Stein und als politische Herrschaft gefunden. Ägypten ist doch in uns, meine ich. Du mußt dich nur fallen lassen, sehr tief. Sandspiele und Kinderphantasien des Menschen – hier sind sie mächtig und prächtig als Königsherrschaft gebaut. »Ägypten ist für mich zu einem zweiten Vaterland geworden«, hat der französische Schriftsteller Michel Butor bekannt. Er hat hinzugefügt: »Ich habe fast eine zweite Geburt in diesem langgestreckten Leib erlebt.« Das ist das Reiserlebnis: Geburtsphantasien und ganz frühe Weltvermutung. In Luxor sein heißt: die erste Erde sehen, die, die man uns unterschlagen hat.

Heute ist Luxor ein armseliges Arabernest mit glanzvoller Touristenfassade. Die Nilpromenade. Die Reste des goldenen Reichs werden auf ziemlich ekelhafte Weise verscherbelt: klein-klein. Es hieß einmal Theben. Homer hat es das hunderttorige Theben genannt. Es war eine Millionenstadt, die Hauptstadt und Zentrale des Mittleren Reichs. Zwanzig Jahrhunderte haben am Glanz, an der Pracht dieser mythischen Metropole gebaut. Das erste Rom könnte man Theben nennen. Die stolze Stadt ist zerbrochen, zerstört, ausgeraubt, dann vergessen worden. Zweitausend Jahre hat man sie aufgebaut, zweitausend Jahre hat man sie dann wieder eingerissen, ausgeplündert, dann ganz vergessen. Das eben ist Geschichte: das Kommen und Gehen. Wir sind nur Gäste in diesem Stück. Auch Theben ist vergangen, aber noch in den Resten, die blieben, ist auf überwältigende Weise das Ganze zu spüren: die göttliche Maschinerie der ersten Erde, das Leben als Kult. Im Osten, also rechts des Nils, ziehen sich die mächtigen Tempelsysteme von Luxor und Karnak. Im Westen, auf der anderen Seite des Nils, ist dieselbe Stadt noch einmal gebaut: als strahlendes, stolzes Totenreich. Beide gehören zusammen, sind eins: eine Chiffre für Existenz, eine mythische Formel für Welt. Theben ist der Kosmos der alten Ägypter, der, den man uns unterschlagen hat.

Wie nun hier eindringen? Wie kann man das Ganze erfahren, durchschauen, verstehen? Die Reisegruppen bleiben meist zwei bis drei Tage. Sie werden in ihrem nationalen Geleitzugsystem, streng abgeschirmt, in eigenen Luxusbussen gut isoliert, einmal durch das Ganze durchgepreßt. Wozu? Was bleibt? Wir sind zehn Tage in Luxor gewesen. Es war viel zu wenig. Es sind nur Fetzen, die man erfaßt und halten kann. Man geht zunächst durch die Tempelstadt rechts: Amuns Reichstempel von Karnak. Es ist ein merkwürdiger Zustand, in den man gerät. Man ist wach und doch wie benommen. Man ist fasziniert und versteht doch das Ganze nicht. Man ist in einen Märchenwald geraten, magische Zonen, die man durchläuft. Es bleiben eigentlich nur Staunen und Ratlosigkeit, hilfloser Aufblick, Teilaspekte. Was blieb denn in mir?

Die Architektur zum Beispiel: archaisch. Der Stein ist noch nicht leicht, kunstvoll und schwebend geworden wie später in Griechenland. Er lastet. Er ist eckig, kantig. Der Mensch leidet und steht unter Druck. Man geht in Karnak durch die lange Sphinxallee auf die Pylonen zu, mächtige Querwände, 15 Meter dick, 40 Meter hoch, die streng und stolz abweisen, das Heiligtum schützen. Man geht durch einen zweiten Pylon. Zwei gewaltige Figuren von Ramses flankieren den Eingang. Man steht nur und staunt. So war das also? Man geht immer weiter und tritt dann in jenen großen Säulensaal ein, den schon die Griechen als Weltwunder verehrten. Es ist nicht zu fassen. Gewaltiger als auf der Akropolis, auch viel besser erhalten, wuchert hier ein Wald von mächtigen Säulen. 134 kolossale Sandsteinsäulen, herrlich beschriftet, wachsen hier wie dicke Papyrusbündel in den Himmel hinein und tragen. Was tragen sie eigentlich? Fast nichts. Sie tragen, was Bäume tragen: sich selbst.

Es geht weiter: der dritte Pylon, der vierte, der fünfte, der sechste. Erst jetzt kommt das Allerheiligste, aber davon ist wenig zu sehen. Es ist wie eine große Operninszenierung, ein steinernes Schauspiel der Macht, wo uralte Tierkulte und Opferriten zelebriert wurden. Was? Was geschah eigentlich? Tiere wurden geschlachtet. Blut ist geflossen. Das Leben wurde als Opfer gebracht. Warum? Man kann in Karnak durch zehn solcher Pylonen wandern, und dann fängt wieder ein neuer Tempel an, jetzt der des Chons. Wer war denn das? Der Sohn des Amun, so hört man. Na gut, und so geht das nun weiter. Ich meine: Das Ganze ist da. Es ist überwältigend da, aber es ist nicht zu fassen – so.

Die Abende in Luxor, wenn wir dann nach Hause gingen. Man läuft den Nil entlang. Die Sonne liegt unten. Der Himmel ist rötlich. Jetzt beginnt das Farbspiel, der Feuerzauber drüben in Theben-West. Es ist, als würde den Toten drüben jeden Abend ein kosmisches Feuerwerk dargebracht, ein Opfer des sterbenden Lichts. Die gelbbraunen Felsen leuchten. Sie brennen in einem glühenden Rot, das langsam ins Violette, dann ins

Bläuliche zerfällt, dann ins Graue versackt. Es graut jetzt die Nacht, ägyptisch. Windstille. Ein Segelboot treibt müde auf dem Wasser. Ein winziger Motorkutter zieht hinter sich drei Lastschiffe. Sie sehen fahl und grau aus wie Ratten, die geduckt auf dem Nil schwimmen. So war es immer. So wurden seit Amuns Zeiten die mächtigen Steinquader für den Tempelbau auf dem Nil transportiert. So hat Hatschepsut, die stolze Pharaonin, zwei herrliche Obelisken von Assuan nach Karnak bringen lassen. So ist die heilige Familie: Amun, Mut und das Kind Chons, in ihrer göttlichen Barke in feierlicher Prozession von Karnak nach Luxor gezogen. So hat man endlich die Mumien der Pharaonen, die man in Theben fand, nach Kairo gebracht. Der Nil ist Ägypten. Stromaufwärts, stromabwärts heißt seine Legende.

Melancholie erwacht, ein Gefühl von Vergeblichkeit. Warum? Was soll's? Was geht es mich an, im Grunde? Ja, ich möchte mich selber verstehen, ganz von Anfang an, also geschichtlich. Aber wie kommt man da ran? Ich bin erschöpft. Ich bin müde. Ich bin es so satt – satt vom Sehen. Die Augen haben getrunken. Ich will schlafen, versinken. Ich will nie mehr erwachen. Unbewußt will ich sein. Schläfer, vielleicht, können Theben erreichen. Träumer, vielleicht, können das Alte Reich sehen. Man müßte tot sein, um zu den Toten zu kommen. Das ist es. Gibt es ein Leben nach dem Sterben? Was wird mit mir sein, wenn ich nicht mehr bin?

Die Morgende dann: Luxor im Licht. Man stößt die Balkontür auf, sehr früh schon, um fünf oder sechs. Man ist ausgeschlafen, sehr früh. Was geschah? Biblische Wunder: Siehe, das Alte ist neu geworden, die neue Schöpfung ist da. Jeden Tag wird der Kosmos hier neu geboren. Dieses uralte, verrottete Nest von gestern abend liegt blank und blitzsauber im Morgenlicht. Die erste Erde beginnt – jetzt. Es ist alles ganz frisch. Der Nil liegt sehr ernst, tiefblau, fast fromm noch in seinem Bett. Die Luft ist kühl, der Himmel hellblau, eine trockene, sehr klare Atmosphäre. Scharfe Konturen, strenge graphische Linien, wohin man blickt. Drüben die hellen, gelben Gebirge, Tafelberge aus Kalkstein, die nach unten in merkwürdigen Schluchten und Riffen zerfallen. Eine zerklüftete Urlandschaft. Wir setzen über. Wir fahren nach Theben-West.

Man sollte sich den Übergang in das Totenreich nicht feierlich vorstellen. Ägypten heute steht da am anderen Ufer und vermarktet die göttlichen Reste. Klein-klein, sage ich wieder.

Ein ungeheures Geschrei, Geschnatter empfängt. Händler feilschen, Taxifahrer schreien. Die Taxis sind uralte, zerborstene Wüstenschiffe, schrottreife Wracks, Mumienkarossen. Die Taxifahrer sind halbe Kinder, zerlumpte Knaben, die ihre Wracks mehr schieben als fahren. Wohin also? Wohin geht eigentlich die Reise, wenn man die Toten besucht?

Die Nekropole Theben-West ist ein Labyrinth, ein Riesenreich unter der Erde, eine zweite Stadt, die viel größer ist als die der Lebenden. Natürlich, die Toten vermehren sich rasend, wenn man all die Jahrtausende bedenkt. Es sind zu viele. Es warten Hunderte von Königsgräbern und Tempeln: das Tal der Könige, die Tempel von Deir el-Bahari, der Tempel der Hatschepsut, das Ramesseum, die Tempel von Medinet Habu, wo Ramses III. sein Haus bekam, die Tempel von Deir el-Medina, das Tal der Königinnen, die Gräber der Noblen, die Nekropole der Priester, Beamten und Arbeiter, und so geht das weiter. So etwas sah ich noch nie. Wie nun beginnen?

Sand, überall Sand. Man watet durch warmen Wüstensand. Hier hat es noch nie geregnet. Es gibt keine Feuchtigkeit. Es gibt also auch keine Verwesung. Wer hier umfällt, wer hier stirbt in der Wüste, kann nicht verwesen. Er verdampft, sozusagen. Er trocknet aus. Er schrumpft etwas, aber zerfällt nicht. Die Haut ledern und braun. Er trocknet zu einer Mumie aus und bleibt dann so liegen. Das ist das Geheimnis von Oberägypten und der Grund seiner unermeßlichen Schätze. Es ist nichts verwest und zerfallen in viertausend Jahren. Hier hat man alles gefunden, man hat es geöffnet. Es sah alles aus, als wäre es hundert Jahre alt, nicht mehr. Hier hat man die Mumien der Pharaonen entdeckt, Schrumpfgötter. Es gab einen hochritualisierten Balsamierungskult, zusätzlich, den die Priesterkaste betrieb. Das außerdem. Aber das Entscheidende war die Natur, der Klimaaspekt. Die Wüste ist ein meisterhafter Konservator.

Jetzt in der Erinnerung verwirrt sich vieles. Es war einfach zuviel. Vierhundert Gräber liegen hier. Etwa fünfzig sind erschlossen. Im Tal der Könige: das Grab Ramses' VI., das Grab Ramses' IX., das Grab Amenophis' II., das Grab Thutmosis' III., das Grab Ramses' III., das Grab Sethos' I., der große Tempel und die herrlichen Grabkammern der Königin Hatschepsut mit der Gestalt des kleinen Männchens, des Architekten, ihres Geliebten, auf der Rückwand. So viel Bilder, Schächte, Gänge, Flure. Es sind Paläste, die man da in die Felsen getrieben hat.

Jedes Grab ist etwas anders, aber im Prinzip sind sie ähnlich konstruiert. Schmale Gänge, hundert, manchmal auch zweihundert Meter lang, senken sich sanft in die Erde. Es öffnen sich unterirdische Paläste mit Korridoren, Vorhallen, Vorsälen. Es kommen neue Gänge, die manchmal im rechten Winkel um die Ecke führen. Die Wände sind mit bunten Bildern geschmückt, die den Weg des Toten ins Jenseits beschreiben, wie er vom Gott empfangen, geleitet und eingewiesen wird in sein zweites Leben. Die Decken enthalten Himmelsgemälde. Der Himmel ist jetzt eine gewaltige blaue Kuh, die sich mit ihren Brüsten niederbeugt zu uns Menschenkindern. Erst dann kommt endlich die Grabkammer selbst, die meistens leer ist, aber nicht immer.

Das Grab des Tut-ench-Amun zum Beispiel. Wir haben es zweimal besucht. Wir waren zur Mittagszeit da, ganz allein. Die Wächter des Grabes schliefen draußen, in Wäsche gewickelt. Er war ein kleiner, junger, ganz unbedeutender Pharao. Er starb schon mit achtzehn. Er ist heute weltberühmt. Sein Ruhm hat den des Ramses weit übertroffen. Man fand sein Grab, an das niemand gedacht hatte, erst 1922. Es war alles da und noch unzerstört, und obwohl dieser Jüngling so unbedeutend war, war sein bescheidenes Grab für die Augen der Welt überwältigend. Ceram hat das beschrieben: wie man vermutete, suchte, schließlich eine Wand einbrach und plötzlich in dieser kleinen Grabkammer auf eine goldene Pracht stieß, die atemlos machte. Die Kammer randvoll bis zur Decke mit goldenen Geräten gefüllt: Thronsessel, Betten, Liegen. Der tote Pharao lag in vier goldenen Prachtsärgen, die wie eine russische Puppe ineinander verschachtelt waren. Man hat all die Schätze ins Kairoer Museum gebracht. Nur sein Sarkophag und er selbst sind hier geblieben.

Warum bewegt uns das? Warum steht man staunend in dieser goldenen Kammer? Weil die Zeitdimension plötzlich zerfällt. Plötzlich lebt man im Jahr 1300 vor Christus. So ist es damals gewesen? Halb Gottheit, halb Fabelwesen, liegt er streng und steif in seinem letzten Sarg. Er schweigt. Er schläft. Er ist verstummt und erzählt doch in seinem Schweigen diese märchenhafte Geschichte vom Anfang: Du bist jung, du bist schön, du bist reich, du bist mächtig. Du bist im Wasser, im Gras, im Mond, in den Sternen. Du gehst mit der Sonne unter. Du stehst mit ihr wieder auf. Es gibt den Tod nicht. Du bist unsterblich, Tut-ench-Amun. Ich habe dich gesehen, göttliches Kind.

Assuan oder Ein Volk versinkt

Die Nächte unter dem nubischen Mond schließlich, als wir ganz oben waren. Der eine Mittag, als wir, hart an der sudanischen Grenze, in Abu Simbel die großen Ramsestempel sahen, in gleißendes Licht getaucht. Ägypten empfing hier, noch hinter dem Wendekreis des Krebses, Afrika, die schwarze Rasse, mit seinen mächtigen Göttern, sitzend. Die Tage in Assuan dann, die Woche im New Cataract Hotel, die wie ein schwerer Zauber über mir lag. Rätselhaft schön war es, ganz leicht von ersten Qualgefühlen durchsetzt. Genug, genug. Ich bin es satt. Höhepunkt und Finale jeder klassischen Ägyptenreise. Kenner kennen das. Weiter geht es nicht. Ägypten, das Märchen vom Anfang, ist hier zu Ende. Und hier am Ende wird es, Ägypten, meine ich, noch einmal ganz anders. Wie?

Der Nil ist nicht mehr einförmig und glatt. Er zerreißt, er zerfällt in lauter Katarakte. Felsmassen recken sich wie Elefantenbuckel aus dem Wasser. Urgestein liegt herum, Urgeröll. Es ist, als würde das alte Land erst jetzt uralt. Man fällt noch eine Stufe tiefer. Es geht noch mehr zurück. Auch hier stehen Tempel und Gottheiten. Ich sage nicht: Ihre Macht ist gebrochen. Ich sage nur: Der Schwerpunkt verlagert sich. Die Kultur tritt zurück. Die Natur schiebt sich nach vorne. Sie ist stumm. Es sind nur ihre Formen und Farben, die anders werden. Elefantenschwer, elefantengrau schien mir alles. Drei Inseln liegen im Nil. Die größte, die mit den nubischen Dörfern, heißt nicht ohne Grund »Elefantine«. Sie war früher Afrikas Marktplatz für Elefanten.

Nicht die Kunst – der Stein bestimmt in Assuan alles. Die großen Steinbrüche liegen hier, aus denen die Pharaonen ihr rosenfarbenes und graues Granit als Baumaterial bezogen. »The unfinished obelisk« – er liegt eben da, unfertig, und wird den Touristen gezeigt als Muster: So ist damals alles gebrochen, bearbeitet und transportiert worden. Es war ein mühseliges und doch geniales System. Sie sprengten zum Beispiel den Marmor mit kaltem Wasser, das sie in vorbereitete Ritzen laufen ließen. Durch die Erwärmung des Wassers in der Mittagshitze flogen dann die Marmorblöcke auseinander, genau wie es vorausberechnet war.

Ich will es nicht weiter beschreiben. Ich muß aber das Licht erwähnen. Es war reine Magie. Ich saß jeden Abend auf dem Balkon und sah diesem späten Lichtspiel zu, anders als Luxor.

Es ist ein schweres Licht, das über die Erde fällt. Kann man es so sagen? Gibt es das: schwarzes Licht? Die Dinge sind wie verzaubert: ganz nah, ganz dicht. Die Welt ist zu einem mythischen Bild zusammengerückt. Erhaben und ruhig ziehen die grauen Segler an den Felsmassen vorbei. Stolz und stumm steht das Grabmal des Aga Khan auf dem Berg. Ich will auch der roten Rose gedenken, die die Begum jeden Morgen frisch auf das Grab ihres heiligen Mannes legen läßt. Ein schönes, orientalisches Zeichen der Liebe. Die Begum aber wohnt in Frankreich. Sie legt nicht. Sie läßt legen. Ich verstehe das. Solche südlichen Märchen, näher betrachtet, haben ja immer auch ihre Rückseiten: grauenhaft. Das Land ist, sozial gesehen, eine Katastrophe. Alle Ägypter hier oben wollen weg, reden, träumen von Zürich, Londen, von Frankfurt, auch West-Berlin. Auch das verstehe ich. Auch ich will zurück. Märchen sind immer nur eine Märchenstunde lang schön.

Die Ägypter von heute: Wie ihnen helfen? Die jungen Ägypter zum Beispiel, mit denen wir zu tun hatten, die aus der Touristenbranche, schon eine gehobene Schicht der Kleinmanager, die man brauchen würde, um das Land zu entwickeln. Nur wie? frage ich. Sie kommen in die großen internationalen Hotels in einer Art rein, die unsereinen mutlos macht. Sie kommen ganz überlegen, ganz souverän, wie kleine Herrchen, fix und fertig. Sie kommen im europäischen Modedreß, sie schwenken mit den Ledertäschchen. Sie werfen sich in die Sessel. Sie zukken ihr goldenes Feuerzeug und zünden sich ihre Zigarette in einer Gebärde an, die europäisches Hochformat erkennen läßt. Sie sagen immer: »Okay, all right – kein Problem, wird gemacht.« Und dann geschieht nichts. Sie sind einfach fix und fertig. Man kommt gar nicht ran: alles zu glatt; man rutscht immer ab.

Ich will es direkter sagen: Es fehlt den Ägyptern von heute etwas von dem, was die Israelis zuviel haben. Sie können sich nicht problematisieren. Sie können sich selbst nicht in Frage stellen. Sie finden sich fabelhaft, jeder auf seine Weise. Es fehlt ihnen völlig die jüdische Gabe, das jüdische Elend der dauernden Selbstzerfaserung. Kritische Introspektion, kritische Selbstreflexion ist hier unbekannt. Fast jeder Ägypter denkt: Ich bin im Recht, die anderen sind schuld. Und natürlich mißrät den Ägyptern damit fast alles, was sie heute anfangen. Die moderne Industriezivilisation ist auf kritische Reflexion gegründet. Wie funktioniert das und warum funktioniert es nur so? Nur so

funktionieren Eisschränke, Fahrstühle, Autos, Elektrizitäts-
werke, Fabriken, Staudämme. Es funktioniert nichts: ein Gefühl von kaputt.

Der Assuan-Staudamm zum Beispiel. Wir haben ihn gesehen.
Traurig zu sagen: Es ist wieder so eine ägyptische Idee – ein
fabelhaftes Projekt, ein technisches Wunder, das mit einem
Schlag das Elend des Landes lindern sollte. Die Deutschen haben ihn geplant. Die Sowjets haben ihn gebaut. Die Ägypter
vergaßen nur, die unerläßlichen ökologischen Vorstudien zu
betreiben. Die Sowjets waren nur an einem Prestigeobjekt interessiert, politisch, versteht sich. Wir sind auf dem Staudamm
gewesen. Wir sind mit dem Flugzeug zweimal den riesigen Lake
Nasser abgeflogen. Fünfhundert Kilometer lang. Er ist noch
immer nicht vollgelaufen. 157 Milliarden Kubikmeter Wasser
soll er einmal enthalten. Imponierende Zahlen, hochfliegende
Hoffnungen. Nur, wie sieht es aus – in Wirklichkeit?

Sie haben auf eine gefährliche Weise an ihrer einzigen Le-
bensader herumbasteln lassen. Ich will jetzt nicht von der tödli-
chen Gefahr eines Dammbruchs sprechen, im Kriegsfall etwa.
Eine Bombe würde genügen: Ganz Ägypten würde jämmerlich
ertrinken. So weit will ich nicht denken. Es sind ganz neue
Umweltprobleme entstanden. Ich will jetzt auch nicht sprechen
von der Veränderung der Luftfeuchtigkeit hier in Assuan. Vom
Flugzeug aus über Abu Simbel ist es für jeden Laien zu sehen.
Wo einmal Palmenhaine und blühendes Uferland waren, steht
jetzt eine blaue Lauge. Es wächst nichts mehr. Es ist alles tot.
Das gestaute Wasser geht wie Brackwasser direkt in die Wüste
über. Das Wasser versalzt. Es sterben die Fische. Es kommt
zwar Elektrizität in Kairo an. Dank veralteter russischer Um-
setzer-Technik sollen es gut zehn Prozent der produzierten
Strommasse sein, aber die natürliche Selbstregulation der Bewässerung, die der Nil seit Jahrtausenden leistete für das Land,
ist nun hin.

Jedes Jahr im Juni trat der Nil früher über seine Ufer. Er
überflutete das Land, warf den düngenden Nilschlamm auf die
Äcker, zog sich dann wieder zurück. Es war der Pulsschlag der
Erde, das ägyptische Urereignis. Die Nilometer überall im
Land erzählen noch heute davon. Die Aussaat begann. Die Ernte war meistens reich. Die fetten Jahre, die mageren Jahre. Seitdem es den Staudamm gibt, hat dieser Rhythmus aufgehört. Es
hatte auch Vorteile zunächst. Man konnte die Bewässerung regulieren. Aber dann? Dann setzten sehr komplizierte ökologi-

sche Prozesse ein. Ich kann sie nur andeuten. Das Grundpro-
blem ist: Die künstliche Bewässerung, die man schuf, läßt das
aufgestaute Wasser nicht mehr abfließen. Man hat das notwendige Dränagesystem vergessen. Das Wasser kehrt nicht in den
Nil zurück, sondern wird jetzt dem Grundwasser zugeführt,
dessen Spiegel sich nun ständig hebt. Das Grundwasser hebt
schädliche Salze mit. So versalzen die Böden. Weiße Salzkru-
sten sind zu sehen. Die Ernte wird weniger. Es sind jetzt nur
noch magere Jahre zu erwarten.

Es ist nur ein Beispiel, nicht mehr. Ich kenne mich nicht aus
in solchen Sachen. Ich sah es und hörte es nur hier. Ich las auch
darüber. Die meisten Fellachen verfluchen heute den Damm.
Das Beispiel will sagen, was ich schon zu Beginn sagte, Kairo
beschreibend: Sie können es einfach noch nicht. Die moderne
Industriezivilisation ist ihnen ganz fremd. Ägypten versinkt,
indem es sich zu entwickeln scheint. Es geht nicht aufwärts, wie
man's doch gern hören würde, hierzulande. Es geht bergab.
Wohin?

Gruß an Achmed

Es war in der Cafeteria am Flughafen. Er saß uns gegenüber. Er
war sehr tüchtig, auch hilfreich gewesen. Er sah wie Mitte dreißig aus, war aber erst siebzehn: klein, dicklich, sehr agil. Er
hatte uns vor einer Woche mit dem sicheren Blick junger Manager der Touristenindustrie aus dem Schlafwagen am Hauptbahnhof Kairo gefischt. Er stand in einem dicken, nicht unele-
ganten Flanellanzug am Bahnhof, schwitzend. Er trug damals
ein schwarzes Bankerköfferchen bei sich, hatte sofort sein goldenes Zigarettenetui geöffnet. Er hatte sehr höflich gesagt: »Sir,
Sie sind mein Gast. Mein Haus ist Ihr Haus. Ihr Wunsch ist
mein Vergnügen.« Er hatte uns später die Fahrkarten nach
Alexandria in die Hand gedrückt. Er war mit uns noch später
nach Suez gefahren. Schlimm, sage ich nur. Fürchterlich kaputt,
verwahrlost sieht Suez aus. Er versuchte außerdem, mir das
Nachtleben von Kairo ans Herz zu legen. Nubier trommelten,
wilde Männer fraßen Schwerter und Feuer, junge Mädchen bo-
ten im roten Beduinenzelt von Sahara-City auf das gelenkigste
Bauchtanz feil. Er hatte mich damals im halbdunklen Flimmer-
licht sehr kritisch gemustert. Es war ihm wohl nicht entgangen,

daß ich das Nachtleben von Kairo eher komisch und etwas albern fand?

Also Flughafengefühle: Airport Cairo zuletzt. Sie, lieber Achmed, wollten da wissen, wie's denn nun war, die Reise. Ich erinnere mich genau: Ich habe mich irgendwie aus der Affäre gezogen, mit Redensarten. Ich war sehr verlegen. Ich wußte es nämlich nicht. Ob Sie das wohl verstehen? Ich meine, ein Schriftsteller kann über den Wert einer Erfahrung eigentlich immer erst hinterher befinden. Darum schreiben wir ja: um uns selber klarzuwerden. Erst jetzt, alles abwägend, in sein inneres Gleichgewicht bringend, kann ich Ihnen die Wahrheit sagen. Die Wahrheit kommt immer zum Schluß, zu spät also fürs Leben.

Damals am Flughafen, als Sie mich fragten, war ich eigentlich nur eins: fertig. Ich war richtig kaputt. Ich fühlte mich elend, halb krank. Ich hatte mir auch eine gräßliche Hautallergie zugelegt. Ich blutete, zum Schluß. Warum soll ich es jetzt nicht sagen? Ich wollte nur weg. Ich war ziemlich neurotisch geworden. Ich erinnere mich, daß ich schon in Assuan im Hotel Oberroi einmal gesagt hatte, ironisch, aber nicht nur ironisch: Es geht das Gerücht, daß am Samstag wieder ein Transport nach Deutschland verlegt werden soll. Ob wir da mitkommen? Also Kriegserinnerungen. Das ist ja der Mechanismus der Neurose: Sie spiegelt uns immer Vergangenheit als Gegenwart ein. Ägypten war mir zum Schluß wie den Juden früher: Gefangenschaft.

Damit ist eigentlich alles gesagt, lieber Achmed. Für mich war das keine Reise, wie ich sie sonst mache. Es war eine ganz tiefe Geschichte. Es war wie ein Schock. Ihr Land hat mich getroffen, geschlagen. Ja, ich haßte es manchmal. Warum soll ich es jetzt nicht bekennen? Ich war dann wieder hingerissen. Ich sah so viel Pracht, so viel Schönheit früher. Ich sah so viel Elend und Hoffnungslosigkeit heute. Das alles hat mich geschlaucht, aus der Bahn geworfen, innerlich. Ich kam ziemlich kaputt zurück. Nehmen Sie dies als Antwort einstweilen: Ägypten war das tiefste Reiseerlebnis, das ich kenne. Ich bin damit nicht fertig. Ich weiß eigentlich nur eins: Ägypten liegt nicht hinter mir, wie es sonst mit Ländern war, die ich beschrieb. Der Prozeß ist noch anhängig. Er wird weitergeführt.

Ich erinnere mich jetzt an den Augenblick, als wir im Frankfurter Flughafen die Reise antraten. Egyptair war natürlich wieder unpünktlich gewesen. Wir mußten drei Stunden warten auf die Linienmaschine. Ich war mit einem älteren Herrn ins Gespräch gekommen, der so allein herumstand, auch nach Kairo wollte. Es war ein etwas wunderlicher Typ. Er kam aus einem Dorf bei Koblenz. Er wirkte wie ein etwas schrulliger Junggeselle. Er hatte mir erzählt, daß er schon viermal in Ägypten gewesen sei. Es sei eigentlich alles furchtbar dort, hatte er lächelnd gesagt. Und als ich etwas erstaunt zurückgefragt hatte: »Ja, warum fahren Sie denn dann jetzt zum fünftenmal hin?«, hatte er mit einem Lächeln, das hilflos und weise zugleich wirkte, erwidert: »Ich weiß auch nicht. Da ist einfach was. Da ist etwas, was es auf der ganzen Welt sonst nicht gibt. Ich muß wieder hin.«

Lieber Achmed! Heute bin ich in der Situation dieses Mannes. Mehr habe ich auch nicht zu sagen. Oder doch? Ich gehe noch einen Schritt weiter. Ich habe lange darüber nachgedacht. Dies alles jetzt schreibend, meine ich wenigstens etwas herausgefunden zu haben. Jeder Mensch hat ja seine erogenen Zonen, im Geist. Jeder hat seine bestimmten sensitiven Organe, mit denen er Welt wahrnimmt und versteht. Meine sind immer die Augen gewesen. Ich konnte die Welt nie erklären, rational hinterfragen, wie man heute sagt und wie sich's wohl schickt. Ich konnte immer nur sehen, wahrnehmen, die Augen weit aufreißen. Was ist denn zu sehen draußen? – das war meine Frage, ins Weltgeschehen vermischt. Zum Sehen geboren, zum Schauen bestellt. Ich kenne meine Grenzen. Mehr ist mir nicht gegeben.

Ägypten, so viel weiß ich heute, hat mich an meiner empfindlichsten Stelle getroffen: auf der Bildstufe, wo ich ziemlich empfänglich, auch reizbar bin. Deshalb die Tiefe der Erschütterung, mit der ich nicht fertig bin, jetzt. Ich kam unwissend. So etwas sagt einem ja niemand vorher. Und was war? Es war eine einzige Augenlust, eine Bilderflut, die mich überschwemmte. Ich weiß nicht. Ich füge dem Satz des hilflosen Herrn am Flughafen meinen Satz zu: Ich weiß, es gibt kein Land auf der Welt, das so in Bildern zu Hause wäre. Alles von Kairo bis Abu Simbel war für mich Augenweide. Ihr seid das Volk auf der Bildstufe der Menschheit. Alles bei euch hat etwas von mythischen Urbildern. Eine Palme, ein Fels, ein Grab, ein Kind; die Tiere von denen ich sprach: die Esel, die Kamele, die Stiere, Hodengötter – ein Bilderbuch der Vergangenheit. Ihr seid einfach der Anfang, der blieb – für Augen.

Das, lieber Achmed, ist meine Antwort auf Ihre Frage, und ich füge hinzu: Jede Reise, die tiefer geht, ist zuletzt immer eine

Reise zu sich selbst. Deshalb reisen wir: Im Material der Fremde will man sich selber erfahren. Kennen Sie das Wort von
Michel Butor über Ägypten? Ich wiederhole es hier. »Ich habe
fast eine zweite Geburt in diesem langgestreckten Leib erlebt«,
sagt Butor. So weit ist es noch nicht mit mir. Aber ich weiß
jetzt: So etwas wäre möglich. So etwas könnte auch in Gang
kommen bei mir. Ich bin nicht fertig mit euch. Ägypten liegt
vor mir. Ich werde wiederkommen. Ich sage also: Auf Wiedersehen, Achmed! Ich muß das alles noch einmal sehen – genauer.

Washington D. C.
Porträt einer merkwürdigen
Hauptstadt

Inzwischen kenne ich es. Es ist mir nicht neu. Es geht so vor sich: Plötzlich heißt es anschnallen. Plötzlich fällt man vom Himmel. Plötzlich ist Amerika da, und zunächst ist Amerika immer wie ein leichter Schock, wie ein sanfter Faustschlag, der einen trifft: Wach auf – steh auf, du müder Christ! Mit welcher Energie sie hier leben! Es reißt einen hoch. Man wird wieder fallen. Amerika ganz am Anfang und vor allem auf Flughäfen ist nichts als ein Gefühl von Licht, von Blendung, von kalter, strahlender Helligkeit, die aus Neonröhren kommt: ein elektrischer Kontinent.

Und es stellt sich bei mir dann immer diese Mischung aus Neugier und Hilflosigkeit ein. Man fühlt sich verloren und ist doch angezogen. Man ist schon fasziniert und wehrt sich dagegen. Erfahrung der Ambivalenz: Ich habe kein eindeutiges Verhältnis zu diesem Land. Ich kann es auf keine Formel bringen. Es heißt immer wieder: Einerseits schon, andererseits aber. Einerseits ist Amerika das große Reiseerlebnis, das ich liebe. Andererseits aber. Ja, was wäre andererseits diesmal zu sagen?

Es wäre zunächst zu sagen, daß Thanksgiving Day war, als die Maschine am Flughafen aufsetzte. International Airport Dulles, vier Uhr nachmittags. Ich wußte nicht, daß man in Dulles ankommt, wenn man nach Washington will, und Thanksgiving Day hatte ich mir wie unser Erntedankfest vorgesellt. O Gott, vielleicht wäre es unter Hitler so geworden: groß? Es war auf jeden Fall der falscheste Termin, den ich mir aussuchen konnte. Das Thanksgiving der Amerikaner ist ein Super-Weihnachtsfest. Es dauert vier Tage, und jener Donnerstagnachmittag, als die Maschine landete, ist nur mit unserem Heiligabend zu vergleichen. Da läuten die Glocken der Innerlichkeit von New York bis Los Angeles. Da ist alles dicht und zu. Ganz Amerika sitzt in Millionen dankbarer Familien um Millionen duftender Truthähne versammelt und verspeist diese schmackhaften Tiere in ritueller Feierlichkeit. Der neue Kontinent dankt dem alten Gott mit zartestem Geflügelopfer.

Schwierig, in solcher Stunde die Stadt zu erreichen. Dulles ist kein Ort. Es ist nichts als ein moderner, nicht sehr großer Flughafen, der auf freiem Feld in Virginia liegt, ungefähr vierzig Kilometer von der Hauptstadt entfernt. Es kam ein schönes Monstrum auf den Jumbo-Jet zugefahren, eine Kreuzung aus Bus, Fahrstuhl, und Cocktail-Salon. Das Ding heißt Mobile-Lounge. Es preßt sich an den Rumpf der Maschine, es stemmt sich auf Türhöhe hoch, gibt Schleusenkammern frei und saugt dann die Gäste an, sozusagen. Man sitzt danach in einem piek-feinen Salon, aus dessen Deckenwänden sanfte Musiktropfen niederrieseln. Der Fahrer sieht wie ein Chefingenieur aus: ernst und sehr nachdenklich. Er blickt nicht durch die Windschutz-scheibe. Er steuert dieses Monstrum mit Hilfe eines Fernseh-monitors, der neben seinem Steuerrad flimmert. So werden wir alle einmal fahren, elektronisch geleitet. Der Salon entläßt dann die Gäste an der Empfangshalle mit dem guten Gefühl, die jüngste Kreation des technischen Fortschritts genossen zu ha-ben. Merke: the Mobile-Lounge.

Aber das war es dann auch. In diesen vier Wochen Washing-ton habe ich weitere Wunder der Zivilisation nicht erlebt. Dafür müßte man nach New York oder Chicago oder Los Angeles fahren. Washington, ich sage das jetzt einmal im voraus und sozusagen ins unreine gesprochen, ist kein Ort zum Staunen. Keine Hochhäuser, keine Skyline: Amerikas Großartigkeiten sind hier nicht versammelt. Es ist maßvoll bis langweilig. Doch greife ich vor. Ich wußte ja noch nicht, daß ein Kongreßgesetz seit je gebietet, daß kein Gebäude der Stadt das Kapitol überra-gen darf. Eine niederdrückende Erfahrung. Darüber wird zu sprechen sein.

Also, es gab kein Taxi, keinen Bus für die Hauptstadt der Vereinigten Staaten. Die wenigen Mitpassagiere hatten sich längst verlaufen. Ich saß eine Stunde auf meinem Gepäck, dach-te: Na, das ist eine Provinz, schlimmer als Wladiwostok. Aber wie es in Amerika immer ist: Man ist nicht ganz verloren. Es kam schließlich ein Farbiger, ein Angestellter des Flughafens. Er sagte: »Sir, come on!« Er führte mich zu einem Kleinbus, der die Stewardessen vom International Airport zum National Air-port in Arlington bringen mußte. »Sir«, sagte der Farbige, »you may come with us to Key-Bridge.« Ich stieg ein, ich saß dank-bar und stumm zwischen jungen Damen, die wie stolze Pudel hochgetrimmt dasaßen: blond und hellblau. Ich sagte mir: Ver-giß diesen Namen nicht. Da mußt du aussteigen.

Es war Ende November. November in Virginia ist aber an-ders. Reste von Indian Summer liegen in der Luft. Es ist hell, warm, ein schöner, milder Oktobertag in Palermo. Zeit der Reife, Zeit der Ernte, Thanksgiving Day. Buntes Laub an den Bäumen, eine Hügellandschaft, die immer noch grün und saftig ist. Rheingau, dachte ich, oder Weserbergland. Es mutet deutsch an, wenn man von Nordvirginia auf Maryland zufährt, nur gepflegter, geleckter, eine Parklandschaft in Plastiktüten. Das Schild einer Autobahnausfahrt flog vorbei: »Next Exit: CIA«. Bitte, dachte ich, du bist auf dem richtigen Weg. »The boys in the woods«, sagte eine der Stewardessen grinsend. Es ging weiter. Dämmerung fiel ein und plötzlich waren wir in Key-Bridge, und ein Taxi nahm mich auf und raste los. Ich wußte von nichts. In solchen Fällen ist es immer gut, Hilton zu sagen. Eine Mutter-Phantasmagorie de luxe in Amerika. Mit Hilton liegt man am Anfang schon richtig.

Amerika ist ein einziges Massage-Institut – für mich. Man wird hochgepusht, man wird fit gemacht, auf Leistung getrimmt und hineingerissen in eine strahlende Lebenslust, die ziemlich schrecklich ist, am Anfang. Wach auf, du müder Christ! Vergiß das Abendland, Europas Müdigkeiten! Hier ist eine andere Zeit. Ich sah den Fernseher im Hotelzimmer flimmern. Es lief eine Show. Kanal 7 brachte an diesem Thanksgiving-Abend eine religiöse Monster-Show: »Good News, America!« Und ich wachte auf. Ich war sofort wieder hingerissen. Es gibt ja eine Stillosigkeit, die nur noch Herzklopfen macht.

Man sah einen riesigen Saal, etwa so groß wie die Deutschlandhalle in Berlin. Acht- bis zehntausend Menschen waren versammelt, um die Wunder und die Ehre Gottes zu preisen. Sie beteten, sie weinten. »Good News, America!« rief immer der Quizmaster triumphierend, ein sportlicher junger Mann, der wie Billy Graham aussah: so blond, so gläubig und blauäugig. Es war eine große Stunde des Fernsehens, eine Zentralschaltung über den Kontinent. Von New York bis San Francisco wurden laufend die neuesten Wunder Gottes vermeldet wie Football-Siege. Erst allmählich begriff ich: Die Nation spielte elektronisch mit.

Ein Mann, den man wohl als begnadet bezeichnen muß, rief aus Oklahoma City an und sprach live in die Sendung hinein, daß Gott gestern ein Wunder bewirkt habe: Durch Gebet und Glaube sei seine todkranke Tochter plötzlich gesund geworden. Es wurde der Brief einer Frau verlesen, die sich als lesbisch bezeichnete. Jetzt sei sie geheilt und gut verheiratet. Das löste Jubel und Dankbarkeit bei den Massen aus. »Okay, fine!« rief der Quizmaster. »God is our Lord!« Er rieb sich die Hände. »Ladies and Gentlemen«, fuhr er fort, »invest your money in God – it pays!« Und zack! ging es los. Auf eine rätselhafte Weise, die ich nicht mehr begriffen habe, lief schon nach wenigen Minuten der Dollarsegen der Nation ein. Computer addierten, Monitoren präsentierten: aus South Dakota sechzig Dollar, aus Nebraska hundert Dollar. Beträchtliche Summen kamen zusammen. Good News, wach auf, grüß Gott, Amerika! So ist das hier.

Ich verließ das Zimmer, ich ging in die Lobby. Am Anfang ist es für mich immer mühsam, mich in dieser Gesellschaft zurechtzufinden. Dies ist ein freies Land – das schließt nicht aus, daß es zugleich voller Zwänge und Riten ist, die wir schwer verstehen. Amerika ist ein sehr komplizierter Automat. Man muß wissen, wie ihn zu bedienen. Ich wollte zur Nacht essen. Ich hatte aber am Eingang des Restaurants die magische weiße Linie mißachtet. Immer wieder vergißt man so etwas als Europäer. Ich war auf einen freien Tisch zugegangen und wurde von der Serviererin nun zurückgescheucht. Man muß, auch wenn der Speisesaal leer ist, vor der Linie geduldig warten, bis die Saaldame kommt und einen zu dem Tisch geleitet, den sie für angemessen erachtet. Widerspruch wird nicht geduldet. Die Frauen sind mächtig hier. Man sollte sich nicht mit ihnen anlegen. Ich hatte einen Wein bestellen wollen, ohne zu beachten, daß dieses Restaurant keine Lizenz für Alkohol hatte. Ich sah nicht ein, warum ich statt dessen dauernd Eiswasser trinken sollte, das ein Boy massenhaft ausschenkte, alle vier Gläser randvoll. Ich wollte später keinen lauwarmen Milchkaffe zum Braten, den eine ältere Dame mir würdevoll und ungefragt zuteilte. »One coffee more?« Ich war wie ein störrisches Kind, ein Abweichler, ein Sonderling. Machte ich mich verdächtig?

Und wie es oft ist, wenn man plötzlich am Ziel einer Reise ist, erfaßte mich Mutlosigkeit, diesen Abend. Was nun? Was willst du eigentlich? Manches sieht man ja nur aus der Ferne exakt. Abstand macht schöpferisch. Du hast so großartig geredet zu Hause, dachte ich, du warst so sicher. Du hast sehr überzeugend gesagt: Washington, man müßte das einmal sinnlich machen. Dauernd hören wir diesen Namen im Radio, im Fernsehen, dauernd lesen wir Meldungen aus Washington in den Zeitungen. Immer wieder schwirren Worte wie Pentagon, Kongreß, FBI, CIA, Watergate durch unseren Kopf. Wie sieht das aus? Wer kann sich darunter etwas vorstellen? Man sollte diesen

wichtigsten Punkt, diese größte Machtzentrale der westlichen
Welt ganz bildhaft beschreiben, wie ein Maler ein Stadtporträt
malt. »Washington für Augen«, hatte ich zu Hause getönt. Es
war aber nichts zu sehen, diesen Abend. Es hatte sanft zu reg-
nen begonnen, als ich, zehn Uhr abends, die Straße betrat. Washington war jetzt still und dunkel und etwas naß.

Das ungeliebte Quadrat

Die Stadt ist ein Viereck, das auf der Spitze steht. Die vier
Ecken sind exakt nach den vier Himmelsrichtungen gerichtet.
Das Viereck ist zehn Meilen lang, zehn Meilen breit. Es um-
schließt ein Gebiet, das nach unseren Maßen etwas über zweihundertfünfzig Quadratkilometer groß ist. Dieses Territorium,
ursprünglich ein wildes Sumpf- und Waldgelände, wo Indianer
siedelten, wurde 1790 durch Kongreßbeschluß von den Staaten
Virginia und Maryland abgetrennt und zum souveränen Gebiet
der Bundesregierung erklärt. Das Gebiet bekam den Namen
District of Columbia. Daher heute stets der Zusatz D. C. Washington, District of Columbia.

Die Stadt liegt an einem Fluß, der es in seinen besten Wasser-
zeiten durchaus mit dem Rhein aufnehmen kann: the Potomac
River. Der Fluß durchschneidet die Stadt. Er verleiht ihr im
Frühjahr eine Farbigkeit, die man sonst vermißt. Es blühen an
seinen Ufern exotische Bäume. Im Herbst gibt er der Stadt oft
den Geruch einer Hafenstadt. Im juristischen Sinn ist Washington keine Stadt. Es hat kein von den Bewohnern gewähltes
Stadtparlament; es wird vom Kongreß, linker Hand, mitregiert.
Es hat achthunderttausend Einwohner, von denen achtzig Prozent Farbige sind. Die Nachfahren der Sklaven sind hier hängengeblieben, sie versprachen sich früher einmal vom Regie-
rungsdistrikt mehr Freiheit. Immerhin hat Washington seit
einigen Jahren wenigstens einen Bürgermeister, der sinniger-
weise Washington heißt, vernünftigerweise Neger ist.

Der wirkliche Lebensraum der Stadt ist weit größer. The
Standard Metropolitan Statistical Area zählt 2,6 Millionen Ein-
wohner. Bis tief nach Virginia und Maryland hinein erstreckt
sich ein Kranz von Villenvororten. Landstädtchen, moderne
Siedlungen, ein endloses, gepflegtes Suburbia, in dem die weiße
Mittelschicht, vereinzelt aber auch Teile des farbigen Establish-

ments wohnt. Luxuriöse Monotonie. Es ist immer das gleiche: die schön gepflegte Einheitsvilla, die schon beim Anblick schläfrig macht – Schlafstädte.

Warum soll ich es jetzt nicht sagen? Washinton ist keine schöne Stadt. Es ist auch keine häßliche Stadt. Es ist schlimmer: Es ist etwas Halbes und Lustloses und Glückloses dazwischen. Die Hauptstadt war immer mehr eine hochfliegende Gründer-Idee: the District of Columbia. Niemand hier wollte diese Zentrale wirklich von Herzen. Halbherzigkeit ließ sie heranwachsen. Öfters ging der Plan um, D. C. wieder fallenzulassen, auf Philadelphia zurückzugreifen.

Historisches mag dazukommen: Virginia, das im Bürgerkrieg auf der Seite der Südstaatler kämpfte, hat es Washington lange fühlen lassen, daß es mit der Regierung der siegreichen Nordstaaten so freundschaftlich nicht stünde. Noch heute ist Washington ein Name, der in der amerikanischen Innenpolitik eher einen unguten Klang hat. Es gehört zur Wahlkampfstrategie jedes Senators, daß er sein Bundesland maßlos preist, über Washington aber Kübel gereizten Spottes ausgießt. So etwas kommt an. Es entspricht dem tief eingewurzelten Demokratismus dieser Nation, daß sie sich gegen die mächtige Hauptstadt eher sträubt. Sie will keinen Souverän. Sie will die Region, die überschaubare Provinz. Man ist nicht in Amerika, man ist in Nebraska oder Ohio zu Hause. Auf Washington sind die Amerikaner genauso stolz wie wir Bundesdeutschen auf Bonn. Na ja, muß wohl sein.

Natürlich blieb so etwas nicht ohne Folgen für die Baugeschichte. Etwas Halbherziges, Unaufgeräumtes, Zerstückeltes liegt über der Stadt. Lauter Ansätze, Ideen, kurze Aufschwünge, die dann wieder erlahmten. Dickens nannte Washington schon vor hundert Jahren »die Stadt der wundervollen Absichten«, die dann nichts wurden. Washington im ganzen ist also uninteressant. Ich werde darüber nichts sagen. Man muß die Stadt in Teile zerlegen. Teilweise ist sie schon akzeptabel. Und Washingtons bester Teil, natürlich, ist seine Achse, seine Mitte, The Mall genannt.

Wenigstens hier kann man Hauptstadtmotive, eine politische Konzeption erkennen. Die Mall ist ein breiter Grünstreifen, an dessen Ostende das Kapitol steht, an dessen Westende das Lincoln Memorial. Sie wird an ihrer unteren Hälfte von einer breiten Nordachse gekreuzt, die vom Weißen Haus zu dem gewaltigen Washington-Monument führt, einem stolzen Obelisken, hundertsiebzig Meter hoch. Wir sind im Zentrum. Wir stehen direkt im Fadenkreuz der Macht.

Es ist weiter zu Ehren dieses Zentrums zu sagen, daß der breite, schöne Parkstreifen, der langsam zum Kapitol hinaufführt, nicht durch Ämter, Ministerien, die Klötze der Bürokratie verödet wird. Kunst begleitet. Museen, Galerien, historische und naturwissenschaftliche Ausstellungen sind versammelt. Dreißig Millionen Exponate werden an dieser Straße jährlich von zwölf Millionen Besuchern bestaunt. Die Museen sind voll. Es drängt sich viel Jugend. Es fallen die vielen Farbigen auf. Der Eintritt ist kostenlos. Amerika kulturlos? Ach, diese ewigen Klischees bei uns. Ich sah keine Jugend, die aufmerksamer, lernbegieriger war. Sie haben noch den Respekt und die Neugier sehr junger Völker.

Ja, und dann steht man schließlich vor diesem Bauwerk: Amerikas Traum, ganz in Weiß, ein mächtiges Symbol, das einzige Stück dieser Stadt, das die Nation angenommen hat, in dem sie sich erkennt, zu dem sie pilgert, und ich zögere nicht zu sagen: Es ist schön. Das Kapitol, obwohl eine Nachbildung antiker Motive, also Neoklassizismus, wirkt nicht wie eine Imitation. Es geht von ihm Würde aus. Es wirkt echt.

Der breitgelagerte Flachbau besteht aus drei Gebäudekomplexen, einem großen Mittelbau, zwei Seitenflügeln. Korinthische Säulen gliedern die Front. Weitausholende Marmortreppen führen in aristokratischer Gemessenheit nicht ohne Feierlichkeiten empor. Und auch die Kuppel, die sich in zwei Etagen nach oben verjüngt, ist von strenger Schönheit. Sie schwebt wie ein Lichtdom über der Stadt – ihr Wahrzeichen, ihr Symbol, das überall zu sehen ist. Im harten Sonnenlicht des Tages hebt sie sich vom tiefblauen Himmel fast triumphierend ab. Des Nachts wirkt sie im Licht der Scheinwerfer traumhaft, leicht entwirklicht, eine Zauberhaube, die im Schwarzen hängt.

Am schönsten ist die Kuppel in der Stunde der Dämmerung. Virginias Sonnenuntergänge: Es sind klare, trockene Feste des Lichts, Feuerbrände. Wie der Himmel gelblich wird, golden scheint, dann langsam zartrosa, dann tiefdunkelrot, dann blauviolett wird und schließlich verdämmert. In den exotischen Bäumen am Capitol Hill nisten Vogelschwärme verborgen. Sie fangen jetzt zu pfeifen, zu musizieren an. Sie zwitschern wie wahnsinnig plötzlich. Musik in der Luft, schwingendes Flügelrauschen, Blätterrauschen. Gegen sechs Uhr abends kann man sich auf dem Kapitol für Augenblicke in hellenischen Hainen fühlen: Akropolis-Erinnerungen, Griechenland-Anmutungen. Unten kreisen die Autoströme. Amerika – du bist in der neuen Antike, die kommen wird.

Es gehört zur Zerstückeltheit dieser Stadt, daß das plötzlich abreißt. Der hymnische Ton stolzer Demokratie bricht gleich hinter dem Kapitol jäh ab. Es ist ein scharfer, fürchterlicher Schnitt: Südost, Nordost, die endlosen Wohngebiete der Farbigen beginnen. Es beginnt eine trostlose und öde Welt. Was ist mit den hehren Idealen der Demokratie? Wo sind sie versackt? Man soll sich nicht alles als Slums vorstellen. Hier wohnt viel farbiges Kleinbürgertum. Vom Städtebaulichen her ist Washingtons dunkler Osten kaum anders beschaffen als sein hellerer Westen. Es sind schmalbrüstige, vier- bis fünfstöckige Miethäuser im altenglischen, viktorianischen Stil. Dieselben Treppenaufgänge mit umständlichen Geländern, dieselben Veranden, Balkone. Nur wird es, je weiter man eindringt, immer lustloser, immer müder. Gelähmtheit, Passivität wird spürbar.

Dann beginnen die Slums. Hier ist alles zerbrochen, verwahrlost, kaputt. Das Gebiet zwischen 8. und 12. Straße ist eine Zone reiner Verweigerung. Schmutz liegt auf den Straßen. Türen hängen windschief in den Angeln, klappern im Wind. Das Fensterglas ist zerbrochen. Manchmal ein alter Mann auf der Veranda, sitting on the porch. Ganze Viertel sind schwarze Ruinen. Hier hat einmal eine Art Aufstand getobt. Hier gab es Straßenschlachten, Barrikaden. Sie zündeten ihre Viertel selber an, damals, als ihre Hoffnung, Martin Luther King, ermordet wurde. Das ist sehr lange her. Es ist nur Tristesse, Müdigkeit, Gleichgültigkeit geblieben. Dies ist ein schlimmes Viertel: Sechzehn Prozent der Farbigen hier sind arbeitslos, und unter diesen sind fast vierzig Prozent Jugendliche. Unaufgeräumte Probleme, massenhaft.

Nein, es ist keineswegs so, wie es unsere Ideologen gern sehen: simpel und immer glasklar, theoretisch. Dies ist kein Land, das kaputt wäre; das am Boden läge, das vor einem Umsturz, einer Revolution stünde. Es steht keine linke und keine rechte Revolution zu erwarten. Immer noch befriedigt dieses System mehr als achtzig Prozent der Bevölkerung. Sie sind voll identifiziert. Es ist ein hartes, kaltes Leistungssystem, das immerwährende Aktivität, Initiative verlangt. »Go and get it« heißt seine Formel. Geh und nimm's dir! Du hast eine Chance!

Es ist nicht zu leugnen, daß diese Formel erfolgreich war, immer noch ist. Sie hat für das Land einen Lebensstandard erbracht, der der höchste der Welt ist. Amerika liegt immer noch ganz vorn; es ist unverändert der Erste im Rennen, und dieser Wohlstand ist weit gestreut. Er betrifft mindestens achtzig Prozent der Bevölkerung. Wer mitspielt, kann es schaffen. Give him a chance!

Die Kehrseite dieses Systems: Wer nicht mitspielt, wer seine Chance nicht ergreift, ist ohne öffentliches Interesse. Er hat die Freiheit, auf eine ganz erbärmliche Weise zugrunde zu gehen. Und hier wird das durchexerziert und ist zu sehen: Sie sind abgeschlafft, sie wollen nicht mehr. Wer nicht mehr will, mag zum Teufel gehen. Mit einer uns Europäern schwer nachfühlbaren Kälte, die wohl puritanisch sein muß, werden die, die sich fallenlassen, auch öffentlich fallengelassen – drop out! Es stört nicht, wenn ganze Stadtteile verelenden, verfallen. Eines Tages wird ein Bulldozer kommen, alles wegräumen, beiseite schieben, zermalmen. Jetzt wird etwas ganz Neues gemacht. Macht ihr mit? Wer mitspielt, ist gut dran. Wer resigniert, ist verloren. Man muß immer tüchtig sein. Man muß strotzen vor Zuversicht. Man muß strahlen vor Glück. Man darf in diesem Land nicht traurig sein. Dies ist ein Einwand – mein Einwand gegen Amerika.

Georgetown

Merkwürdig, daß man bei uns und überhaupt in der Welt immer voll Respekt von Washington spricht. Welch ein berühmter Name! Hier nicht. In Washington spricht niemand von Washington, und wenn, dann eher verächtlich. Alle reden hier von Georgetown. Alle schwärmen von Georgetown. Alle wohnen in Georgetown, essen in Georgetown, arbeiten in Georgetown, leben und sterben in Georgetown – so schien es mir wenigstens. Ein verklärtes Lächeln geht über jedes Gesicht, wenn man im District of Columbia dies Zauberwort sagt. Das ungeliebte Quadrat wird plötzlich liebenswert und sehr schön. »Was, Sie wohnen im Hilton?« hatte mich eine Damenstimme ziemlich fassungslos angeherrscht, am Telefon. »Wie barbarisch! Wie schrecklich! Wissen Sie denn nicht, daß man in Washington nur in Georgetown wohnen kann?« Ich wußte es nicht. Ich hatte sofort im Hilton das Handtuch geworfen, war brav ins Georgetown Inn umgezogen und sagte jetzt, hinterher, da mich niemand mehr beschimpfen kann: Ein komischer Kult ist das. Lokale Marotten einer Metropole. So toll ist es auch wieder nicht.

Es ist einzuräumen: Georgetown ist viel älter, auch ehrwürdiger als Washington. Es hat eine ruhmvolle Vergangenheit. Zu einer Zeit, als Washington noch nicht existierte, nur ein Stück Papier, ein Plan im Kopf dieses ersten Präsidenten war, blühte hier schon der größte Tabakmarkt von Maryland. Es war eine bedeutende Hafenstadt. Es liegt im Nordwesten der Stadt am Potomac-Ufer. Ab 1789 besaß es Stadtrecht. Seine Schiffe segelten nach Europa und Indien, aber dann sank sein Stern. Schon hundert Jahre später wurde es in den District of Columbia eingemeindet. Und wie es mit alten, untergehenden Familien oft ist: Zum Schluß entsteht noch ein Widerschein der Kunst. Das Schöne beginnt. Georgetown wurde ein Künstlerzentrum, das Viertel der Intellektuellen. Georgetown hat eine eigene Universität, die sehr renommiert ist. Es hat dann in den dreißiger Jahren unseres Jahrhunderts tatsächlich eine Rolle im gesellschaftlichen Leben der Metropole gespielt. Hohe Justizbeamte des Obersten Gerichtshofes zogen hierher. Minister siedelten sich an. Die Bürokratie-Elite kaufte die schönen, verfallenen Villen der viktorianischen Epoche auf, brachte sie zu neuem Glanz.

Es muß in den fünfziger Jahren noch einmal eine kurze Blütezeit gegeben haben. Die Kennedys wohnten hier, und John F. Kennedy, der damals noch Senator, nicht Präsident war, scharte viele Freunde, Demokraten, Intellektuelle, Künstler um sich. Der Georgetown-Set entstand. Es hat ihn gegeben. Man feierte Feste. Man traf sich zu Bällen. Es war die glückliche Zeit der Kennedys. Der tragische Fluch war noch nicht zu sehen. Man fuhr in Frack und Zylinder und großer Abendrobe ins Weiße Haus hinunter, nahm an Empfängen des Präsidenten teil – es hatte fast etwas von eleganter Herablassung, wenn man an Truman und andere denkt. Man fuhr wieder herauf, tanzte bis in den frühen Morgen in den strahlenden Villen Georgetowns weiter. Amerika, wenn es nicht primitiv kommerziell ist, kann ja unerhört elegant und stilvoll sein. Es war die Hoffnungsstunde der Demokratischen Partei. Obwohl die amerikanischen Parteien ganz anders als europäische Parteien sind, unideologisch, nur pragmatisch, eigentlich nur monströse Wahlvereine, erinnert mich diese Stunde doch an die Zeit, als Willy Brandt und die SPD damals zur Macht kamen. Zeit des Aufbruchs, Zeit der Hoffnung. Was ist geblieben?

Ehrwürdige Villen, putzige kleine Paläste. Henry Kissinger wohnt immer noch hier, 3018 Dumbarton Street. Das Haus der Kennedys ist zu sehen, 3307 N Street; doch die Familie, ihre Reste sind weggezogen. Aus solchen Glanzpunkten von einst wird zum Schluß immer so etwas wie München-Schwabing oder Hamburg-Pöseldorf, unaufhaltbar. Das Kunstgewerbe, die Jeans-Boutiquen, feinere Gastronomie ergreifen die Macht. Georgetown ist heute das Ausgehviertel von Washington. Essengehen, Shoppinggehen. Hier kann man noch um Mitternacht flanieren, ohne mit Überfällen rechnen zu müssen. Hier kann man in zahllosen Läden ein unbeschreibliches Chichi kaufen. Alles hand-made. Töpfereien blühen auf. Schicke Boutiquen, die nichts als Seile und Stricke verkaufen. Für wen und wozu? Reformhäuser öffnen. Die Amerikaner huldigen ja im Augenblick einem etwas grotesken Natur-Tick. Es muß alles hand-made und ganz natürlich sein: Graupensuppe mit Holzlöffeln – gesund soll das sein.

Es ist schließlich zu sagen, daß auch der Informationsstrom, der uns aus Washington täglich erreicht, von hier, aus Georgetown, kommt. Strom ist vielleicht etwas euphemistisch gesagt. Es ist wohl eher ein regelmäßiges Rinnsal, das da niedertröpfelt auf unsere Fernsehschirme, und gemessen an den langatmigen Moskau-Orakeln unserer Kreml-Astrologen etwas zu knapp und kurzatmig, was wir aus Washington hören. Jedenfalls sitzen sie alle hier, mit Lust.

Washington ist für Journalisten eine angenehme Stadt. Es hat eine offene Szene; man kommt leicht ran an Informationen. Auch das hat die Stadt mit Bonn gemein. Und jeder, der hier ein paar Jahre gearbeitet hat, journalistisch, hat, wenn auch jeder auf andere Weise, seinen ganz speziellen Amerika-Tick. Es ist wie ein Spleen oder eine sanfte Sucht. Alle, die sich einmal festgebissen haben, sind ganz in der Tiefe vernarrt in dieses immerwährende US-Experiment und können nicht aufhören, darüber zu grübeln, zu diskutieren. Die Szene, wenn man sie von nahem sieht, wird auch immer komplizierter, widersprüchlicher, subtiler. Amerika, obwohl Jimmy Carter das jetzt will, ist nicht auf eine Formel zu bringen. Ideologen sind auch untauglich für diesen Kontinent. Sie wissen ohnehin alles besser und bringen haargenau das nach Hause, was sie zu Hause auch schon wußten: das Vorurteil, verfestigt.

Also, unsere Männer in Washington: Man soll sich ihre Situation nicht zu großartig vorstellen. Die Stimmen, die wir da im

Radio hören, die Bilder, die wir aus Washington sehen, die immer das Weiße Haus zeigen, kommen in Wirklichkeit aus einem kleinen, zweistöckigen Haus in dunklem Klinkerbaustil, 3132 M Street, NW. Peter von Zahn hat es einmal gebaut: Windrosengeschichten. Hier wird produziert, auch hand-made, und nach Deutschland gefunkt. Schräg gegenüber ist Woolworth, wo ich immer frühstücken ging. Wenn du also morgen mittag etwas aus Washington hörst im Radio – es wäre ja möglich –, glaub's nicht! Es kommt immer aus Georgetown, M Street.

Spätestens hier wäre nun eine Huldigung zu erbringen. Ich würde gern diesen klugen Herbert von Borch etwas feiern. Er ist es nicht, aber man könnte ihn als den Doyen, den großen alten Mann des deutschen Korrespondentenkorps in der US-Zentrale bezeichnen. Er ist der genaueste und subtilste Analytiker dieses Kontinents, fast kein Journalist mehr, ein Gelehrter. Die Vielfalt seiner Informationen, die Schärfe und Vorsicht, wie er sie dann verknüpfte, bevor er ein Urteil fällte, imponierten mir. Wir diskutierten lange Amerika. Ich lernte viel zu. Es war natürlich in Georgetown. Es war natürlich die M Street, Ecke Wisconsin. Es war im City Tavern Club, einem vornehmen, sehr exklusiven Haus. Ich will es dabei belassen. Ich sage für alle hier, die uns in Deutschland informieren: Gelobt sei The very famous M Street!

Die Mythen der Macht

Was haben wir darüber nicht alles gehört und gelesen? Es war die tiefste Erschütterung, moralisch aufwühlender noch als der Vietnam-Krieg. Und wenn man dann hinkommt zur Virginia Avenue, schräg gegenüber vom Kennedy Center, dann ist man verblüfft und etwas enttäuscht. Von dem Erdbeben, das einmal war, ist nichts zu sehen. Es ist wie in einem Hitchcock-Film: alles glatt, hochglanzpoliert. Es sind keine Sprünge und Risse zu erkennen. Mit Wasser oder einem Springbrunnen, wie ich dachte, hat es auch nichts zu tun. Watergate ist nichts als ein moderner, sehr eleganter Neubaukomplex: drei zehnstöckige, halbrunde Häuser, die wie drei Zahnräder ineinander zu greifen scheinen. Die Konzeption, nicht ganz gelungen, ist gleichwohl im konservativ-vermurksten Baubild der Stadt eine Erholung, ein origineller Versuch, der aufsehen läßt. Die drei Häuser beherrschen sehr weitläufig ein Shopping-Center, ein Hotel, einen Büro- und Apartment-Komplex. Alles first class, betont exklusiv. Eine empfehlenswerte und teure Adresse: 600 Watergate, Washington D. C.

Ich irrte herum. Ich suchte. Ach, da hinten, sagte schließlich ein Student zu mir, mit dem ich ins Reden gekommen war, da hatte damals die Demokratische Partei ein paar Büroräume gemietet. Da sind sie eingebrochen. Und schräg gegenüber, da, wo Howard Johnsons Motor-Lodge ist, da hinter dem Restaurantfenster saßen die Komplizen, beobachteten den Coup. Das ist alles. Mehr nicht. Watergate ist nicht das hier, hatte er später hinzugefügt. Watergate war, daß ein Präsident diesen Einbruch mit seinen Machtmitteln zu vertuschen versuchte. Watergate hat einmal im Weißen Haus stattgefunden, Sir. Das war das Neue – für uns.

Wohl wahr, und so ist das vor Ort. Vieles gibt weniger her, als man denkt. Auch wenn man das FBI Building besichtigt hat, muß man hinterher sagen: Relativ witzlos – oder haben sie dir einen Bären aufgebunden? Das neue FBI-Haus liegt sehr zentral an der Pennsylvania Avenue. Es ist nicht weit zum Weißen Haus. The Federal Bureau of Investigation macht kein Geheimnis aus seinem Job. Es lädt ein; es bittet um Aufmerksamkeit. Ein großer viereckiger Neubau, der wie ein modernes Kastell, eine kriegstüchtige Verteidigungs-Zitadelle aussieht. Die Quadraturen der Fenster laufen über dem Dachgeschoß leer weiter, so daß oben alles wie Gitterwerk aussieht: Schießscharten. Die letzte Verteidigungsbastion des Kapitalismus, hatte ein Spaßvogel zu mir gesagt, als wir da vorbeigingen. Ich sehe dort Maschinengewehre stehen, Abschußrampen, fuhr er fort. Ich sehe einen fabelhaften Hollywood-Schocker, so etwas wie ›Der weiße Hai‹, nur politisch. ›Die letzte Schlacht‹ heißt mein Film: ein Bombenerfolg, versteht sich. Es brechen die Roten in Washington ein; nicht die Russen – die Chinesen. Schon ist die Stadt genommen, aber sieh da: Das FBI Building hält. Es erweist sich als unbesiegbar. Wie? Das werde ich Ihnen nicht verraten, hatte er spitzbübisch hinzugefügt. Das bleibt das Geheimnis – meines Films.

Werktags finden hier Führungen statt. Sie dauern eine Stunde. Sie sind kostenlos und enden in einer wunderschönen Schießorgie, einstweilen noch hinter Glas. Es wird einem das angenehme, beruhigende Gefühl vermittelt, daß die Welt sehr einfach beschaffen ist: Sie besteht nur aus Guten und Bösewichtern, und als Besucher fühlt man schon, wozu man gehört. Es wird weiter vermittelt, daß eine unendlich tüchtige, technisch hochspezialisierte Kriminalbürokratie schlechthin alles vermag, um das Böse in dieser Welt zu entlarven und dingfest zu machen. Die FBI-Leute gehören auch zu den Guten, die rastlos tätig sind. Zarteste Jünglinge in schmucken hellblauen Anzügen führen die Touristen, drücken immer nur auf Knöpfe, bedienen Computer, und man sieht dann, wie das Verbrechen ganz unentrinnbar zur Strecke gebracht wird und fällt. Sie machen sich dabei nicht die Finger schmutzig.

Eigentlich hat mich nur das Pentagon nicht enttäuscht. Es war die Mühe wert. Ich kann es empfehlen. Natürlich bekommt man auch hier nicht das wirklich Zentrale, also das Herz und die Nervenstränge dieser riesigen Militärmacht, zu sehen. Ich vermute, es wird alles unterirdisch liegen, was wirklich entscheidend ist: all die Schaltstellen, die die Bewegungen der US-Armee in der westlichen Welt dirigieren, die die strategischen Bombergeschwader auf ihren Flügen leiten, die die Flottenverbände durch die Weltmeere führen. Das rote Telefon, das mit Moskau verbindet, blieb mir auch verborgen. Vom Verteidigungsminister wurde ich nicht empfangen. Aber allein die Vorstellung, hier nun wirklich im innersten Kreis der westlichen Macht zu stehen, ist, nun, ich sage nicht: erhebend, wohl aber doch: bewegend. Sie erregt.

Wir waren auf der Rückfahrt von Mount Vernon gewesen. Wir hatten unsere Aufwartung bei George Washington, dem Gründer der Staaten, gemacht. Mount Vernon liegt weit draußen in einer schönen, sehr kultivierten Parklandschaft und ist eine Art Wallfahrtsstätte der Nation. Wir hatten mit älteren, weißhaarigen Hausdamen, die dort immer noch liebevoll-besorgt und in stolzer Trauer das Bett, den Tisch und das Grab des ersten Präsidenten betreuen, historische Artigkeiten ausgetauscht. Es ist kein rüder Nationalismus, dem man an solchen Stellen in Amerika begegnet. Es handelt sich eher um Patriotismus. Uns ist das Wort fremd heutzutage, das Wort und die Sache. Aber alle Weltmächte sind so – patriotisch: die Russen nicht anders als die Chinesen. The daughters of the revolution, hatte ich hinterher etwas spöttisch gesagt. Als wir also davon zurückkehrten, auch Alexandria noch mitgenommen hatten, eine historische Hafenstadt am Potomac wie Georgetown, da sah ich in Arlington die Autobahnausfahrt: »Pentagon«. Jetzt oder nie, sagte ich. Das Verkehrssystem ist so kompliziert. Ein zweitesmal werden wir die Ausfahrt nicht finden. Jetzt wird im Handstreich das Pentagon genommen. Mal sehen, wie das läuft.

Solche naiven Ausflüge zu Militärzentralen kann man nur in Amerika machen. Es gibt keine zweite Nation, die mit so viel Aufgeschlossenheit, Höflichkeit und burschikosem Vergnügen wildfremde Menschen, Ausländer noch in ihrem Allerheiligsten der Macht spazierenführt. Ich will gar nicht von Moskau sprechen: Auch Bonn macht das nicht. Wir hatten uns falsch eingefädelt. Es gibt am Südeingang dieses riesigen grauen Fünfecks einen eigenen Besucher-Empfang mit Touristen-Parkplatz. Wir waren, unwissend, beim Nordeingang vorgefahren. Dort wird es ernst. Dort ist keine Show. Ein ständiges Kommen und Gehen von vielen Uniformen. Wir waren reingegangen. Niemand hinderte uns. Keiner fragte. Drinnen trug ich mein Anliegen vor. Niemand fand es unmöglich. Es nickten die Köpfe der Damen, die ich fragte. Es griffen zierliche Hände freudig zu Telefonen. Surely, Sir, wenn Sie schon hier sind aus Germany – why not? Was liegt denn näher? Es lächelten ihre Münder. Es blinkten ihre Gebisse strahlend wie die von Raubkatzen. Es kam dann ein Captain in Zivil. Er musterte mich und meinen Paß. »Okay«, sagte der Captain, »kommen Sie morgen zehn Uhr früh. Ich werde Sie führen.«

So war es. Wahrscheinlich hatten diesen Abend noch Apparate gespielt. Mein Paß war eingefüttert worden? Meine Person war von Computern des FBI für unverdächtig, vielleicht sogar für honorig befunden worden? Man kann es nicht wissen. Jedenfalls stand Captain Crowder am nächsten Morgen prompt da. Er lächelte. Er rieb sich die Hände. Er war vergnügt: ein kleiner Herr, der jetzt wie ein Wohnungsmakler wirkte und mir Objekte anbot, günstige, versteht sich. »Haben Sie gut gefrühstückt? Sind Sie marschfertig?« fragte er. »Let's go!« Man weiß ja, daß man sich im Pentagon ähnlich wie im Louvre totlaufen kann. Leicht kann man verlorengehen.

Es ist das größte Bürohaus der Welt. 10000 Autos parken davor. 26 Kilometer Korridore muß man laufen. 150 Treppen warten. 26000 Angestellte hocken hier rum und blicken manchmal sehnsüchtig auf 4200 Uhren. Man kann zwei Restaurants, sechs Cafeterias, neun Bars im Pentagon frequentieren, und 280 WCs kann man aufsuchen, hinterher. Es war eine richtige amerikanische Mammut-Show mit lauter Rekordmeldungen. Preis: 83 Millionen Dollar. »Wollen Sie es kaufen?« fragte der Captain und legte sein Maklergesicht in ernste Falten. »Unmöbliert, es ist nicht zu teuer, wenn man bedenkt.« Ich dankte. Ich wehrte ab. »Wissen Sie«, sagte ich, »es ist mir zu alt. Man sieht einfach, daß es Anfang der vierziger Jahre gebaut wurde. Es sieht aus wie von Albert Speer errichtet: faschistische Architektur mit Stalinismus-Einschüben. War das auch damals Mode – bei Ihnen?«

Also nichts jetzt von dem, was den Kopf nur betrunken macht – keine Statistiken, keine Rekorde und Zahlen: wie groß, wie weit, wie schnell? Man kann es sich denken: sehr schnell. Das Pentagon kann sehr schnell, wenn der Kongreß will. Er will nur nicht, gegenwärtig. Eine Führungsmacht, die nicht mehr wirklich führt, nach Vietnam. Dem Präsidenten sind auch die Hände gebunden. Ich meine: Es genügt die Präsenz, die einfache Gegenwart und Möglichkeit dieser Macht. Ich weiß, daß ich mich damit nicht sonderlich beliebt mache in meinen Kreisen. Ich sage es trotzdem: Ich bejahe die Existenz dieser gewaltigen Streitmacht. Sie soll nie in Gang kommen, aber ihr bloßer Schatten ist die Voraussetzung unserer Welt. Man kann nicht unsere westliche Lebensart lieben und dieses Haus hier hassen. Man kann es kritisch betrachten. Man muß ihm Fragen stellen. Man muß es tadeln, etwa die Art, wie es damals den Vietnam-Krieg führte. Aber man kann nicht den Kuchen aufessen und behalten wollen. Ich sage also nicht Ruch und Fluch über dieses Haus, wie es Mode ist in manchen Kreisen. Ich sage: Es muß leider sein. Gott sei Dank ist es da: das Pentagon.

Als wir draußen waren, als wir uns artig und dankbar von Captain Crowder verabschiedet hatten, gab es noch eine Perspektive, die ich als lichtvoll bezeichnen möchte. Arlington ist sehr anmutig. Man sieht den Potomac. Man blickt direkt auf den National Cemetery, einen riesigen Soldatenfriedhof, wo neben dem unbekannten Soldaten auch die Kennedys, John F. und Robert, in sehr schlichten Gräbern beigesetzt sind. Der National Cemetery in Washington ist wieder eine Art Nationalheiligtum, etwas Patriotisches, das hier stimmt und wir nicht mehr kennen. Das hat Konsequenz, sagte ich. Man muß es zusammen sehen. Das Pentagon ist tatsächlich das einzige Kriegsministerium der Welt, wo die Militärs, aus dem Fenster sehend, sofort die Resultate ihrer Arbeit überblicken können. Da liegen sie alle, hingestreckt, reihenweise Gräber. Appellplatz der Opfer: Der Tod ist nicht zu leugnen.

Rush-hour: die breiten Avenues der City, die tagsüber halb leer sind, füllen sich. Die Ministerien, die Ämter, eine riesige Bürokratie, das Heer der Beamten und Angestellten strebt heim. Endlose Autoherden rollen über die Constitution, die Virginia, die Pennsylvania, die Massachusetts Avenue. Sie rollen und stocken und stoppen schon. Die City, sonst eher lahm, ist plötzlich von einem rasenden Fieber befallen. Kein Weiterkommen. Es überholen die Jogger, die auch etwas Typisches sind für Washington. Das sind Bürokraten, die jetzt schon auf Freizeit und Sport umgeschaltet haben. Ältere, grauhaarige Herren, die, kurz entschlossen, schon in Trainingsanzüge geschlüpft sind und nun ihren Waldlauf machen in der City. Sie sind alle so gesund und sportiv und müssen sich immer fit halten, hierzulande. Man trifft sie überall atemlos in der Stadt: The joggers.

Jetzt ist kein Taxi zu kriegen. Wer Glück hat, kann eine Kollektiv-Taxe erwischen. Unter vier Fahrgästen macht es jetzt kein Driver. Ich kann es verstehen. Die Gebühren sind zu niedrig: 1,25 Dollar, hat der Kongreß entschieden. Der innere Stadtverkehr läuft nicht über Taxameter. Es ist pauschaliert. Übrigens: Was machen wir heute abend? Wohin denn des Nachts?

Ein weiteres Charakteristikum von Washington: Kurz vor zwanzig Uhr setzt eine zweite Rush-hour ein. Sie ist von feinerer, ausgeruhterer Art. It's party time now. So zwischen zwanzig und dreiundzwanzig Uhr geht man zu Empfängen. Der Cocktail ist Washingtons Lust und Last. Ein Ritus, dem ausschweifend gefrönt wird: überall Stehempfang. Man kann sich die Beine auf sehr verschiedenem Territorium in den Bauch stehen. Die Völker der Welt sind in dieser Zentrale akkreditiert und in sehr repräsentativen Missionen versammelt und treten sich jeden Abend wechselseitig auf die Füße. Hundertdreißig Botschafter warten auf Gäste. Die Massachusetts Avenue, in deren großen Villen allein sechzig Botschafter untergebracht sind, ist jeden Abend eine Rennbahn diplomatischer Konkurrenzen: Wer geht jetzt zu wem? Es kommen die vielen Galerien, Kunst-Boutiquen dazu, die mit Vernissagen locken. Ein ungeheures Partygeschwätz liegt gegen zweiundzwanzig Uhr über der Stadt. Alle reden, keiner versteht was, niemand hört zu. Jeder schwenkt sein Cocktailglas, winkt damit jemand anderem zu. Man kann übrigens den Wert eines Empfangs in Amerika mit dem Zentimetermaß messen. Ist mehr Abstand als dreißig Zentimeter zwischen zwei Rücken, so war es ein Mißerfolg. Gedränge ist Glück.

Wohin gehen wir also heute abend? Jeder bessere Bürger von Washington, so schien mir, hat auf seinem Schreibtisch mindestens ein Dutzend Einladungskarten liegen: Es bitten die Türken, die Afghanen, die Herren von Zaire zum Stehempfang. Hat nicht der Iran geladen? Es gibt eine eigene Hierarchie politischer Ränge. Welche Nationen muß ein Politiker wahrnehmen, wo kann man nicht absagen? Die Hierarchie entspricht nicht ganz unserer Erwartung. An oberster Stelle in Washingtons Gesellschaftsleben stehen unverändert die angelsächsischen Vettern, also die Briten und die Kanadier. Dahin geht man natürlich: Verwandtenbesuche. Gleich danach kommen die wirklichen Weltmächte, also die Russen und die Chinesen. Danach die Nationen, die sehr große Minderheiten in den USA haben, also die Polen, die Israelis, auch die Iren. Das sind, obwohl eher Kleinstaaten, potentielle Wählerstimmen, also Großmächte der Innenpolitik. Man muß sie hofieren.

Erst danach beginnt sich die Völkerversammlung langsam zu egalisieren. Die Franzosen werden geschätzt. Diese heimliche, glücklose Liebe Amerikas zu der alten Kulturnation, die sich feiner dünkt, leicht die Nase rümpfend. Irgendwo an neunter oder zehnter Stelle kommt auch die Bundesrepublik. Die DDR – ich darf es doch sagen? – ist in dieser Party-Hierarchie nicht vorhanden. Bisweilen gibt ihr die Bundesrepublik sogar kleinste Hilfestellungen: Nicht so allein herumstehen sollten Deutsche – auf Stehempfängen. Dafür gibt es Botschaften, die Außerordentliches aufwenden, um auf sich aufmerksam zu machen. Waren das nun die Südamerikaner oder die Perser? Je ärmer das Volk, um so großartiger der Aufwand. Es soll nicht an Akrobaten, Schlangenbeschwörern, Bauchtänzerinnen gespart werden. Ich hörte von orientalischen Festen. Ich hörte es nur gerüchteweise. Ich war nicht zum Bauchtanz geladen. Washington ist ja auch eine riesige Gerüchteküche. Also – was mache ich heute abend?

Die Nächte von Washington: Verführerisch kann man sie nicht nennen. Ein bescheidenes Kulturangebot ist zu haben. Ein paar Kinos, ein paar Theater und Georgetown, natürlich. Man kann ins Kennedy Center gehen. Das ungeliebte Quadrat, das Sumpfland von einst hat jetzt nach hundertachtzig Jahren tatsächlich ein Kulturzentrum, wo man Kunst tanken kann: richtige Oper, literarisches Schauspiel, klassische Konzerte – es ist kaum zu fassen. Das Gebäude, flach am Potomac-Ufer hinge-streckt, kann man kaum als modern bezeichnen. Es entspricht dem konservativen Schönheitsideal der Leute hier. Was sich Bürokraten unter nationaler Kunst-Repräsentanz vorstellen. Die Ähnlichkeit mit sowjetischen Kulturhäusern ist wohl nicht ganz zufällig.

Immerhin, Oper ist hier noch Ereignis. Sie kommen in großer Robe und festlich geschmückt: das kleine Ballkleid, der glän-zende Smoking und viel Pelze drumrum, die sie dann einfach auf ihre Sitze werfen. Die Sitte des Garderobeabgebens kennt man noch nicht. Der Zuschauerraum sieht in der Pause aus wie ein unaufgeräumtes Schlafzimmer – alles liegt rum. Es gehört weiter zur Szene, daß es einen festlichen Empfang, eine feierli-che Auffahrt nicht gibt. Alles versickert und versackt ganz an-onym in den unterirdischen Tiefgaragen. Die Portale, beschei-den genug, sind funktionslos. Wer kommt schon zu Fuß oder per Taxi? Drive in – in ›The Rosenkavalier‹. Das liftet dann hoch, das jettet dann durch die Gänge, ergießt sich ins Foyer. Und da es dort einen herrlichen roten Teppich, aber keine Sitz-gelegenheiten gibt, kann es immer wieder passieren, daß man vor Beginn, aber auch in den Pausen elegante Herren im Smo-king sich auf die Erde hocken sieht. Manche legen sich auch lang – relaxing. Ich dachte zunächst an Herzinfarkte, ja Todes-fälle. Sie liegen flach, trinken einen vorzüglichen Sekt aus Papp-bechern, die sie dann, leicht zerknautscht, auf den Teppich wer-fen. Halb sind es Gentlemen, halb Hippies am Lagerfeuer. Re-ste von Cowboy-Freiheit und Bonanza-Romantik sind unter glitzernden Westen zu erkennen.

Das süße Leben von Washington – spätestens hier wird man gemerkt haben: Es findet nicht statt. Wer nach der Oper in die City fährt, etwas erleben will – was eigentlich? ich würde sagen: den sogenannten Pulsschlag der nächtlichen US-Metropole –, der ist bös dran. Es muß ja nicht gleich Times Square sein oder Piccadilly Circus oder der Kurfürstendamm. Ach, dieses Welt-kaff! Washington kurz nach Mitternacht wirkt wie eine ziem-lich zerfallene Hochburg der Puritaner. Da läuft gar nichts mehr. Da ist alles verboten oder sollte es sein. Auf der 14. Stra-ße laufen ein paar schwarze Damen herum mit sehr schlechtem Gewissen. Es soll einmal, gegen zwei Uhr morgens, hier ein Strichjunge gesehen worden sein, so geht das Gerücht. Die Bür-ger von D. C. waren entsetzt. Wer die Szene kennt, grinst und muß natürlich an Bonn denken. Ja, ein paar Bookshops haben noch Licht – »Only for adults«. Ein paar Pornokinos flimmern leer vor sich hin. Einige Massage-Institute bieten Dienste an: Wer bearbeitet wen? Ich will nicht sagen, daß Washington um Mitternacht so brav und trostlos sei wie Moskau. So kleinbürgerlich wird man die Amerikaner nicht kriegen. Ein kümmerliches Sexlife ist da und dort schon zu haben. Ich will dies sagen: Die Metropolen aller Weltmächte, ob sie nun Peking, Moskau oder Washington heißen, haben dies gemein: Sie sind alle für Sauberkeit. Alle Weltmächte sind puritanisch und müssen's wohl sein. Es gibt einen inneren Zusammenhang von Macht und Moral, den ich nicht analysieren, nur konstatieren will. Ob kapitalistisch oder sozialistisch – die ganz Großen wollen immer sauber sein. Gelobt seien die kleinen Mächte. Ich liebe Amsterdam, Kopenhagen, West-Berlin.

Was tut nun der Mann von Welt? Es ist genau wie in Bonn: Spätestens am Freitagmittag fährt er weg aus Washington. Die Stadt leert sich, wird still, wird ruhig, sinkt, in sehr bequemen Ohrensesseln sitzend, vorm Fernseher in ihren Provinzschlaf zurück. Jetzt wird doch kein Krieg ausbrechen, heute nacht, oder? Was macht das Zentrum der westlichen Welt, wenn jetzt etwas geschieht? Bei der ungeheuren Entwickeltheit der Elektronik in Amerika vermute ich: Die erste Alarmstufe wird von Computern geschaltet sein. Das surrt alles abrufbereit in den tiefen Kellern des Pentagons. Es schaltet von selbst. Man kann sich also zurücklehnen, ausruhen.

Man telefoniert miteinander. Wer hierbleiben muß, hört mit spitzen Ohren, was die Dame am anderen Ende der Leitung erzählt: Ja, wir sind letztes Wochenende in New York gewesen. Mein Mann hatte bei der UNO zu tun, gottlob. Fabelhaft, nein, nicht die UNO. Die ist das letzte. Manhattan ist toll, immer noch! Je schlimmer, um so aufregender, diese Stadt. Was wir alles gesehen, erlebt und eingekauft haben! Ich muß es Ihnen genau erzählen. Sie kommen doch Montag zum Cocktail in die griechische Botschaft? Was, Sie sind nicht geladen – wie das? So reden und denken und handeln sie hier. Sie arbeiten alle in Washington und träumen von New York. Es liegt eine Flugstunde entfernt. Es ist wie mit Berlin. New York ist hier auch eine Reise wert.

Wir – das Volk

Wie funktioniert nun das Ganze? Wie läuft die Regierungsmaschine? Ich sage vorweg: wie die Autos, die kolossalen Schlitten der Amerikaner – ganz leise, ganz unterkühlt, man hört fast nichts, aber Kraft ist trotzdem dahinter. Ich habe die Großen verpaßt – na und? Amerika ist in jedem Amerikaner präsent. Man muß nur richtig hinsehen. »Wir – das Volk!« steht im Kapitol geschrieben. Ich mache jetzt die Probe aufs Exempel. Ich beschreibe ihre Art Demokratie.

Über das Weiße Haus brauche ich nichts zu sagen. Es ist das einzige Gebäude dieser Stadt, das man kennt in Deutschland. Und es ist auch so, wie es aussieht, nur sehr viel größer, wenn man dann drinnen steht. Über die diversen blauen und roten Salons, durch die die Amerikaner andächtig pilgern, ist nichts zu sagen, als daß sie auf eine europäische Weise kultiviert wirken. Hamburger würden meinen: gediegen. Uns sagte das nichts: große Salons mit Empire-Möbeln, schöne Teppiche, Ölgemälde an der Wand. Für Amerikaner hat es etwas Heiliges an sich: The Home of the President.

Ein Sprecher der Regierung gab die tägliche Pressekonferenz. Ich bin sicher: Der Raum hat dramatischere Szenen gesehen. Es ist praktisch geordnet. Die Vertreter der großen Zeitungen, der Radio- und TV-Stationen haben direkt neben dem Konferenzraum kleine Büros, wo sie tippen und telefonieren können. Heißer Draht aus dem Weißen Haus zur Redaktion: Die Nachricht ist auch eine Ware. Je frischer, um so kostbarer. Der Konferenzraum füllte sich. Es trafen diese tüchtigen älteren Herren, denen man die gewitzte Erfahrung eines langen, soliden Journalistenlebens in Amerika ansieht, tröpfchenweise ein: Eine Mischung aus Routine, Neugier und Sarkasmus liegt über Gesichtern, die fröhlich und faltig sind. Die kennen den Laden – ich nicht. Sie lächelten, sie schwatzten ein wenig, sie ließen sich in die Ledersessel fallen und legten die Beine bequem auf den Tisch. Es kamen auch Frauen. Eine mittelalterliche Dame ist mir in Erinnerung, die später immer bohrte und nachfragte und nicht abzuwimmeln war. Den Sprecher der Regierung störte das nicht. Er lächelte milde. Ich wäre schroff geworden. Mir geht Penetranz bald auf die Nerven; hier ist man so feinfühlig nicht. Es ist das gute Recht der Presse, alles herauszupressen. Sie heißt ja so. Die Presse ist in Amerika eine Macht. Sie ist eine Säule dieser Gesellschaft. Sie ist im Rollenspiel ebenbürtig der Regierung. Sie hat Präsidenten gestürzt. Man weiß das.

Also der Sprecher des Weißen Hauses – er war anders als unser Klaus Bölling. Man möge es mir verzeihen. Er dozierte nicht, er verkündigte nicht, er war auch nicht ängstlich dauernd auf präziseste Wortwahl bedacht. Die deutsche Lust an der Wortklauberei hat ja in Bonn inzwischen artistische Höhen erreicht. Der Sprecher war ein pausbäckiger älterer Herr, der auf eine liebenswerte Art schußlig wirkte. Oder tat er nur so? »Well, I don't know exactly«, sagte er immer auf Fragen der Journalisten. »I must check it now.« Er ergriff seine Papiere, verließ sein Pult, es flatterte einiges zu Boden. Der Sprecher, nachdem er gecheckt hatte, kam jedenfalls zurück. Er wirkte noch etwas pausbäckiger: gerötete Wangen. Er sagte: »The president has the opinion that –«. Da rollte sein Kugelschreiber zu Boden. Er lächelte verlegen. Irgendwie erinnerte mich sein Auftritt entfernt an Lesungen von Ingeborg Bachmann, früher einmal. Da ging auch immer etwas verloren: ein Buch, eine Brille, oder eine Perlenkette riß gerade in dieser Sekunde. Jedenfalls verkauft sich die Macht hier ganz anders, als wir vermuten. Ironie und Gelöstheit ist Stil: hochgespannte Aufmerksamkeit, die sich heiter gibt.

Ein paar Tage bin ich im Kapitol gewesen. Ein endloser Komplex, wenn man sich von den amtlichen Führungen, die hier dauernd stattfinden, abtrennt und auf eigene Faust zu wandern beginnt. Man geht immer an Konferenzräumen, Amtszimmern, Lesesälen, Bibliotheken, Archiven, den Zimmern der Abgeordneten und Senatoren vorbei, alles sehr vornehm, betont würdevoll. Im Kongreß ist es fast wie im Pentagon: Es gibt eigene Postämter, Friseurläden, Restaurants. Es gibt einen stillen Andachtsraum, wo die Vertreter des Volkes Gott befragen können in brenzligen Sachen. Es gibt eine eigene U-Bahn unter dem Kongreß, die den Senatoren die weiten Wege verkürzt. Ein Ärzteteam wartet auf Herzanfälle. Rechts geht es zum Sitzungssaal des Senats, links zum Repräsentantenhaus. Ich schlug mich in diesem Labyrinth nach links rüber, und nach vielen Fluren, Fahrstühlen und Fragen erreichte ich schließlich mein Ziel. Ich wollte im Kapitol an einer Sitzung des Repräsentantenhauses teilnehmen. Es wird einfach »The House« genannt, aber ein Polizist stand vor der Tür des Hauses und sagte energisch: »No, Sir, stop! It's time to pray!«

Es war mittags um zwölf. Zu dieser zivilen Zeit beginnen die

Sitzungen, und sie beginnen mit einem Gebet, einer kurzen Andacht. Was und wie da gebetet wird, habe ich nicht mitbekommen. Erst danach wurde ich eingelassen, und wer jetzt eine klassische Szene parlamentarischer Demokratie erwartet, sozusagen eine letzte Nachhilfestunde für deutsche Musterschüler, muß enttäuscht werden. Es geht im Repräsentantenhaus noch viel ziviler zu als im Bundestag. Auch hier ein ständiges Kommen und Gehen. Auch hier waren fast zwei Drittel der Abgeordnetensitze leer. Es war eine durchschnittliche Sitzung. Hochdramatisches schien nicht auf dem Programm zu stehen. Manches wirkte wie Small-talk. Um die Bewilligung von Auslandsgeldern ging es nicht. Immerhin ist dies der Ort der Entscheidung. In diesem Raum wird entschieden, wohin der ungeheure Reichtum dieser Nation fließen soll. Er fließt nicht mehr so verschwenderisch wie früher. Am liebsten helfen die Amerikaner denen, von denen sie wissen, daß sie sich damit selber zu helfen wissen. Das waren früher wir: die Bundesdeutschen. Heute sind es vor allem die Israelis. Der Rest der Welt ähnelt immer mehr einem Topf ohne Boden.

Der Saal schien mir kleiner als der des Bundestages. Er ist auf jeden Fall schöner. Er strahlt historische Würde aus, die sich bei alten, gewachsenen Demokratien, zumal wenn sie angelsächsischer Prägung sind, von selbst versteht. Konservative Gediegenheit: Die Decke und die Wände sind holzgetäfelt. Im Halbkreis um den Vorsitzenden, der hier Chairman heißt, der vor einer großen US-Flagge sitzt, sind die Sessel der 535 Abgeordneten stilvoll und bequem gruppiert. Frauen konnte ich nicht entdecken, aber es gibt sie. Ich sah auch Neger im Haus. The Blacks in the Congress – das wäre ein eigenes Thema. Es gibt einen Senator und siebzehn Abgeordnete, die schwarz sind. Das mag angesichts der Zahl von 535 Sitzen wenig erscheinen, ist aber in der Geschichte des Kongresses die höchste Zahl, die es je gab. Sie wird weiter steigen; womit ich nur sagen will: Die Macht der Farbigen ist immer noch unterrepräsentiert, ja miserabel, absolut gesehen. Aber relativ gesehen, bezogen auf ihre eigene Vergangenheit, wird sie nicht kleiner, sondern größer. Ganz langsam ist sie im Wachsen begriffen. Zu langsam für die Probleme, die sich heute stellen. Das muß man hinzufügen.

Ich bin nicht sehr lange geblieben. So interessant ist die Szene nicht: parlamentarische Alltagsroutine. Ich ging in das Senatsrestaurant im Haus. Ich aß, was hier alle mit einer merkwürdigen asketischen Lust essen: The Famous Senate Bean Soup, 65 Cent der Teller. Ich löffelte diese traditionelle Bohnensuppe, die hier seit zweihundert Jahren dankbar gelöffelt wird. Es ist noch Suppe da – aus Gründertagen. Es sind Anfänge zu schmecken. Anfänge sind immer bescheiden und von betonter Schlichtheit: Man schmeckt Hollands und Englands lustlose Küchenkünste. Puritanerspeisung: fad und bekömmlich.

Ja, was noch? Was wäre noch zu sagen? Ich deutete es schon an: In dieser Stadt und in diesem Kongreß begannen damals jene großen Hearings. Für mich sind sie unvergeßlich geblieben. Hearings an sich gibt es in Washington immer. Sie gehören zur Szene. Sie gehören zum Stil dieser Demokratie. Diese aber waren von ganz anderer Brisanz. Die Sache ist bekannt, und manche meinen: Viel zuviel wird bekannt. Amerika gehe zu rücksichtslos mit sich selbst ins Gericht. Es zerstöre seine Kraft. Ich bin nicht dieser Meinung. Wenn etwas unzerstörbar und intakt in dieser Gesellschaft ist, so ist es eben dieser Wille zur Wahrheit, dieser verwegene Mut zur immerwährenden Selbstkritik.

Sie haben ihren klassischen Begriff der Freiheit und lassen die mächtigen Monopole und Institutionen, die sich in dieser Freiheit selbständig gemacht haben, lange laufen. Eines Tages, wenn der Mißbrauch dieser Freiheit zu stinken beginnt, schlagen sie zu: Wir – das Volk. Kein Monopol kann so mächtig sein, daß es nicht eines Tages in den Beichtstuhl gezwungen würde. Wir – das Volk? Das Volk ist in diesem Fall die Presse. Sie hat eine ungeheure Macht in diesem Land, gottlob. Noch hat mir kein orthodoxer Marxist erklären können, woher die Presse, die ja ökonomisch vollkommen von der Wirtschaft abhängt, diese Freiheit zum Aufdecken stinkender Töpfe hat. Wäre diese Freiheit nur eine bürgerliche Illusion, könnte sie im ökonomischen Interessenkonflikt nie wirklich zum Zuge kommen. Sie kommt aber. Sie kommt, weil in Amerika noch immer die öffentliche Meinung eine moralische Instanz ersten Ranges ist. Die Moral der öffentlichen Meinung ist ungebrochen. Sie ist seit Jimmy Carter noch stärker geworden. Deshalb funktioniert das System. Es hat in zweihundert Jahren seine geschriebene Verfassung nicht um ein Wort geändert.

Ich muß nun zum drittenmal sagen: Auch solche Hearings sollte man sich nicht dramatisch vorstellen. Angelsächsisches Understatement bestimmt die Szene. Es war im Sitzungssaal 4221 des Senats. Es tagte unter Vorsitz des berüchtigten Senators Church der Unterausschuß für multinationale Konzerne. Er untersuchte damals die Geschäftspraktiken der amerikanischen Großunternehmen. Die Firma Lockheed stand zur Debatte. Ihr Präsident A. Carl Kotchian war persönlich in den Zeugenstand gebeten worden.

Der Polizist vor der Tür sprach diesmal nicht von Beten, er sprach deutsch. Er war fast glücklich, auf einen Deutschen gestoßen zu sein, und wollte mir lange von seinen Eltern erzählen, die einmal aus Hessen eingewandert seien. Er öffnete die Tür des Sitzungssaales. Er führte mich in den Raum, bot mir einen Stuhl an und sagte dann noch, bevor er verschwand: »Da seitlich ist eine kleine Bar. Sie können sich mit Kaffee und Cola selber bedienen.« Tatsächlich war es das erste, was mir auffiel. Es waren etwa dreihundert Menschen im Raum, und ab und zu ging einer zu dieser Kaffeemaschine und schöpfte sich milde braune Labung.

Also kein Volksgerichtshof und kein Schauprozeß. Sie machen das betont salopp. Für Nichteingeweihte wie mich wirkt es fast langweilig. Die Männer an dem langen Tisch der Befrager haben ihre Jacken ausgezogen. Sie sitzen in Hemdsärmeln da, die hochgekrempelt sind. Sie haben Zigaretten müde im Mund hängen, abgewinkelt. Sie greifen manchmal zur Kaffeetasse. Sie haben Berge von Akten vor sich und blättern scheinbar zerstreut darin. Es sind meist jüngere Männer, Ende Dreißig, die die Gelassenheit und Routine von Anwälten ausstrahlen: in der Sache hart, in der Form betont höflich, auch etwas ironisch verspielt. Ja, und dann kam dieser klassische Satz des Lockheed-Bosses, eines alten, weißhaarigen Herrn mit Hornbrille, der jetzt vernommen wurde. Der Boß sagte fast ergrimmt zu Senator Church: »No, Sir, ich würde es nicht Bestechung nennen. Wir ziehen vor, von Geschenken zu reden – Geschenke, die ein günstiges Klima für den Verkauf unserer Produkte schaffen.« Ein ungeheures Grinsen ging damals durch den Saal. Es flammten plötzlich überall Scheinwerfer auf. Eine Klappe fiel. Erst jetzt sah ich, daß das Fernsehen da war. Es begann plötzlich wie wild zu drehen. Alle Journalisten spitzten die Ohren und schrieben mit – mit einem heiteren Lächeln im Gesicht. Das war doch mal was nach den vielen langweiligen Stunden.

Und abends, als ich um zehn Uhr im Hotel den Fernseher andrehte, sah ich in den Nachrichten noch einmal die Szene. Im Fernsehen wirkt so etwas immer etwas großartiger, bedeutsamer, als es in Wirklichkeit ist. Ich wiederhole die Problematik von vorhin: Wenn man bedenkt, daß das amerikanische Fernsehen ein einziges Werbefernsehen ist, das von der Wirtschaft bezahlt wird, woher, wenn die marxistische Gesellschaftsanalyse wahr wäre, kommt die Freiheit der Redaktionen zu so viel Offenlegung? Es wäre denkbar, daß Lockheed selber diese TV-Station finanzierte. In diesem Fall war es das nicht. Es finanzierten unter anderem The United Mercedes-Benz-Dealers. Sie sorgen übrigens auch für Barockmusik jeden Morgen bei WTMS – die Mercedes-Benz-Fritzen.

Also? Ich bin vier Wochen in dieser Stadt gewesen. Ich bin vier Wochen durch Washington gelaufen. Ich nahm kein Auto. Man muß sich Städte erlaufen, und obwohl diese Stadt dem Auge wenig bietet, habe ich doch, wie ich meine, dies erfahren: Amerika ist anders, als wir es uns vorstellen. Vor allem sein innerer, moralischer Zustand ist anders, als er uns geschildert wird. Es ist eine Wunschphantasie von Ideologen oder deutscher Provinzialismus, wenn bei uns verbreitet wird, dieses Amerika, weil manchmal chaotisch, taumle einer Katastrophe entgegen. Es kann keine Rede davon sein. Es hat seine Krisen, Probleme, Beschädigungen. Es hat sehr vieles nachzuholen. Es ist kaum halb fertig wie die Stadt Washington. Ein unaufgeräumtes Land, das noch am Anfang steht. Es hat die größten Probleme noch vor sich liegen. In ihren Wurzeln aber ist diese Gesellschaft intakt. Warum? Sie glaubt unverändert und aus freien Stücken an sich und die Überlegenheit ihres Systems.

Vielleicht muß man, um dies richtig zu werten, ein bißchen in der Welt herumgekommen sein. Ich meine, es ist immer der Glaube an die eigenen Fundamente, der das Leben der Völker bestimmt. Mein Gott, in dieser Frage habe ich mich etwas umgesehen in den letzten zehn Jahren. Deshalb reise ich doch, unter anderem. Ich war zum Beispiel in Moskau. Ich war in den letzten Jahren in Ungarn, in Prag, in Polen. Ich bin oft in der DDR. Alles Staaten, so machtvoll sie sich geben nach außen, mit kaputter Glaubenssubstanz. Die Leute sind brav, sind still, jeder gehorcht, aber niemand aus dem Volk glaubt doch mit Herz und mit Hirn noch jener hehren Staatsdoktrin, Marxismus-Leninismus genannt. Die Heilslehre des großen Karl Marx, seitdem sie aus dem unschuldigen Stand humaner Hoffnung in die krude Praxis der Staatsmacht übergetreten ist, ist ganz unglaubwürdig geworden bei den Bürgern Osteuropas. Man benutzt sie höchstens aus Karrieregründen. Von moralischer Identität keine Spur. Wer etwa in Polen heute im kleinsten Kreis marxistische Staatsscholastik zelebriert, wird nichts als Gelächter auslösen, ein Kichern des Spotts, ein böses Achselzucken, eine Heiterkeit zynischer Glaubensverachtung. Glauben Sie das wirklich im Ernst, mein Herr, was in unseren Zeitungen steht? Leben Sie so hinterm Mond?

In Amerika ist das anders. Ich will jetzt nur noch von jenem letzten Abend erzählen, als ich in Washington in einer Bar, in so einem richtigen Western-Saloon, saß. Harte Whiskey-Männer saßen am langen hölzernen Tresen, langweilten sich, dösten vor sich hin, schlückchenweise. Eine Familie war eingetreten. Sie wirkten wie Engländer, weniger vierschrötig als die hier, irgendwie vornehmer. Ein Ehepaar mit einem Sohn, halb erwachsen. Sie hatten sich an den Tresen gesetzt, auch Whiskey bestellt. Der Wirt hatte dem Ehepaar zwei Gläser hingeknallt, dann eingeschenkt, und danach hatte zwischen dem Mann und dem Wirt eine lange Auseinandersetzung begonnen, des Sohnes wegen. Waren es vielleicht Schotten, also von Jugend her an sehr harte Drinks gewöhnt? Das Ehepaar jedenfalls bestand mit angelsächsischer Penetranz darauf, daß der Sohn auch seinen Whiskey bekäme. Er war vielleicht siebzehn, möchte ich schätzen.

Man muß dazu wissen, daß noch heute in den Staaten sehr strenge Gesetze herrschen, die den Alkoholausschank regulieren. Sie sind lokal sehr unterschiedlich. Für Jugendliche unter achtzehn ist der Ausschank von Alkohol überall streng verboten. Es war also ein kleiner Streit entstanden, quer über den Tresen weg, weil der Wirt sich weigerte, dem Sohn auch einen Whiskey zu servieren. »Zu jung«, erklärte der Wirt kategorisch. »Streng verboten!« fügte er eisern und etwas ruppig hinzu. Und als dann das Ehepaar mit leicht europäischer Ironie eingewandt hatte: wo da denn die Freiheit bliebe in diesem Land; er solle nur servieren, sie würden es schon verantworten, kraft Elternrecht – da wurde der Wirt einen Augenblick lang richtig rabiat. Er richtete sich hinter seinem Tresen wie ein Sheriff auf, schlug mit der Faust auf die Platte, daß die Gläser leicht zu zittern begannen, und sagte zu dem Ehemann, stolz und verächtlich zugleich: »No, Sir – we are the Law!«

Das ist es, was ich hier sah: Wir – das Volk, wir sind das Gesetz. Die Demokratie kommt von unten. Es ist die öffentliche Moral, die in dieser Gesellschaft trotz allem noch intakt ist. Wer hat Zukunft? Ich sah es in dieser merkwürdigen Hauptstadt immer wieder: Zukunft hat, wer an sich selber glaubt und kraft dieses Glaubens bereit ist, sich dauernd in Frage zu stellen.

»Immerhin die Wiege der Menschheit«, hatte mein Hausarzt, mir die letzte Cholera-Impfung spritzend, noch am Vorabend gesagt. Respekt lag in seiner Stimme. Bildung schwang mit. Er hatte den Homo erectus pekinensis erwähnt, beiläufig. Er hatte die Akupunktur gerühmt, maßvoll. Er hatte, während er mir allerlei Reisemedizinen verschrieb, sogar etwas von Goethes ›West-östlichem Divan‹ fallenlassen, Verse, versteht sich. Zerbrochene Ampullen klirrten am Boden. Ach, unsere deutschen Medizinmänner: Gut sind sie dran. Unüberbietbar ist heute ihre Bildung, ihre Kultur und Ostasiensehnsucht. Und ich?

Ich hatte damals sorgenvoll die Entzündung an meinem linken Oberarm betrachtet. Sie schmerzte. Sie sah bedenklich gerötet aus. Ich fühlte mich dumm, etwas krank von den vielen Spritzen der Vorsorglichkeit. Ich war lustlos. Ich war unwillig. Eigentlich wollte ich gar nicht so recht. Warum? Es lag eine Einladung vor. Es hatte mir jemand ein Flugticket nach Peking geschickt. Bin ich korrupt? Lag nicht ein Hauch von Käuflichkeit in der Luft? Ich weiß jedenfalls, daß mein Gleichmut, mein sanftes Desinteresse an diesem Reise-Projekt erst ziemlich spät und sehr hoch in der Luft – über Indien – nachließ. Sind es die Namen der sehr fremden Städte, die das bewirken?

Es war mittags um elf am zweiten Flugtag. Sonne lag über der Erde, die bräunlich und häßlich zerrissen aussah. Ich sah plötzlich den Ganges, weit verzweigt. Ich sah Kalkutta tief unter mir liegen: schauderhaft groß und verwirrend. Man meint das Elend Indiens mit Augen zu sehen. Injektionen der Ferne dringen ins Blut. Mythische Chiffren tanzen im Äther. »Wir fliegen jetzt über Bangladesch«, verkündet die Stimme des Captains aus dem Cockpit. Ihr behäbiges Schwyzerdütsch kann über den Ernst der Aussage nicht hinwegtäuschen. Wir überqueren Nordbirma. Wir erreichen die Ausläufer des Himalaya; ganz hinten der Mount Everest, schneebedeckt. Wir überfliegen die Grenze zur Volksrepublik China. Es ist von jetzt an streng verboten zu fotografieren. Wir erreichen Tibet: rechts unten jetzt Lhasa. Da begann eine breite Wolkenwand. China verhüllte sich unter zartesten Wattebäuschchen, schneeweiß. Es war nichts mehr zu sehen.

Fliegen, fliegen, immer weiterfliegen – ein rasender, etwas absurder Zustand: Stillstand im Äther. Es wird serviert. Es wird abgeräumt. Man schläft, dämmert vor sich hin, wacht wieder auf. Man bekommt Schokoladenplätzchen und feuchtwarme Wischlappen an spitzen Gabeln gereicht: vorzügliche Kleinkindbetreuung von Swissair. Und als dann der zweite Abend im Flugzeug anbrach, kam doch so etwas wie Lust, Neugier, Verzauberung durch Ferne hoch. Immerhin die größte Reise deines Lebens. So weit bin ich noch nie geflogen. Halbe Erdumkreisung in der Luft. Und was ist? Was ist denn zu sehen jetzt vom Reich der Mitte?

Nichts – der Himmel war im Abendlicht wieder klar: nichts als wilde Gebirge, Bergmassive, trockene Stromtäler, Felseinsamkeit, eine zerklüftete Urlandschaft. Geröll, Steine, kein Weg, kein Ort auszumachen, kein Leben zu sehen. Wenn wir jetzt abstürzen würden? Kein schlechtes Ende für dich – nicht für die anderen. Er ist im Auftrag der deutschen Kultur in Nordchina verschollen. Wann, wo, wie? Man hat nichts gefunden – weg. Er ging ohnehin bald auf die Sechzig zu, wird jemand besänftigend einwenden. Ich stimme zu: ein Ende mit Stil und nicht ohne Fragezeichen. Aber so etwas passiert mir ja nicht. Katastrophen passieren immer den anderen, im Fernsehen zum Beispiel. Ich war am Sonntag um sechzehn Uhr in Frankfurt am Main gestartet. Ich kam am Montag neunzehn Uhr Ortszeit in Peking pünktlich an. Was nun?

Nun begann China. China begann mit der Aufforderung, sitzen zu bleiben. Die Maschine müsse zunächst durch den zuständigen Gesundheitsoffizier inspiziert und abgenommen werden. Der kam dann sehr bald. Ich suchte nach meinem Impfschein. Ich spürte sofort meine Entzündung am linken Oberarm schmerzen. Der Offizier war eine Frau. Ein hübsches junges Mädchen: Apfelsinengesicht, frische Orangenfarben. Sie sah anmutig aus. Sie trug die graugrüne Uniform der Armee. Der rote Stern stolz auf der Ballonmütze. Das Mädchen hielt eine Maschinenpistole gekreuzt vor der Brust. Sie trug es wie ein Exorzist das Kruzifix: demonstrierend die Volksmacht, beschwörend die Fremden. Sie ging schweigend und streng einmal durch den langen Gang. Es war, als wollte sie den Westmenschen aus Frankfurt und Genf zunächst den kapitalistischen Teufel austreiben. Sie ging nicht drohend, nur stolz und sehr selbstbewußt: eine Amazone, eine Domina im Klassenkampf.

Der nächste Eindruck: ein Nasengefühl. In China riecht es

nicht wie im Sowjetblock nach Lysol und anderen Desinfektionsmitteln. Darüber sind sie hinaus: reine machen. Es roch in der Abfertigungshalle des Pekinger Flughafens sehr scharf nach Knoblauch. Es saßen etwa acht oder neun Uniformierte hinter einem langen Schalter. Auch sie in den graugrünen Uniformen der Armee, dicke Wattejacken, Ballonmütze auf dem Kopf. Ja natürlich: Obwohl aufgeklärt, bringt man doch Reste von Vorurteilen mit – von der gelben Gefahr bis zu den blauen Ameisen. Nichts stimmt. Ich sah es beim ersten Anblick. Ich war verblüfft, wie jung, wie frisch und verschiedenartig sie aussehen. Zarte Linienführung um die Augen, die Nasen, die Mundwinkel. Etwas merkwürdig Edles, Uraltes und doch Frisches ist unter dieser gräßlichen Proletenkultverkleidung sofort zu erkennen. Kultur als Rasse? Sie wirken viel feingliedriger als wir Europäer, zarter, kunstvoller: Porzellangesichter mit Schiebermützen.

Die üblichen Riten, die üblichen Formalitäten. Sie blättern in den Einreisepapieren, etwas ratlos. Stempel hinein. Chinesische Fragen: merkwürdig hohe, piepsende Laute, die quietschend und abgehackt klingen, wie wenn bei uns ein Tonband, etwas zu schnell, rückwärts abgespult wird. Verschluckte Silben, die zum Satzende nicht runtergehen, oben hängen bleiben. Sie sind sehr korrekt, überaus höflich. Sie spucken manchmal in kraftvollem Bogen und riechen eben aus dem Mund – nach Knoblauch. Man riecht sofort, daß dies Volk nicht mehr Hunger leidet. Man kann auch sagen: Chinas köstliche Küche empfängt.

Pekinger Augenblicke

Der erste Blick: blau, hell, sehr licht. Es ist morgens gegen acht. Ein Gefühl von Leichtigkeit in den Gliedern; etwas Schwebendes geht mit. Eine trockene, klare Luft, sehr frisch. Es ist Mitte November. Ich war früh aufgestanden. Ich war neugierig, augenhungrig. Ich war vollkommen leer auf der Netzhaut. Ein unbelichteter Film. Wie sieht es aus hier in dieser Metropole der jüngsten Weltmacht? Man hat so vieles gehört und gelesen und kann es sich doch nicht vorstellen, konkret. Begriffe ohne Anschauung sind leer, sagt Kant. Ich war sehr gespannt auf die optische Dimension. Ein Blinder, der sehend wurde, berichtet: Pekinger Augenblicke.

Nie werde ich das erste Bild vergessen. Ich stand hinter einer weißen Mauer, die etwa schulterhoch war. Hinter dieser Mauer zogen Köpfe vorbei. Sie schwebten ganz leicht, ganz lautlos. Es war, als würden Luftballons von unsichtbaren Fäden gezogen. Sie schwebten zart und ganz schwerelos von rechts nach links. Nicht viele Köpfe: alle drei oder vier Sekunden einer, und das Bestürzende war die vollkommene Stille. Es war nichts zu hören. Und erst als ich das Tor der Mauer passiert hatte, also draußen auf der Straße stand, enträtselte sich mir der schöne Schein: Radfahrer, lauter Radfahrer. Die Arbeiterklasse war eben dabei, noch sehr vereinzelt und still zur Arbeit zu gondeln.

Ich war verblüfft. Ich fand das seltsam. Wenn man aus einem Land kommt, in dem sich morgens um acht, stinkend und hupend, die Autokolonnen stauen, drängen und in härtester Zentimeterarbeit wütend vorankämpfen, so wirkt ein solches Bild erheiternd, fast beglückend. Der Rückschritt ist ein Fortschritt hier. Es mehrten sich die Räder. Kolonnen kamen mir entgegen. Sie fahren nicht gerade diszipliniert, eher träumerisch wie Kinder, die glücklich sind, radfahren zu dürfen. Es war immer das gleiche Bild: kleine, zierliche, fast zarte Gestalten in blauen, in grünen Hosen, in grünen oder blauen Jacken. Die Ballonmütze auf dem Kopf, schwarzweiße Turnschuhe an den Füßen. Die Feineren, offenbar besser Erzogenen tragen zusätzlich weiße Strickhandschuhe. Ein Hauch von Eleganz ist zu spüren, wenn sie etwa mit diesen weißen Handschuhen einen Richtungswechsel anzeigen. Die Räder allerdings sind altmodische, hohe Eisenböcke, ohne Freilauf, ohne Rücktritt; sie haben Felgenbremsen. So etwas wie Lichtanlagen und Dynamos sind in China noch unbekannt. Es gibt nicht einmal ein Katzenauge, rückwärts. Dieses dunkle Massenballett der Radfahrer jeden Abend, jede Nacht fand ich denn doch etwas lebensgefährlich.

Das zweite Bild: grün, tiefdunkelgrün. Peking, das grau, farblos, ziemlich trist wirkt als Farbimpression, war in frischestes Grün getaucht. November, Erntezeit. Zeit zum Sammeln und Hamstern. Das, was man früher einmal bei uns Kartoffeleinkellern nannte, geschah hier eben – auf Kohlbasis. Die Kohlschlacht war jetzt im Gang. Man hatte es mir schon zuvor gesagt: Hier wird die Kohlschlacht geschlagen. Es war ein überwältigendes Bild. Es ist ganz falsch, wenn wir uns, etwa vom Fernsehen her, das Volk von Peking mit Aufmärschen und Massendemonstrationen beschäftigt vorstellen: die Jubelmassen am Platz des Himmlischen Friedens. Das Volk von Peking war jetzt im November auf höchst kleinbürgerliche Weise mit Kohleinkauf befaßt, sehr privat und jeder für sich. Es handelt sich um jenen länglichen, schmackhaften Chinakohl, den wir auch kennen. Die Strünke sind nur sehr viel größer, gröber, nicht zartweiß, sondern tiefdunkelgrün, außen ziemlich lappig.

Man muß dazu wissen: Lebensmittel sind auch heute noch in China rationiert. Es gibt alles. Die Geschäfte sind voll. Das sozialistische Verteilungssystem funktioniert in diesem Riesenland auf eine verblüffende Weise. Käuferschlangen sind nicht zu sehen. Es ist alles zu haben, zu teuer das meiste natürlich und auf Karten – nur der Kohl ist frei, und das sah man nun: Zehntausende von Menschen trugen Kohl in den Armen, hatten Kohlbündel auf Fahrräder gebunden. Hunderte von Lastwagen rollten durch die Straßen, hoch bepackt mit Kohlmassen. Die Bürgersteige voll Kohl, die Geschäfte, die Marktplätze stapelhoch mit Kohlballen zugestellt. In den Mietshäusern hing Kohl aus den Fenstern. Die Balkone überall kohlgefüllt. Vor den Haustüren Kohlblätter. Der Sozialismus – wir kennen das auch aus der DDR – macht, wenn er überhaupt etwas macht, dies unerhört kraftvoll und gründlich. Die Kohlschlacht wurde siegreich geschlagen. Ganz Peking wogte tiefdunkelgrün. Es hatte fast etwas Kultisches.

Das dritte Bild: Er. Er liegt sehr würdig. Sein Haus ist stilvoll. Es hat nichts von jener krematoriumhaften Prunkdüsternis wie das von Lenin. Sein Mausoleum am großen Platz des Himmlischen Friedens ist hell, freundlich, fast heiter im Ton. Ich empfehle, sich eine kleinere, dezentere Deutschlandhalle in Berlin-Eichkamp vorzustellen, so ungefähr. Und auch wenn man dann in der langen Schlange in das Haus eingetreten ist, empfängt einen nicht düstere Totenatmosphäre. Leicht, licht, schwerelos ist offenbar der Tod in China?

In einer großen Vorhalle sitzt er ruhig, ganz entspannt, in weißen Marmor geschlagen. Er sitzt wie Gottvater, gutbürgerlich im Sessel, und hinter ihm auf einem Riesengemälde wogt nicht, wie ich erwartet hatte, das Volk, das jubelnde Kollektiv, die Masse, aus der er doch kam. Hinter ihm brandet das Meer. Man sieht nichts als blaue Wassermassen, Wogen, die hellblau heranrollen, weiß aufgischten. Mao ist in ein ozeanisches Wogen getaucht. Sag ja zum Meer! Sag ja zu ihm! Kein Volksheld – ein einsamer Neptun, ein Wassergott in biederem Ledersessel ist zu besichtigen.

Stille, Schweigen, erstes Schluchzen. Man geht weiter und

tritt dann in den großen Saal, wo er aufgebahrt liegt. Nein, ich bin ja kein Sohn Chinas, ich bin auch kein Maoist. Man spürt trotzdem die Größe des Augenblicks. Ein Mann, der sein Jahrhundert geformt hat, ein Revolutionär seiner Zeit, ein Beweger von Geschichte, übrigens auch ein Poet, ein Lyriker von Rang, hier liegt er im Zentrum seiner Macht, und das erste, was man von ihm sieht, sind – seine Nasenlöcher. Man hätte das Totenbett wohl etwas nach oben anheben müssen. Er liegt aber ganz waagerecht, und so sieht man zunächst nur die Nase mit ihren Öffnungen. Er liegt in einem Glassarg, kugelsicher. Eine rote Seidendecke verhüllt seinen Körper bis zur Brust, und wenn man dann seitlich ganz nahe steht, sieht man seinen Kopf: gelblich, bräunlich, etwas dicklich. Mao sieht genauso aus, wie man ihn kennt aus seinen besseren, reiferen Jahren.

Nein, es führt nun zu gar nichts, die jetzt übliche Frage zu stellen. Es ist ganz uninteressant, was hier nur Maske, Schminke, echt oder unecht ist. Täuschende Imitation oder der Leib persönlich? Es ist bekanntlich der Glaube, der selig macht. Was wissen wir von dem Mann von Nazareth denn persönlich? Ist er über den See gegangen? Die großen Mythen, die Geschichte machen, wachsen aus den Tiefen der Völker: unbewußt. Mao ist eben dabei, sich für die Chinesen zu diesem Mythos zu verklären. Ich meine: Das ist kein Genosse, sozialistisch, der hier am Platz des Himmlischen Friedens schläft. Chinas Gedächtnis ist tief. Chinas Geschichte ist lang. Es ist der alte Kaisergott – proletarisch.

Und sonst? Peking, man merkt es nun in den nächsten Tagen, und jeder Kenner bestätigt's: Über acht Millionen leben hier, und es ist doch ein Riesendorf – öd, fad, langweilig, von einer bröckelnden Häßlichkeit im Alltagsgesicht, die das Auge entmutigt. Es ist sicher die chinesischste Stadt dieses Riesenreichs, aber ebendeshalb uns ganz verschlossen. Vor der Revolution soll es immerhin anmutige Stadtteile, originale Fremdenquartiere gegeben haben. Jetzt verfällt das alles. Als einzige Farbelemente da und dort das Rot der Mao-, der Hua-Bilder. Obwohl die Pekinger jeden Morgen wie rasend putzen und fegen, viel Staub, zerbröckelnde Mauern: gepflegte Armseligkeit, könnte man sagen. Grau dominiert. Zehntausende von Radfahrern, Zehntausende von Fußgängern in ihren Turnschuhen, ein paar Lastwagen, die Arbeiterbrigaden oder Militär befördern, ein paar grüne Busse. Manchmal eine schwarze Limousine, die Fenster verhängt: Ein hoher Funktionär fährt ins Amt.

Natürlich: Es gibt das schöne, märchenhaft bunte Stück Geschichte, das in diese graue Arbeitswelt bizarr, phantastisch und ziemlich exotisch hineinragt. Träume vom Frühereinmal: die Verbotene Stadt, die Kaiserstadt, der Kaiserpalast, der kreisrunde Himmelstempel und draußen der Sommerpalast, die Westberge, die Ming-Gräber. Man hat drei oder vier Tage zu tun, um all die Tempel, Pagoden, Paläste, die ausschweifenden Parks und die intimen Teegärten in und um Peking zu besichtigen. Schön ist das anzusehen: die langgestreckten Dächer, mongolische Zeltmotive; die bunten Säulen, meistens knallrot; die Dachfirste, sehr kunstvoll golden verschnörkelt; die Löwen- und Drachenmotive; die marmornen Brücken, über die die Kaiser getragen wurden – eine exotische, sehr phantastische Kinderkunst. Ostasiatica original. Wirklich betroffen gemacht hat mich diese Kunst nicht. Mir bleibt sie zu dekorativ. Aber der Himmel war immer sehr hoch, das Licht seidigblau, und die Namen all dieser Paläste sind reine Verführung: Wir betreten die Halle der Vollkommenen Harmonie. Wir stehen vor dem Tor der Irdischen Ruhe. Wir fahren zum Tempel der Himmelblauen Wolke. Schön hört sich das an und ist es auch meist. Chinesische Poesie: Sie hat etwas Schwebendes.

Aber man täusche sich nur nicht. Da dringt man nicht ein. Man versteht es nicht wirklich. China ist uns ganz fremd. Man sieht und spürt nur, daß hier alles anders ist. Auch politisch. Das ist eine kommunistische Diktatur, nicht anders als in Moskau. »China ist ein sozialistischer Staat der Diktatur des Proletariats«, heißt es in der jüngsten Staatsverfassung. Die Partei hat die Macht eisern in der Hand. Nur, sie machen es anders: lautloser, subtiler, ritueller. Hier hat es keine Moskauer Schauprozesse und keine Morde an Millionen gegeben. Stalins Blutbäder sind ihnen ganz fremd. Aber es gibt natürlich eine eigene, chinesische Technik der Unterwerfung, die auch nicht von Pappe ist. Sie sei doch erwähnt, damit unser ratloses Bild vom Maoismus nicht allzu rosig gerät. Auch Peking hat Journalisten, deren Berichte mißfielen, rabiat ausgewiesen, genau wie die DDR. Nur wie? Mit perfider Poesie, würde ich sagen.

Es ging so vor sich: Sie hatten die Mißliebigen mit dem Ausweisungsbefehl ganz privat an die Grenzstation am Perlfluß von Hongkong reisen lassen. Und dort, hart an der Grenze, nach allen Formalitäten, als die Journalisten eben die Volksrepublik verlassen wollten, geschah etwas Merkwürdiges: Sie mußten plötzlich stehenbleiben. Aus rückwärtigen Häusern strömten Tausende von Jugendlichen herbei. Maos Kinder, Rote Garde. Sie ordneten sich, sie formierten sich zu einer breiten Front, tiefgestaffelt. Die vorderen Reihen trugen Besen in der Hand, die hinteren Schmutzeimer mit Kot. Und während die Journalisten sich abzuwenden versuchten, wurde nun ein ganz großes Ballett der Ausweisung getanzt. Die Hinteren schütteten den Kot nach vorne. Die Vorderen fegten ihn haargenau vor die Füße der Mißliebigen. Das Bild ist erst richtig, wenn man es sich als Massenszene vorstellt. Hunderte machten das wie ein Mann: ein hochritualisierter Tanz, ein Ballett der Schmutzausweisung. Kein Tröpfchen hat die Bösen getroffen. Nicht ein Haar wurde ihnen gekrümmt. Sie mußten nur diesen Ritus der Erniedrigung durchstehen. Die Kulturrevolution zelebrierte Klassenkampf. Dann durften sie in den Westen ziehen.

Also so etwas zum Beispiel scheint mir chinesisch. Auf so etwas, vermute ich, würde selbst die DDR nicht kommen. Das ist uralte Kultur. Das setzt Stil und hohe Ästhetik der Macht voraus: Kunst am Bau.

Schanghai oder Der Kommunismus ist ein Kloster

Ich bin dann eine Woche durch China gereist: mutterseelenallein. Ein Privattourist in der Volksrepublik. Es ist ungewöhnlich. Es ist nicht üblich, aber es geht; man kann das. Es gibt den China International Travel Service, das staatliche Reisebüro für Ausländer. Zuverlässigkeit, Ordentlichkeit, Höflichkeit zeichnen ihn aus. Man muß seine Reisewünsche mit Paß bei ihm drei oder vier Tage vorher einreichen. Natürlich kann man nicht fahren, wohin man will. Es sind nur ganz wenige Orte für Westtouristen genehmigt, immerhin. Man bekommt in seinen Paß ein eigenes Reisefaltblatt. Jeder Ort, jeder Termin, auch die Art der Beförderung und Unterkunft sind präzis vorfixiert. Es ist eine Art Marschbefehl: So und nicht anders, künftig. Er ist übrigens nicht eben billig, wie es ein hartnäckiges Gerücht behauptet. Man muß pro Person und Tag mit etwa hundert DM rechnen, das Essen nicht eingeschlossen. Aber dafür läuft nun eine wundersame Maschinerie der Betreuung ab, die ich als tröstlich und schlechthin vollkommen bezeichnen kann. O China, du Palast der Erhaltenden Harmonie, du Palast der Irdischen Ruhe, du Palast der Himmlischen Keuschheit und Geisti-

gen Bildung, und wie deine ehrwürdigen Reste sonst heißen – es
ist nicht übertrieben: Vollkommene Harmonie ist gebucht. Es
kann dir nichts passieren in diesem Riesenreich.

Selbst wenn du nun in der größten Stadt der Welt mit dem
Zug ankommst: Es wird im Hauptbahnhof Schanghai genau
vor deinem Waggon, genau vor der Abteiltür, die du gewählt
hast, inmitten allen Gewühls ein junger Mann stehen. Er wird
immer wie siebzehn aussehen, ist aber siebenundzwanzig. Es
wird immer ein Student sein: klein, zierlich, hauchdünn. Es
trägt immer die blaue Hose, die grüne Jacke oder auch umgekehrt. Er trägt keine Ballonmütze, kein roter Stern verschreckt
die fremden Barbaren. Er trägt kurze, gescheitelte Haare, preußisch. Er wird immer nur ein mäßiges Englisch quietschen:
»Mr. K. ? Welcome! You had a good trip? My name is Tschingping! Your luggage? Let's go – to the Police!«

Wundersam und hochzeremoniell läuft nun der Besuch ab. Es
war in jeder Stadt derselbe Ritus. Erst die gründliche Kontrolle
beim Knipserhäuschen: Drei junge Mädchen prüfen sehr ernst
und langwierig die Fahrkarte. Dann wird der Ankömmling bei
der Bahnpolizei registriert, abgehakt auf irgendwelchen Listen,
seine Ankunft durch einen Stempel im Marschbefehl beglau-
bigt. Danach wird man über lange Gänge in einen Saal geführt.
Der große Saal trägt alle Attribute sozialistischer Gastlichkeit.
Hier werden normalerweise die Delegationen begrüßt oder verabschiedet. Hier werden Reden gehalten, Freundschaftsreden,
Friedensgrüße, versteht sich. Aber ich bin nicht normal – als
Einzeltourist. Trotzdem formuliert der Junge Sätze gewählter
Höflichkeit, die mich willkommen heißen. Auch ich stottere
Sätze, die meine Freude bekunden, gerade hier in dieser Stadt
zu sein. Lange Tische im Saal, schwere Klubsessel, die Bilder
von Mao und Hua an der Wand. Sie werden sich von Jahr zu
Jahr immer ähnlicher: der Kaiser und sein Kronprinz, proletarisch. Auf den sauber gedeckten Tischen immer die Thermosflasche mit heißem Wasser, das Teekästchen daneben, große
Porzellanbecher mit zierlichen Deckelchen. Damit der Gastlichkeit nicht genug: Immer liegt auf vielen kleinen Porzellana-
schenbechern ein Päckchen chinesischer Zigaretten.

Man versinkt nun in diesen Klubsessel, rührt sich einen grünen Tee an, der nach nichts schmeckt, zieht an einer Zigarette,
die nach nichts schmeckt. Man beginnt nun zu spucken, chinesisch, der Teeblätter wegen. Tatsächlich ist auch an Spucknäp-
fen kein Mangel in diesem Land. Sie werden hochhygienisch

durch Holzdeckel abgedeckt, die man an langen Stäben bequem und ohne sich zu bücken greifen kann. Der Junge enteilt. Er bittet um Geduld und Nachsicht. Er organisiert jetzt ein Taxi, das für den China International Travel Service arbeitet. Und auch wenn es nur dreihundert Meter zum gegenüberliegenden Fremdenhotel sind – der Fremde fährt fürstlich vor. Er darf kein Trinkgeld anbieten. Er muß die Schuld unterschreiben. Tatsächlich kriegt man hier für alles und jedes Quittungen, massenhaft. Nach einer Woche quellen alle Taschen über von feinstem Seidenpapier. China – ein Traumland für Spesenritter?

Ich zögere. Ich zweifle. Was soll ich nun sagen? Den Rest kennt man ungefähr. Kommunistische Entwicklungsländer sind sich auf der ganzen Welt ähnlich. Ich kann doch nicht so anfangen: Diese riesige Hafenstadt, Schanghai, dieser größte Umschlagplatz zwischen Europa und Asien einst, dieses ferne, strahlende Ziel der Seemänner, Kaufleute, Globetrotter, der Opiumsüchtigen und anderer verkrachter Existenzen früher einmal, ist heute sehr ruhig, unerhört brav und ziemlich langweilig – für Touristen. Schanghai wirkt, im Unterschied zu Peking, europäisch. Es steht alles noch und arbeitet, was einmal die Imperialisten gebaut haben: Große Bankpaläste, riesige Warenhäuser, imponierende Gebäude der Bürokratie und des Handels schmücken noch immer, britisch im Stil, die große Wasserfront am Huangpu-Fluß, »Bund« genannt. Die Nanking Road ist immer noch eine lebendige, emsige Geschäftsstraße. Hier gibt es Warenhäuser »Round the clock« – »We never close!«. Und doch – und doch?

Die Nächte von Schanghai: meine. Ich muß sie trotzdem als lustlos bis müde bezeichnen. Es war sicher mein Fehler. Du sollst dem Volke dienen, sagt Chairman Mao. Warum tat ich es nicht? Einmal bin ich in der Oper gewesen: ›Sister Kiang‹, eine kuriose Mischung aus Klassenkampf und ›Madame Butterfly‹ – vergiß es! Einmal bin ich im Volkspark gewesen: Springbrunnen, Musikkapellen, Turner, mehrere kleine Theater, in denen Volkstümliches und ideologisch Erzieherisches zugleich geboten wurde. Vergiß es – nicht ganz! Es macht mich nur müde. Auf der ganzen Welt haben mich Lunaparks immer mit Langeweile begleitet. Du sollst dem Volke dienen! Vergiß es trotzdem – nicht ganz.

Meistens bin ich schon gegen halb neun ins Bett gegangen. Schwamm darüber: Du wirst es nun nicht mehr lernen. Etwas Tee, etwas Whisky, ein kräftiges Schlafmittel dazu. Vergiß die

Zeit der schönen Laster. Schanghai, wie es war, lebt nur in sehr alten Filmen von Marlene Dietrich und in den schluchzenden Schnulzen von Freddy Quinn noch fort. Vergiß das doch endlich. Der Kommunismus ist ein Kloster – ja. Ich sage das ganz ohne Häme, mit Respekt.

Klöster waren es immer, die die Geschichte der Völker begründeten. Am Anfang stand immer der Verzicht, die Repression. Es ist ja nicht wahr, was unsere junge Linke propagiert. Der Kult der süßen Anarchie – der ist kein Sozialismus. Der ist nur später Westen, Abgesang. Nicht Freiheit – Triebunterdrückung, Lustfeindlichkeit hat die Geschichte der Völker in Gang gebracht. Der Puritanismus hat den Kapitalismus erzeugt. Man kann das theologisch nach Ignatius von Loyola oder psychoanalytisch nach Freud erklären – es bleibt das nämliche: Verzicht, nicht Lust hat groß gemacht bis hin zu den Preußen. Und ich? Ein Rest von Preußen? Ein Sohn der Alten Welt liegt schon im Bett, sinkt um halb neun in Schlaf mit Phanodorm im Blut. Im Kopf: Vergangenheit – Schanghai bei Nacht. Der Kommunismus ist ein Kloster. Was denn sonst?

Schanghai bei Tag. Einiges, immerhin, habe ich wahrgenommen, auf DM-Basis, versteht sich. Die Besichtigung des Kulturhistorischen Museums will ich nur erwähnen. Tschingping, mein dünner Geist und Guide, führte mich von Urne zu Urne, von Topf zu Topf, von Vase zu Vase. Überzeugend und doch fad. Es schien ihn wohl auch zu langweilen. Er gähnte verstohlen, wurde immer einsilbiger und verstummte dann lange Zeit in sehr schlechtem Englisch. Er paffte Zigaretten, massenhaft, blies Rauch auf Kunst, schon früh um acht.

Vom offenen Fenster drang belebender Lautsprecherlärm in die leeren Räume. Man hörte, wie jetzt am Morgen das Volk von Schanghai erzogen wurde. Eine Art ideologischer Frühgymnastik? Es hörte sich so an. Frauenstimmen ermahnten die Massen, sicher mit Mao-Texten. Marschmusik, Kinderchöre. Dazwischen schien die Polizei Verkehrsregeln für Radfahrer zu verkünden. »Dringend nötig«, sagte ich zu meinem Geist, der müde lächelte. Was hatte er wohl getrieben, heute nacht? Draußen jedenfalls war ein Mordsspektakel im Gang. Volksaufklärung lag in der Luft, blechern aus Lautsprechern scheppernd. Die Stimmen klingen alle ganz hoch und piepsig und mit Nachdruck erzieherisch. Natürlich: Der Maoismus, eine Volkshochschule – was denn sonst?

Die Lektion der Gesellschaft näherte sich hörbar dem Ende.

Pünktlich um neun Uhr jedenfalls fand sich das Stimmengewirr zu einem mächtigen Schlußakkord zusammen. Ein Brausen lag jetzt über Schanghai, Aufbruchsstimmung, der Eros der Revolution persönlich: Völker, hört die Signale! Es war, als wenn zwölf Millionen gemeinsam in einem jubelnden Chor die Internationale sängen. Auf zum letzten Gefecht! Übrigens ein schönes Lied. Ich vermute, es ist in einer bescheidenen, stillen Bürgerstube entstanden. So etwas, vorläufig, bringen kommunistische Kollektive noch nicht hervor. Dazu gehört noch die Sehnsucht, die Hoffnung, das gläubige Ich, an das wir doch alle nicht mehr glauben. Oder? Das Lied war aus. Es wurde mäuschenstill. Man hörte es, wie die Werktätigen jetzt an die Arbeit gingen: emsig, sehr ruhig.

Am nächsten Morgen stand die Besichtigung der Volkskommune auf dem Programm. Draußen im Ländlichen, eine Tagestour mit Guide, mit Taxi und Fahrer. Ich hatte es zuversichtlich gebucht, ungefähr zu dem Preis, für den man in Wien einen mittleren Platz für den ›Rosenkavalier‹ buchen kann. Ich weiß auch nicht, warum ich bei der Hinfahrt gerade daran denken mußte. Ich hatte vor Tagen in Sutschou eine Reisegruppe aus Wien getroffen. Sie waren erbittert, sie schimpften über eiskalte Hotels im hohen Norden. Sie waren noch immer verschnupft und gallig, wie Wiener so sind. Und ich sah nun auf der großen Volkskommune, was man in Wien für diesen Preis nie sehen würde: Zufriedenheit, Optimismus rundum. Es geht überall aufwärts, auch in der Landwirtschaft. Die Reisfelder, die Bewässerungsanlagen, die Hühnerzucht, die Schweineställe, die Volksküche, das volkseigene Krankenhaus, alles Erfolge, die die Mitglieder des Kollektivs sichtbar zufrieden machten. Es wurde mir ein Beispiel der chinesischen Medizin vorgeführt. Einem Kommunemitglied wurde ein Zahn gezogen. Statt einer Spritze bekam er zwei feinste Nädelchen in die rechte Hand gestochen, genau zwischen Daumen und Zeigefinger. Mir tat das weh – ihm nicht. Er lächelte sanft, als dann der Zahn krachte.

Und auch im »Children's Paradise« war nichts als Fröhlichkeit zu erkennen. Es ist eine freiwillige Spiel- und Lernschule für etwa Zehnjährige, nachmittags. Eine Musterinstitution, die den Touristen vorgeführt wird. Ich traf hier die Österreicher wieder. Sie waren noch immer verschnupft. Diese wundersame Maschinerie der Betreuung – wie haben sie das wieder geschafft? Vor dem Schulportal stand eine Mädchenklasse – für mich. Nicht grau, hübsch bunt. Lauter süße Singvögelchen, die in ihrer puppenhaften Niedlichkeit auf uns merkwürdig dressiert wirkten. Sie sangen ein Lied: gellend chinesisch. Sie warfen Papierblumen in die Luft – wegen mir. Sie klatschten begeistert dem Gast aus dem Westen zu. Ein Hoch für den Kapitalisten!

Ich spürte sofort den Ernst der Lage. Ich war etwas verlegen. Ein kleinster Staatsempfang? Ich fühlte mich etwas wie Genscher und etwas wie Dregger, die auch hier gewesen waren, nur sehr viel unbedeutender, obwohl die kleinen Mädchen über den Grad meiner gesellschaftlichen Unbedeutendheit nicht hinreichend informiert schienen. Was ist schon ein Schreiber aus Frankfurt in Schanghai? Fast nichts, wie ich meine. Sie nahmen mich wichtig. Denn nach dem Lied, nach dem Tanz trat aus der Mädchengruppe ein Junge hervor. Vielleicht war es schon ein junger Lehrer. Man kann es nicht wissen. Er trat vor mich und sprach in gediegenstem Hochdeutsch. Kein junger Mann in Frankfurt würde mich so höflich und rituell empfangen. Der junge Chinese sagte: »Guten Tag, lieber Onkel! Wir heißen dich herzlich willkommen!« Er hat mich dann an der Hand genommen und nicht mehr losgelassen am Händchen bis zum Ende der Schau.

Und ich? Ich frage jetzt abschließend nur noch dies: Warum kann ich aus Cottbus oder Brandenburg nicht auch nach Hause bringen, was ich von Schanghai der Welt melde, als Reisebilanz? Alle waren zufrieden – mit sich und der Welt und dem Sozialismus. Warum? Warum nicht?

Tiefer Süden Kanton

Wunderbares muß wieder im Spiel gewesen sein. Der Zug ist voll bis zum letzten Platz. Nur ich sitze allein in meinem Vierpersonenabteil. Es ist in sechsunddreißig Stunden auch niemand zugestiegen zu mir ins Schlafwagenabteil. Zwei Nächte, einen Tag dauert die Fahrt von Schanghai nach Kanton. Ein Kommen und Gehen, großes Gedränge im Gang. Mir ist niemand zu nahe getreten. Ich, meinerseits, habe auch niemanden infiziert mit Westbazillen. Nicht des Tags, nicht in den beiden Nächten. Ich frage: Wie machen sie das?

Ich sitze in einer chinesischen Puppenstube für Kinder, die reisen. Ein gemütlicher Raum: zierliche Gardinen, hübsche Deckchen, ein Zierkissen mit niedlichem Katzenkopf. Ein geräumiger Tisch, eine sehr helle Lampe, eine tropische Topf-pflanze, die wuchert. Der Porzellanbecher mit Deckel, die Tee-büchse, die Thermosflasche mit kochendem Wasser. Fast jede Stunde kommt einer vom Personal mit weißem Kittel, verneigt sich, fragt, ob ich was brauche. Fragt, ob ich was wolle. Fragt, ob alles recht sei – so. Wir fahren in den Süden.

Merkwürdig, daß Süden auf der ganzen Welt eine Glücks-richtung ist. Die Hochzeitsreise, früher, ging immer in den Sü-den, nicht wahr? Hoffnung wird wach. Im Süden ist es immer wärmer, bunter, schöner. Das Leben wird leichter – auch hier. Chinas Dörfer fliegen vorbei. Sie wirken armselig, verkomme-ner als die Städte. Manchmal sind draußen Kommunekinder zu sehen. Waschechte, meine ich, nicht unsere verkleidete Jeunesse dorée. Es sind Gruppen von Landarbeitern, die zur Feldbestel-lung marschieren, ganz zivil. Die rote Fahne flattert ihnen fröh-lich voran. Die Landschaft ist zart, ist anmutig von Natur und wird es nun immer mehr. Nur leichte Erhebungen, nur sanfte Schwünge, schmale Flüsse, über die Holzbrücken, leicht gebo-gen, führen. Manchmal ein Mann draußen, auf der Schulter eine sehr lange Stange, an deren Enden zwei Eimer baumeln. Viet-nam-Erinnerungen, Pagodendächer. Von exotischen Bäumen hängen bizarres Grün und Blätterwerk nieder. Wir fahren in das Land der Orchideen.

Süden heißt hier auch Westen, politisch. Wir werden morgen früh in Kanton ankommen, der Messestadt, dem großen Markt-platz, wo die Volksrepublik ihren Handel mit der Welt absol-viert. Von Kanton sind es dann nur noch neunzig Kilometer bis Hongkong. Man merkt es schon jetzt. Es sitzen weniger Blau-jacken im Zug. Öfters kommen Herren vorbei, Jackettanzug, Schlips und Kragen, westlicher Look. Sie sind lockerer. Sie sind freier. Sie setzen sich zu mir eine Weile. Die üblichen Fragen, die chinesischen Artigkeiten, das freudige Erstaunen im Ge-sicht, wenn ich das Wort West-Germany sage. Die Augen leuchten geschäftig. Sie fragen auf englisch: Wie war's denn? Gute Geschäfte gemacht – in Peking? Ich danke etwas verlegen. Es sind Kaufleute, Chinesen aus Hongkong, Singapur und Amerika. Zum erstenmal spüre ich, obwohl so entfernt: Grenz-geschichten, Ostwest-Passagen, meine Spezialität. Sie schmeckt hier auch anders. Es war kein westlicher Hochmut unter den Hongkong-Chinesen zu erkennen. Kein Hauch von Antikom-munismus wehte mir ins Abteil. Eher Nachgiebigkeit, Ver-ständnis, Schulterzucken: Ja, sehr verschiedene Systeme, schon wahr, aber was soll's? Wir sind alle Chinesen. Wir gehören zusammen: ein Volk. Von Peking bis Hongkong – ein Land.

Mir war das neu. Mir schien es buchenswert als Deutschem. Ich hatte ein Gefühl von Entspannung auf chinesisch. Man möchte die Chinesen, weil so sauber, so bescheiden, so unendlich korrekt, gern als die Preußen Asiens bezeichnen. Es ist aber falsch. Sie sind viel verzwickter, raffinierter, subtiler. Sie sind nicht starr wie die DDR, sondern elastisch. Die Mauer ist ein Bambusvorhang hier. Und es ist nun wirklich eine alte chinesische Wahrheit, die jeder kennt: Nur der Halm, der sich biegt, wird überleben. Nicht der Fels – das Wasser, das ihn aushöhlt, hat Gewalt. Die zierliche Katze hat Kraft. Die Macht der Volksrepublik kommt auf sehr leisen Sohlen: Turnschuhen.

Ein Wochenende in Kanton: mein letztes. Es stand wieder der junge Mann vor meiner Tür. Er hieß mich wieder willkommen. Die Polizeistempel, die Empfangsriten im festlichen Bahnhofssaal, das amtliche Taxi, das riesige Fremdenhotel direkt gegenüber den Messehallen. Ich hatte ein Gefühl von Frankfurt am Main – kantonesisch. Es war inzwischen Dezember geworden. Kanton ist ein großer Gemüsegarten mit vielen Blumen dazwischen. Es leuchtete die Messestadt in südlicher Farbenpracht: rot, blau, gelb, zartviolett. Die Luft warm und sehr weich. Auch die Werktätigen geben sich leichter. Ihre Kleidung, diese sonderliche Mischung aus Klosterkutte und Schlossermontur, wird heller. Da und dort war ein Farbtupfer zu sehen, ein Pullover, der orange oder hellblau unter dem Kittel hervorlugte. Ich sah sogar Pärchen, die untergehakt gingen. Sie gingen trotzdem sehr keusch.

Essen gehen? hatte mein Knabe am Sonntagnachmittag gefragt. Peking-Ente zum Abschied? hatte er fast verführerisch gelockt. Es wurde ein schöner Abend, ein ausschweifender Schmaus. Noch einmal blühte Chinas Kultur auf, als Gaumenreiz. Mein Knabe hatte, ansatzweise, sogar Privatinitiative entwickelt. Er hatte sich mit einem Kollegen zusammengetan, der auch Fremde führte. Es war ein älteres Ehepaar aus Amerika, das China wissenschaftlich bereiste, und ich profitierte davon. Das Ehepaar, offenbar beide Professoren aus Boston, sah alles nationalökonomisch. Mit der Entwicklung der Landwirtschaft schienen sie nicht recht zufrieden. Es wurden Statistiken zitiert, die mich erschreckten. Wir saßen in einem eleganten Lokal, Luxusklasse, für Messegäste. Braune Mahagonimöbel, viel Lack. Und ich bekam noch einmal den seltsamen, feierlichen

Ritus zelebriert, der Peking-Ente heißt. Die Ente erscheint nie in Person. Sie ist in hundert Häppchen zerlegt, delikat.

Zu einer echten Peking-Ente sitzt man in China um einen runden, meist grünen Tisch. Auf dem Tisch viele Näpfchen und Schälchen. Ein lächelndes Mädchen serviert. Klein-klein, heißt die Devise. Es werden dauernd kleinste Häppchen serviert zum Tunken, zum Naschen: süß, sauer, warm, kalt, fest, locker. Dann kommt eine Suppe, abgrundtief dampfend, und dann geht es wieder von neuem los: süß, sauer, warm, kalt, fest, locker. Dazwischen werden heiße Wischlappen und scharfe Schnäpse gereicht. Es dampft alles. Die Schnäpse kommen aus plumpen Plastikflaschen, in denen man Putzmittel wie Meister Proper vermutet. Die Prozedur dauert gute zwei Stunden, und wenn man es richtig chinesisch macht, steht man sofort nach dem letzten Bissen auf, verläßt das Lokal fluchtartig. Dies gilt als höflich, den anderen gegenüber. Unser Sitzen und Reden und gemütliches Kaffeetrinken zum Schluß ist hier unbekannt.

Die Ente genießend, pickend, stochernd, die hohe Kunst der Stäbchen exerzierend, schwitzend, lächelnd, auch dann und wann ein ernsteres Wort mit den Professoren über die Viererbande austauschend, kam mir ein kurioser Gedanke. Kritische Selbsterleuchtung. Ich dachte: Dreh doch die Welt einmal um! Versetz dich in ihre Optik! Was denken die denn von uns? Wie muß eigentlich einem Chinesen aus Peking zumute sein, wenn er plötzlich in Bayern, ich sage nun nicht gerade im Hofbräuhaus, ich sage: im Fränkischen, vielleicht in Bamberg, vor einer kräftigen Schlachtplatte sitzt – Kartoffeln und Sauerkraut, Schweinebauch und Würste massenhaft, das alles in Soße und gewaltige Bierkrüge dazu. Wir Riesen, wir Langnasen, wir kolossalen Brocken. Vielleicht ein dröhnendes Gelächter, ein krachendes Schulterklopfen am Nachbartisch. Böse Spiegelreflexe, nicht wahr? Jedem Chinesen würde kalter Angstschweiß ausbrechen. Er würde sich nichts anmerken lassen. Äußerlich würde man nichts erkennen. Er würde trotzdem denken: Barbarisch; du bist ins Land der Barbaren geraten.

Ja, was ist Kultur? Die alte chinesische Kochkunst gibt Auskunft. Erprobte Rezepte, die man empfiehlt. Wie bereitet man zum Beispiel eine Olive wirklich schmackhaft chinesisch? Man rät: Man stecke die Olive in ein Küken. Das Küken in ein Täubchen. Das Täubchen in ein Huhn. Das Huhn in einen Fasan. Den Fasan in ein junges Kälbchen. Das Kälbchen in ein ausgewachsenes Schwein. Man kocht dann das Ganze mit vielen

Gewürzen. Man läßt es drei Tage im lauwarmen Sud stehen
Am vierten Tag schält man die Olive heraus – serviert sie allein
Und der Feinschmecker hier wird dann bestimmt, die Olive
genießend, sagen: Aber das Täubchen in der zweiten Schicht,
nicht wahr, war nicht mehr ganz jung?

Erwachen in Hongkong

Ich wußte Bescheid. Ich war gewarnt. Schon auf dem Flug nach
Peking hatte mich ein Ostasien-Experte aus Bonn gefragt: »Was
– über Hongkong wollen sie ausreisen? Machen Sie sich auf
Furchtbares gefaßt. Man erlebt da den klassischen Hongkong-
Schock – wenn man aus Peking kommt.« Es ist schockierend,
plötzlich auf diesem Marktplatz eines wütenden Kapitalismus
zu stehen. Man schämt sich ein bißchen unserer westlichen
Freiheit. Fürchterlich, dieser jähe Umschlag ins Chaos.

Ich war auch gut vorprogrammiert. Man hat es ja oft genug
gesehen: im Fernsehen, in unseren Illustrierten. Beim Wort
Hongkong sieht man Flüchtlingselend, ein Geschiebe und Geschubse von Millionen. Man denkt an schwankende Dschun-
ken, an Wohnboote, an schwimmende Elendsquartiere. Hun-
derttausende wimmeln, hungern, dösen, von Hunger und
Opium gelähmt, in Lumpen gehüllt. Man weiß: eine sterbende
Stadt. 1999 wird der Pachtvertrag der Kronkolonie ablaufen.
Wer wird da noch investieren? Es stinkt, es fault. Man riecht
das Ende. Kakerlaken werden ziehen, und Ratten verlassen das
sinkende Schiff. Wohin?

Ich war sogar auf sehr persönliche Weise engagiert. Ich hatte
noch vor der Reise gesagt: Aus Hongkong könnte man vielleicht etwas machen, hinterher. Ich weiß nicht. Man sagt doch
manchmal jetzt, ironisch: West-Berlin, ob das später einmal das
Hongkong der Sowjets wird? Die schöne Lustbar und Bankfi-
liale des verfaulenden Westens, an der man sich noch eine Weile
labt und erholt von den Strapazen, den Sozialismus im Osten
aufbauend? Ich weiß nicht. Ich könnte es mir aber denken.
Weltparallelen? Ich werde aufpassen. Für so etwas bin ich
schließlich zuständig: für langsame, schöne Weltuntergänge.
Wie knistert es denn im Gebälk West-Ost?

Ja, manchmal weiß ich wirklich nicht mehr, ob ich noch ganz
richtig bin im Kopf. Vielleicht bin ich blind. Vielleicht bin ich
taub. Ich muß etwas verrückt sein. Ich träumte wohl? Ich näm-

lich habe ein ganz anderes Hongkong erlebt. Hongkong, als ich da war, lag wie eine strahlende Schönheit am Südchinesischen Meer: eine westliche Oase, eine blühende Kapitale. Ich sah die Schönheit der griechischen Berge, verkarstet. Ich sah eine blauflimmernde Bucht, die mich sofort an San Francisco erinnerte. Ich sah Downtown: eine gigantische Wolkenkratzerlandschaft am Meer. Sie ist so himmelstürmend modern, ja kühn gebaut, daß ich sogleich an Chicago denken mußte. Amerika-Erinnerungen; nur ist das Ganze in das mildere Licht, in die Leichtigkeit, die schwebende Harmonie der Chinesen getaucht. Hongkong, ich sage das jetzt vorweg, ist die schönste Hafenstadt, die ich je sah im Leben.

Es stimmt nichts. Es war alles falsch: meine Berliner Vermutungen. Asien ist anders. China ist uns ganz fremd, und Hongkong riecht überhaupt nicht nach Ende. Ach Gott, es kracht vor Kraft. Es zittert förmlich vor Zukunft und Lebenslust. Es vibriert und sprüht eine Energie aus, daß es im Augenblick tatsächlich etwas kompliziert ist, in der City spazierenzugehen. Arbeiter mit Preßlufthämmern beherrschen die Stadt. Das hämmert, dröhnt und zischt. Es herrscht Gründerzeit. Es wird wie wild gebaut. Es herrscht Aufbruchsstimmung. Sie fangen eben erst richtig an, unter anderem mit einer U-Bahn, die Victoria, die Bank-City, mit Kowloon, der Geschäfts- und Touristen-City, verbindet. Das mit dem 1999 zu Ende gehenden Pachtvertrag ist ohnehin ungenau. Dieser Vertrag, vor der Revolution geschlossen, also ohnehin zu den »ungerechten Verträgen« gehörend, bezog sich nur auf das Hinterland, »The New Territories« genannt. Hongkong selber und die Zentrale Kowloon standen nie zur Disposition.

Peking selber ist der Grund für diese Zukunftslust. Peking selber will, daß Hongkong so ist, wie es ist, und weiter wächst. Die KP Chinas ist an dieser florierenden Kapitale vital interessiert. Dies ist Chinas einziges Tor zur Welt. Wenn es sich mit Hilfe technischen Fortschritts entwickeln will, wenn es den Anschluß an Amerika und die EG je findet, dann nur über Hongkong. Hongkong soll blühen, damit die Volksrepublik werden kann. Sie hängt ohnehin tief drin im großen Hongkong-Geschäft. Banken, Hotels, Warenhäuser, die Wolkenkratzer der Bürokratie und Apartments – überall hat Maos Bank, The Bank of China, ihr Kapital mit drin und sahnt kräftig ab an Gewinnen. In Fragen westlichen Devisengewinns waren richtige Kommunisten ja noch nie zimperlich, ideologisch.

Man merkt es? Etwas belebt sich. Etwas wird wach: ich. Ich fange wieder an zu leben. Ich erwachte aus meinem langen Reiseschlaf: Von Peking bis Kanton, nun gib es doch zu – was hast du erlebt? Es war ziemlich fad. Ich kam mir wie ein Klosterschüler vor, der eben seinem strengen Mutterhaus erfolgreich entsprungen war. Ein Zögling der Zucht und Ordnung, ein keuscher Novize verläßt das graue Kloster. Ach, war das schön, Morgenluft schnuppernd! Wie, wo, was? Ein Abtrünniger erwacht. Ein hoffnungsloser Liberaler kehrt heim. Ich sage nicht: in den Westen. Hongkong ist Osten, genau wie Peking. Ich sage nur: in seine Welt, in diese bunte, süße Unzucht des Lebens, die wir Freiheit nennen. Und wenn es auch China war, fremd – ich war sehr glücklich in Hongkong. Als ich, über hohe Highways schwingend, im Taxi das erste Ausfahrtsschild las, ich las Happy Valley, war ich wie erlöst. Mein Gott, Happy Valley: Kalifornien-Erinnerungen. Du bist im Westen, chinesisch.

Hongkongs politische Situation ist merkenswert, gerade für Deutsche. Alles ist anders als bei uns. Es geht auch anders mit den Kommunisten? Offiziell wird die Kronkolonie ja von Großbritannien, also der Queen und ihrem Gouverneur, regiert. Aber wenn wirklich Wichtiges in der Stadt geschieht, wie etwa der U-Bahn-Bau, so fragt der Gouverneur Ihrer Majestät zuvor diskret in Peking an, ob es auch recht sei, so. Peking bejaht dann diskret. Die Stadt verfügt über keine demokratische Verwaltung, kein Parlament des Volkes. Nur die Reichen dürfen gelegentlich zur Wahlurne gehen. Peking lächelt dazu chinesisch. Es betreibt eine Politik des absoluten Status quo. Nur nichts verändern, alles beim alten lassen, damit das Kapital nicht unruhig wird. Die Gewerkschaften werden natürlich von Peking dirigiert. Sie sind kommunistisch unterwandert, wie Herr Dregger sagen würde. Die Parteien, Teile der Presse – auch kommunistisch unterwandert. Aber was ist?

Manchmal kommen Abgeordnete Ihrer Majestät, Liberale oder sehr linke Labour-Leute, von London nach Hongkong und finden, was ich auch finde: Die Gewerkschaften sollten hier ruhig einmal streiken für höhere Löhne und Freizeit. Es gibt ja in China weder das lange Wochenende noch überhaupt Urlaub für Arbeiter. Ich meine auch, daß man für solche Errungenschaften des Kapitalismus kämpfen sollte. Aber Peking winkt wieder ab, diskret. Es gibt den Hongkonger Gewerkschaften die Order: Ruhe in Hongkong. Hier wird nicht gestreikt! Erstens gibt's in der Volksrepublik auch keinen Urlaub für Arbeiter. Zweitens: Soziale Kämpfe bedeuten Reibungsverluste. Sie schaden unseren Wirtschaftsinteressen in Hongkong. Hongkong soll blühen, jetzt, damit die Volksrepublik blühen kann, morgen. Der Maoismus, das muß man schon sagen, führt hier einen sanften und weisen Klassenkampf.

Es ist fast alles falsch, was wir über diese Stadt vermuten. Schon in der Ausdehnung ist es nicht mit West-Berlin zu vergleichen. Hongkong mit seinem Umland ist ein riesiges Gebiet, über tausend Quadratkilometer groß. Es verfügt über 236 vorgelagerte Inseln. Stundenlang kann man mit der Bahn durch das Territorium fahren. Tagelang kann man auf Booten die Buchten abfahren. Daß sich hier alles drängt und quetscht, trifft nur auf die City zu. Natürlich gibt es unter den viereinhalb Millionen Einwohnern viele Flüchtlinge. Es gibt Armut, massenhaft. Aber es ist unrichtig und ungerecht, diese Stadt als ein schwimmendes Slum-Quartier mit einigen Prunkpalästen dazwischen zu schildern. Es wird von der britischen Verwaltung sehr viel für die Flüchtlinge getan. Sozialer Wohnungsbau, auch massenhaft. Überall im Hinterland entstehen riesige Wolkenkratzer, ganz neue Städte mit Hochhäusern für Flüchtlinge. Nicht genug, das ist wahr. Aber das Elend wächst nicht. Es wird weniger seit Jahren.

Weiter: Es ist falsch, sich Hongkong nur als einen Marktplatz, als das größte Warenhaus der Welt vorzustellen, als eine Sumpfwiese, auf der nur Verbrechen und Prostitution blühen. Ich ging hier nicht mehr um halb neun schlafen. Ich bin jede Nacht unterwegs gewesen. Nur einmal wurde ich von einem Schlepper angesprochen, sonst nie. Das Nachtleben von Hongkong hält sich in angelsächsischen Grenzen, brav puritanisch. Playboy-Verklemmtheit dominiert. Topless ist schon sehr gewagt – mehr nicht, im Normalfall.

Tagsüber, das ist wahr, ist die City ein Tollhaus der Technik: Vom Transistorgerät bis zur Kamera, vom Fernglas bis zum Fernseher – Downtown ist ein Jahrmarkt privater Industrieprodukte. Geschäft an Geschäft, Schaufenster an Schaufenster, immer wieder die gleichen Angebote, dazu Seide, Pelze, Gold, Edelsteine, Uhren. Billig, sehr billig, alles viel billiger als bei uns, auch bei Markenartikeln, die Weltruhm haben. Hongkong ist Freihafen, also zollfrei. Selbst die renommiertesten Weltfirmen haben für ihre Spitzenprodukte die Praxis der festen Preisbindung aufgehoben. Sie funktioniert nicht. Hier verkauft nur, wer am billigsten bietet. Das schon.

Worüber niemand spricht, was den überwältigenden Eindruck von Hongkong ausmacht, ist die Natur, die Landschaft, die vielen stillen Inseln, die einsamen Berge, die weiten, leeren Strände mit herrlichem, weichem Sand, die unzähligen Buchten, das sanfte Hügelgelände, die kahlen Felsengebirge. Wer einmal des Nachts auf dem Victoria Peak, dem 550 Meter hohen Stadtberg von Hongkong-City, stand, wer hier das glitzernde Lichtermeer von Hongkong sah: wie es sich im Ozean spiegelt, wie es zittert und flimmert, wie es an den Hängen der Stadt steigt und fällt – der hat die Schönheit der Erde gesehen. Schöner wird es nicht mehr, anderswo. Teurer auch nicht. Es sind phantastische Mieten, die hier in den eleganten Apartmenthäusern gefordert, auch bezahlt werden.

Repulse Bay: Ich habe hier in der Bucht an der Südküste ein paar Tage gewohnt. The Repulse Bay Hotel, zugegeben: ein Luxusschuppen, ein vornehmer alter Kasten im britischen Kolonialstil; nur zwanzig Zimmer, wenn ich mich recht erinnere. Es war sehr einsam am Strand. Ich habe morgens immer im Meer gebadet: Dezembersommer. Es war so still des Nachts. Allerdings große Galadinners gegen acht. Mich hat es nicht gestört. Ich habe meinen Whisky für mich getrunken: ein Solo fürs Abendland.

Ich saß auf der Veranda. Ich sah auf das Meer, und wie dann der Abend, die Dämmerung kommt: anders, sage ich wieder. Kein buntes Farbenspiel, kein letztes Aufleuchten im zuckenden Rot. Die Sonne ist alt in China. Die Sonne ist müde in China zum Schluß. Sie verkriecht sich in sanftesten Nebelkissen. Das Meer wird blaß, wird grau. Der Tag stirbt einfach weg, verendet ganz undramatisch in jenen verwischten Graugrüntönen, die wir von chinesischen Aquarellen kennen. Ich war sehr glücklich. Jetzt mitversinken, mituntergehen, zurück in den Anfang, aus dem wir doch kommen. Was willst du noch in Europa? dachte ich. Bleib hier. Er ist in Hongkong geblieben, verlorengegangen, irgendwie. Hongkong ist keine schlechte Adresse für letzte Geschichten. Die Stadt ist zum Sterben schön.

Es ist schließlich falsch, was jedermann bei uns über Hongkong zu wissen meint: Hier kann man sich, hier muß man sich Anzüge schneidern lassen. Hier geschieht das doch in vierundzwanzig Stunden, im Vorübergehen sozusagen. Ich kann Neugierige nur warnen. Ich tat es und war sehr enttäuscht. Es mag Pfuscher genug geben, die so mit heißer Nadel nähen. Alle besseren Schneider wollen drei bis vier Tage mit zwei Anproben. Die Anzüge sind keinesfalls billiger. Die Qualität der Stoffe ist auch bei beachtlichem Preis keineswegs besser. Sie sitzen nur trotz aller Anproben zum Schluß miserabel. Sie haben einen Hang zum chinesischen Sack und zum bauschigen Beinkleid. Es fehlt der Pfiff, die Eleganz, der Schick. In Modefragen, glaube ich, geht nichts über Italien.

Jetzt habe ich doch tatsächlich das Wichtigste vergessen! Mein Thema, meine Spezialität: Ostwest-Passagen. Ich Riecher und Schmecker der Klassengrenze überall in der Welt – wie riecht sie denn hier? Darauf war ich gespannt gewesen, das hatte mich von Anbeginn dieser Reise an ungemein interessiert: Wie ist denn in China der Übergang vom Kommunismus zum Kapitalismus beschaffen? Aber es ist wohl schon typisch. So dramatisch wie in Deutschland war es nicht. Ich sagte schon: Keine Mauer, kein Stacheldraht, keine Wachtürme waren zu sehen.

Man erreicht, von Kanton kommend, die letzte Station der Volksrepublik, am Perlfluß gelegen. An der Endstation die üblichen Paß- und Zollkontrollen. Viel Gedränge, Massenauftrieb für eine halbe Stunde. Man muß Geduld mitbringen. Man kann sein Geld umwechseln. Die Abfertigung in der großen Halle des Bahnhofs geht etwas mühsam voran. Sie fragen nach der Armbanduhr, dem Ring, den man am Finger eingeführt hatte. Sie wollen das sehen, und dann geht man eben zu Fuß und mit seinem Gepäck über diese berühmte Brücke, von der ich mir Außerordentliches erwartet hatte. Sie hat aber nur die Beschaffenheit der Halenseebrücke in West-Berlin: halbrunde graue Eisenträger. Sie ist etwas länger. Man stolpert über Eisenbahnschienen, das schon. Die Grenze wirkt deutlich unterentwickelt. Sie hat nichts von der Perfektion deutsch-deutscher Grenzmaschinen. Und dann?

Dann, nach ein paar hundert Metern Fußmarsches, steht man eben drüben in der Kronkolonie. Die britische Flagge und ein Foto der Queen begrüßen sehr bescheiden. Die Queen wirkt, gemessen an den letzten Mao-Bildern, etwas verschüchtert, ein klein wenig überanstrengt. So recht überzeugt sie nicht als Herrscherin dieses Gebiets. Hat sie sich nicht doch übernommen mit der Kronkolonie? Man meint es in ihrem Blick zu sehen, diesen Ausdruck freiwilligen Rückzugs, diese lautlose Abschiedsgebärde des britischen Imperiums: Bitte, wenn ihr wollt, ihr könnt ihn ja haben, diesen Rest von China. Aber Peking will eben nicht. Das ist Hongkongs Situation.

Und dann, nach den Einreiseformalitäten, die hier schneller, europäischer vonstatten gehen, stolpert man mit seinem Gepäck auf den Schlußwagen der Hongkongbahn zu. Eine alte Chinesin, die, mitstolpernd, aus einem alten Blecheimer Coca-Cola-Büchsen verkauft. Im Waggon ein paar Geschäftsleute, Zeitungen lesend. Was gibt es Neues in der Welt, also in der Westpresse? Tatsächlich ist man in der Volksrepublik China informationsmäßig bös dran. Man erfährt nichts aus Europa. Man erfährt durch ein staatliches Bulletin nichts als chinesische Siege in der Welt. In Honolulu, tatsächlich, wurde eine Delegation der Düngemittelindustrie empfangen. Es war ein bedeutender Fortschritt – für China. Mehr nicht.

Doch, ein erstes Reklamebild an der Wand des Abteils ist mir in Erinnerung geblieben. Ich saß also im Zug, auf die Abfahrt wartend. Ich sah ein lächelndes Mädchen, das für Sonnenöl warb. Ihr nackter Busen, der bräunlich und fest war, wirkte makellos überzeugend – für diese Firma. Man ist, wenn man aus Peking kommt, erstaunt über so viel schönes Fleisch, das da am Menschen hängt. Das schon. Aber sonst? Ich Grenzgänger und Kenner der Szene melde nach Deutschland: Ich habe hier nichts erlebt – an Klassengrenze.

Macao – ein Abgesang

Dies also wird sein, zum Schluß? Ganz am Ende der Zeiten soll, wenn man der Bibel glauben darf, nichts als Frieden sein. Das Paradies, das durch den Sündenfall gestört wurde, soll wiederkehren. Das Goldene Zeitalter, die neue Erde, die erlöste Schöpfung – wie oft wurde sie uns verheißen? Es wird nichts als Friede und Freude sein und schönes Wetter: vorwiegend sonnig im Garten Eden. Alle Zwietracht besiegt, alle Schmerzen gelöst, alle Tränen getrocknet, auch der Klassenkampf ist beendet. Das Lamm wird neben dem Wolf liegen, der Löwe neben der Giraffe. Der Starke wird den Schwachen nur streicheln. Eine Streicheleinheit für den Esel, der so viel erlitt in der Weltgeschichte. Es wird der Tod nicht mehr sein, sondern Liebe. Johannes, der Apokalyptiker, hat es in seiner Geheimen Offenbarung am Ende der Bibel näher beschrieben. Ungläubige wie ich sollten da ruhig einmal nachlesen. Ich tat es, bevor ich dies schrieb.

Ich finde die Vision des Johannes beglückend, aber schwer

vorstellbar, für unsereinen. Ich hatte schon früh meine Not damit im Religionsunterricht. Wie soll man zum Beispiel ein Gläschen Wein genießen, wenn man keine Traube mehr quetschen darf? Von Steaks will ich erst gar nicht reden, die noch saftig triefen, von Blut. Zweifelnden, die wie ich gleichwohl glauben wollen, empfehle ich, nach Macao zu gehen. Ein Vorgeschmack von Paradies wird geboten.

Man zischt von Hongkong mit dem Flügelboot sechzig Kilometer über das Südchinesische Meer. Es reißt der Wind. Es schlagen die Wellen, hart wie Gestein. Es liegt eine milde Sonne über dem Wasser, und dann, langsam sinkend, ins Wasser zurücktauchend, landet man an diesem anderen Westzipfel des chinesischen Festlandes, der noch verblüffender, noch kurioser als Hongkong ist. Ist Hongkongs politische Situation schon wunderlich, so möchte ich die von Macao grotesk nennen. Ein Endspiel der Geschichte, ein Idyll der Weltpolitik wird gespielt. Macao ist ein Beckett-Stück: Rumpfreste röcheln von dem, was war. Macao ist absurdes Theater – nur ganz real.

Macao ist Europas älteste Niederlassung in Asien. Vor vierhundertfünfzig Jahren, als noch niemand den Namen Hongkong kannte, landeten hier die Portugiesen, die damals zusammen mit den Spaniern ganz oben waren am Steuerrad der Geschichte. Und das, was man heute mit Recht die Geschichte des europäischen Imperialismus nennt, wurde dann im 17. und im 18. Jahrhundert von hier aus in Gang gesetzt. Das Kolonialzeitalter, die Zeit der großen Ausbeutung begann. Es blühte der Seiden- und Teehandel, den die Abenteurer, die Seefahrer und Kaufleute Europas betrieben. Die Chinesen traten 1557 Macao offiziell an Portugal ab. Ein kleiner Landstreifen, ein großer Fehler Chinas, möchte man rückblickend sagen. Macao ist eine winzige Halbinsel: vier Kilometer lang, an seiner weitesten Stelle eineinhalb Kilometer breit. Es handelt sich im ganzen also um 15,5 Quadratkilometer, kaum mehr, schätze ich, als der Bezirk Tiergarten in Berlin-West. Eine Mini-Bucht, von der aus Europa ganz Asien aufrollte. Hier, wo ihnen Hoheitsrechte eingeräumt worden waren, hatten sie sich festgekrallt, unsere ehrenwerten Vorfahren: die Mafia des Abendlandes – kapitalistisch und gut katholisch, versteht sich. Es war auch eine Missionsgeschichte.

Und heute? Heute ist das nun vorbei: Kolonialzeitalter. Heute will das niemand mehr haben. Portugal wollte Macao nach seiner Revolution Anfang der siebziger Jahre genau wie Angola und seine anderen überseeischen Besitzungen abstoßen, zurückgeben an China. Aber die Volksrepublik winkte wieder diskret ab. Peking beschwichtigte die linken Revolutionäre in ihrem leidenschaftlichen Antikolonialismus. Danke, nein, hieß die Antwort aus Peking. Nicht jetzt, jetzt nicht. Wir wollen Macao nicht. Es wäre ein Menetekel. Besetzten wir jetzt Macao, so würde Hongkong zu zittern beginnen. Das Kapital würde unruhig und sich verflüssigen. Wir brauchen einen soliden Status quo für die Zukunft.

Portugal hat dann 1976 seine letzten Truppen aus Macao zurückgezogen, aus freien Stücken. Seine über vierhundertjährige militärische Präsenz in China ist damit beendet, und nun liegt das so da: offen, schutzlos. Niemand will es haben. Ein Rest, ein Fossil der Geschichte, ein Knochen im Klassenkampf – niemand will nach ihm schnappen. Und lebt doch, lebt weiter, das ist es, was mich entzückt. Solche windstillen Zonen der Weltgeschichte sind wunderbar. Hierfür bin ich zuständig. Humanität wird erblühen, wo die Faust der Geschichte verschwand. Deshalb: Macao, eine Paradiesvision.

Macao ist jetzt die Freizeitecke von Hongkong am anderen Ufer. Keine Wolkenkratzer, kein Big-Business, keine Schaltstelle der Hochfinanz mit Peking. Ökonomisch gesehen ist Macao ganz überflüssig. Dieser schöne Rest wäre völlig versponnen, vergessen, schon zugewachsen vom Sand der Geschichte, wie Karthago, wie Memphis, wenn dem Gouverneur Portugals, den es immer noch gibt, nicht die Idee mit den Spielbanken gekommen wäre. Peking fand auch diese Sünde nicht schändlich. Es gibt also fünf Spielkasinos hier, die luxuriös schwimmen oder pompös blühen am Meeresstrand. Sie blühen wie Riesenorchideen, nur zu bunt. Glitzern und Glamour an Chinas Rand, ernsterer Rede nicht wert. Wichtig ist nur, daß hier den Reichen von Hongkong am Wochenende das Geld wieder abgenommen wird, das sie in Hongkong verdienten. Die Kugel rollt, die Karte fällt, das Spiel ist gemacht, nichts geht mehr. Wer gewinnt? Wer verliert? Ich vermute: The Bank of China verliert nicht.

Der Reiz von Macao ist zunächst die Natur. Sie ist sanfter, bescheidener, idyllischer als die von Hongkong. Kein stolzes Imponiergehabe der Erde: ein bunter Garten aus Gemüse und Blumen, die tropisch wuchern. Komm in den sterbenden Park mit mir! Sieh lauter letzte Wunder: Macaos sozialen Frieden. Es leben auf diesen 15,5 Quadratkilometern dreihunderttausend

Menschen, aber man merkt es kaum, als Besucher. Komm also rein und sieh die Endvision, die neue Schöpfung. Hier leben sie alle friedlich zusammen, die sich draußen bekämpfen: Hier leben die Revolutionäre der Volksrepublik mit den Nationalchinesen aus Taiwan, hier leben die Katholiken mit den Buddhisten, der Flüchtling aus Kanton mit seinen Verfolgern. Der Antikommunist aus Formosa hält es aus mit den Roten Garden, nebenan. Stockreaktionäre Portugiesen repräsentieren die portugiesische Revolution. Marxisten sind freundlich zu Kapitalisten. So geht das hier.

Macao ist heute ein nicht unbedeutendes Erziehungszentrum in China. Eine Art Mini-Schweiz am Rande: viele Internate und Schulen, die nach Ignatius von Loyola, nach Konfuzius, nach Pestalozzi, nach Mao, auch nach Tschiang Kai-schek erziehen – hundert Blumen blühen wirklich. Ich sah das Bild des Papstes neben dem von Mao. Sie störten sich nicht. Ich sah Reste von Kathedralen, gotisch und barock, neben Tempeln, in denen buddhistische Mönche Rauchopfer zelebrierten. Ich hörte aus den Kneipen der Chinesen den Zimbelklang, aus denen der Portugiesen den Fadogesang. Heulbojen aus dem amerikanischen Plattengeschäft stimmten ein in den Chor der Roten Garden: Völker, hört die Signale! Rotwein und Reiswein – ich hörte so etwas wie Weltkultur. Sie klingt wie Sphärenmusik. Nur Orte, die so am Ende sind, können so anfangen. Nur Menschen, die so fertig sind wie ich, können so etwas schön finden. Ich weiß schon: Schwamm drüber.

Ein China für Augen? Dies letzte Bild sei noch erwähnt. Es ist ungewöhnlich. So etwas sieht man nicht oft im Leben: Geschichte, die weitergeht, immer weiter. Porta do Cerco: das alte, historische Grenztor zu China. Schon im 17. Jahrhundert bildete dieses Tor die Grenze zwischen Portugal und dem Kaiserreich China. Hier ist der Handel durchgegangen. Er tut es noch heute. Man darf es nicht fotografieren, nicht filmen. Es ist streng verboten, sich dem Tor zu nähern. Hundert Meter davor muß man stehenbleiben. Das Tor wird heute noch von portugiesischen und von rotchinesischen Grenzposten bewacht. Wozu eigentlich? Es ist ein kleiner, wuchtiger Bau im lateinischen Stil: innen gerundet, außen sehr kantig. Portugals Embleme auf zwei kreisrunden Marmorscheiben.

Nicht daß ich ein Gefühl von Brandenburger Tor gehabt hätte. Als ich damals davor stand, war davon keine Rede. Ich sah nur: Porta do Cerco: Das Tor ist offen. Ich sah einen alten

Chinesen, der eben Richtung Volksrepublik abgefertigt wurde. Er trug die Last der Geschichte auf seinem Rücken. Er trug Kohlmasse auf seinem Rücken. Ob er damit nach Kanton wollte?

Er ging hinein in das Kloster. Ich bin zurückgeflogen: Francfort hieß meine Linie.

»Heimito von Doderer
Einer der großen Erzähler
unserer Sprache!« Günter Blöcker

Heimito von Doderer:
Die Merowinger oder
Die totale Familie
Roman
dtv 281

Heimito von Doderer:
Die Wasserfälle
von Slunj
Roman
dtv 752

Heimito von Doderer:
Die Merowinger
oder Die totale Familie
Roman

dtv

Heimito von Doderer:
Die Wasserfälle
von Slunj
Roman

dtv

Heimito von Doderer:
Die Strudlhofstiege
Roman
dtv 1254

Heimito von Doderer:
Die Erzählungen
dtv 1519

Heimito von Doderer:
Die Strudlhofstiege
Roman

dtv

Heimito von Doderer:
Die Erzählungen

dtv

Gabriele Wohmann

»... die glückliche Verbindung von kühler
Sachlichkeit und Herzlichkeit, von betonter
Skepsis und spröder Zärtlichkeit ...«
Marcel Reich-Ranicki

Gabriele Wohmann:
Alles zu seiner Zeit
Erzählungen

dtv

Gabriele Wohmann:
Sieg
über die Dämmerung
Erzählungen

dtv

Alles zu seiner Zeit
dtv 1164

Sieg über die
Dämmerung
dtv 1621

Sonntag bei den
Kreisands
dtv 2528

Der Nachtigall fällt auch
nichts Neues ein
Vier Hörspiele
Mit Graphiken
von Klaus Staeck
dtv 5461

Gabriele Wohmann:
Sonntag bei den Kreisands
Erzählungen

dtv-großdruck

Gabriele Wohmann:
Ich weiß das
auch nicht besser
Gedichte

dtv
neue reihe

Ich weiß das auch
nicht besser
dtv 6307

Heiratskandidaten
Ein Fernsehspiel
und drei Hörspiele
dtv 6324

omane,
ie Sie in Bann schlagen

**Heimito von Doderer:
Die Strudlhofstiege
Roman**

dtv

eimito von Doderer:
e Strudlhofstiege
v 1254

**Saul Bellow:
Die Abenteuer
des Augie March
Roman**

dtv

Saul Bellow:
Die Abenteuer des
Augie March
dtv 1414

**Edzard Schaper:
Der Henker
Roman**

dtv

Edzard Schaper:
Der Henker
dtv 1424

**Oskar Maria Graf:
Unruhe
m einen Friedfertigen
Roman**

dtv

skar Maria Graf:
nruhe um einen
riedfertigen
tv 1493

**Iris Murdoch:
Der schwarze Prinz
Roman**

dtv

Iris Murdoch:
Der schwarze Prinz
dtv 1501

**Hervey Allen:
Antonio Adverso**
Historischer Roman

dtv

Hervey Allen:
Antonio Adverso
dtv 1514

Siegfried Lenz

»Diese Prosa ist prall von Leben.
Mit jedem Satz wird hier Welt und Wirklichkeit
vermittelt.« (Horst Krüger)

Siegfried Lenz:
Es waren Habichte
in der Luft
Roman

dtv 542

Siegfried Lenz:
Der Mann im Strom
Roman

dtv 102

Siegfried Lenz
Brot und Spiele
Roman

dtv 233

Siegfried Lenz:
Stadtgespräch
Roman

dtv 303

Siegfried Lenz:
Deutschstunde
Roman

dtv 944

Siegfried Lenz
Das Vorbild
Roman

dtv 1423

Deutsche Erzählungen des 20. Jahrhunderts

erausgegeben von Marcel Reich-Ranicki

Anbruch der Gegenwart
Deutsche Geschichten
Herausgegeben von Marcel Reich-Ranicki

1900-1918

dtv

26

Gesichtete Zeit
Deutsche Geschichten
Herausgegeben von Marcel Reich-Ranicki

1918-1933

dtv

1527

Notwendige Geschichten
Herausgegeben von Marcel Reich-Ranicki

1933-1945

dtv

1528

e bedeutendste
litorische Leistung
f dem Gebiet der Kurz-
schichte und der
zählung.«

egfried Lenz

n finde die Bände
änomenal.
ich-Ranicki hat die
stmöglichen Quer-
hnitte durch die geolo-
schen Schichten der
teratur unseres Jahr-
nderts gelegt. Die
ethode ist überzeu-
end, das Lesevergnü-
en überaus groß.«

fred Andersch

Erfundene Wahrheit
Deutsche Geschichten
Herausgegeben von Marcel Reich-Ranicki

1945-1960

dtv

1529

Verteidigung der Zukunft
Deutsche Geschichten
Herausgegeben von Marcel Reich-Ranicki

1960-1980

dtv

1530

Die ›neue reihe‹ für die neue Literatu

H.C. Artmann:
Die Jagd nach Dr. U.
oder
Ein einsamer Spiegel,
in dem sich der
Tag reflektiert

dtv
neue reihe

Barbara Frischmuth:
Das Verschwinden
des Schattens in der
Sonne
Roman

dtv
neue reihe

Günter Kunert:
Ein englisches
Tagebuch

dtv
neue reihe

Botho Strauß:
Die Widmung
Eine Erzählung
dtv 6300

Christa Reinig:
Die Prüfung des Lächlers
Gesammelte Gedichte
dtv 6301

Barbara Frischmuth:
Das Verschwinden des
Schattens in der Sonne
Roman
dtv 6302

Helga Schütz:
Mädchenrätsel
Roman
dtv 6303

Jutta Schutting:
Sistiana
Erzählungen
dtv 6304

Udo Steinke:
Ich kannte Talmann
Erzählungen
dtv 6305

H. C. Artmann:
Die Jagd nach Dr. U.
oder Ein einsamer
Spiegel, in dem sich der
Tag reflektiert
dtv 6306

Gabriele Wohmann:
Ich weiß das auch nicht
besser
Gedichte
dtv 6307

Paul Kersten:
Der alltägliche Tod
meines Vaters
Erzählung
dtv 6308

Botho Strauß:
Trilogie
des Wiedersehens
Theaterstück
Groß und klein · Szene
dtv 6309

Günter Kunert:
Ein englisches Tagebu
dtv 6310